ATLAS MONDIAL
DES SITES
ARCHÉOLOGIQUES

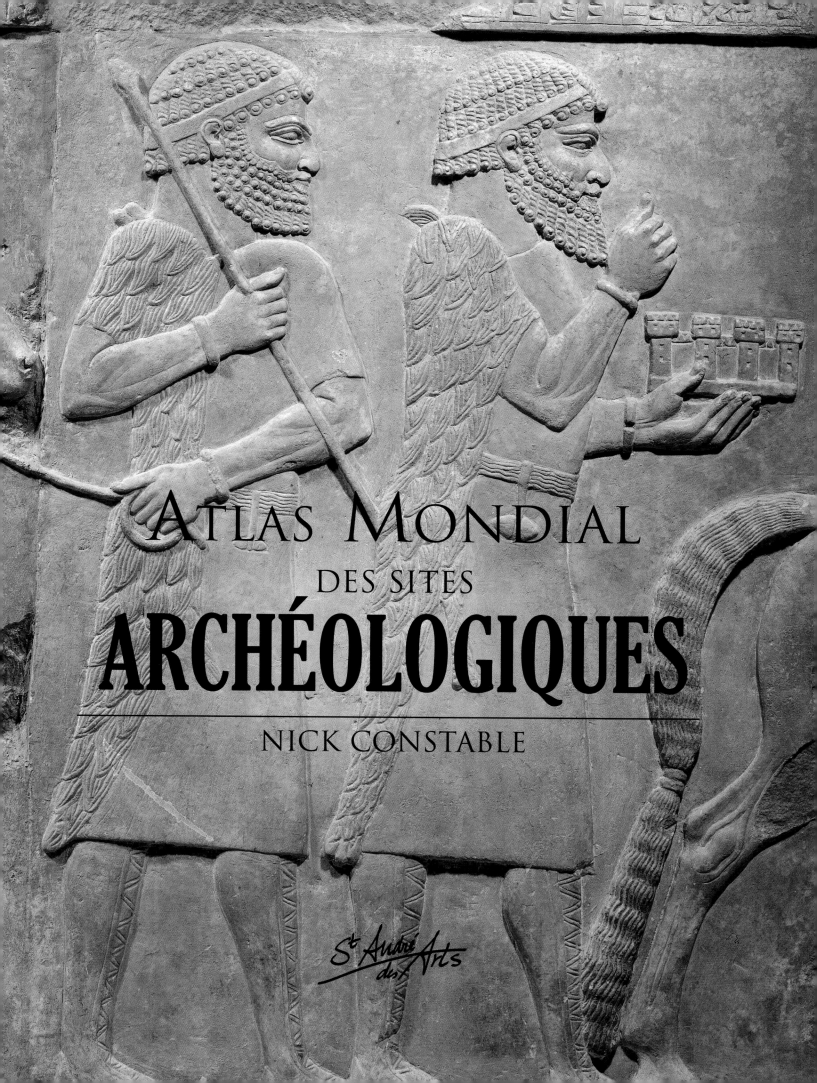

ATLAS MONDIAL
DES SITES
ARCHÉOLOGIQUES

NICK CONSTABLE

St André des Arts

Texte et conception © Prima Éditions 1999

Illustrations et reconstitutions : Oliver Frey
Cartes : Keith Williams et Roger Kean
Responsables de projet : Warren Lapworth et Neil Williams
Mise en pages : Joanne Dovey
Reprographie : Prima Creative Services, Angleterre

© 1999 Prima Éditions
© 2006 Éditions de la Seine pour l'édition française.
60, rue Saint-André-des-Arts – 75006 Paris – France

Ouvrage réalisé par les *Éditions de la Seine*
Direction : Alexandre Falco
Responsable Publications : Françoise Orlando-Trouvé
Responsable de l'ouvrage : Bénédicte Sacko

Réalisation : Atelier Gérard Finel, Paris
Traduction / adaptation : Emmanuelle Pingault
Révision : Stéphane Durand, Florent Founès
Mise en pages : Christian Millet

ISBN : 2-7434-5601-9
Imprimé à Singapour

Crédits d'illustrations
Iconographie : Image Select International Limited.

AKG : 50, 92, 93 à droite, 107, 115, 146, 106, 108, 112, 134, 149, 160, 167 ; AKG Photo : 172 ; AKG / Athens
National Archæological Museum : 60 en haut à gauche ; AKG / Cairo National Museum : 31 ; AKG / Erich Lessing :
2, 3, 32, 33 en bas à gauche, 43, 46, 47 en haut à droite, 48, 49, 49, 51, 60 en bas à droite, 64, 65, 65, 86, 90, 93 à
gauche, 104, 105, 116, 117, 117, 118, 124, 125, 125, 135, 143, 171, 42-43 ; AKG / Florence, Museo Archeologico :
82 ; AKG / Jean-Louis Nou : 40, 41, 41, 128, 129 ; AKG / John Hios : 66 ; AKG / Justus Gopel : 88 ; AKG / Paris,
Musée du Louvre : 85, 85 ; AKG / Tarquinia, Museo Archeologico Nazionale : 83, 83 ; AKG / Veintimilla : 174 ;
Ancient Art & Architecture Coll Ltd / Mary Jelliffe : 18, 18, 19 ; Ancient Art & Architecture Coll Ltd / Ronald
Sheridan : 136, 137, 130, 131 ; CFCL : 57, 81, 97 ; Dr. D. Nicolle : 123, 123 ; Gamma / Hanny Paul : 110, 110 ;
Gamma / Hinterleitner : 111 à gauche ; Image Select : 8, 22, 28, 34, 37, 56, 61, 62, 62, 67, 69, 72, 75, 84, 98, 130,
136, 168, 172, 173 ; Image Select / Exley : 38, 45, 68, 126 ; Image Select / Istanbul Museum : 127 ; J. Allan Cash
Ltd : 80, 100, 101, 101, 63, 144, 145 ; John Miles : 152 ; N J Saunders : 169, 181 ; National Geographic Image
Collection / James Blairings : 159 ; National Geographic Image Collection / James Holland : 21 en haut à droite ;
National Geographic Image Collection / James Stanfield : 109, 109 ; National Geographic Image Collection /
Kenneth Garrett : 111 à droite, 150, 151, 151 ; National Geographic Image Collection / O. Louis Mazzatenta : 138 ;
National Geographic Image Collection / Otis Imboden : 183 ; National Geographic Image Collection / Robert Sisson :
21 au centre à gauche ; National Geographic Image Collection / Thomas Hoopern : 186, 187 ; National Maritime
Museum Greenwich : 99 ; Nick Saunders : 179 ; Novosti : 120, 121, 121, 122, 123 ; Peter Clayton : 58, 59, 59, 59 ;
PIX : 29, 36, 37, 64, 71, 72, 74, 91, 128, 132, 139, 141, 147, 168, 177, 180, 178-179, 25 ; Prima Editions : 12, 20,
70, 70, 72, 72, 73, 73, 73, 73, 74, 75, 75, 77, 78, 78, 112, 151, 170, 56 – 57, 74 – 75 ; Robert Aberman : 14, 15 ;
Science Photo Library / John Reader : 7, 10, 11, 11, 12, 13 ; South American Pictures : 165, 166 ; Spectrum Colour
Library : 54, 81, 89, 96, 97 ; SuperStock : 52, 53, 158, 159, 188, 189, 189 ; SuperStock / The Lowe Art Museum,
The University of Miami : 137 ; Tony Stone Images : 53, 164 ; Tripp / Eric Smith : 153 ; Werner Forman Archive : 24,
29, 44, 48, 76, 77, 77, 79, 79, 94, 95, 95, 140, 141, 154, 155, 155, 156, 157, 162, 180, 184, 185, 162 – 163 ; Werner
Forman Archive / Anthropology Museum, Veracruz University, Jalapa : 176 en haut à droite ; Werner Forman
Archive / British Museum : 45, 50 ; Werner Forman Archive / Cheops Barque Museum : 25 ; Werner Forman
Archive / Courtesy Entwistle Gallery, London : 16 en haut à droite ; Werner Forman Archive / Dallas Museum of Art,
USA : 176 en bas à gauche ; Werner Forman Archive / Egyptian Museum, Cairo : 26 en bas à gauche, 26 en bas à
droite, 30, 32, 33 en haut à droite, 26 – 27 ; Werner Forman Archive / Iraq Museum, Baghdad : 47 en haut à
gauche ; Werner Forman Archive / Museum für Völkerkunde, Berlin : 167 ; Werner Forman Archive / Museum of the
American Indian, Heye Foundation, New York : 182 ; Werner Forman Archive / National Commission for Museums
and Monuments, Lagos : 17 en haut à droite ; Werner Forman Archive / National Museum of Anthropology, Mexico
City : 1 ; Werner Forman Archive / National Museum of Anthropology, Mexico City : 178 ; Werner Forman Archive /
National Museum, Lagos, Nigeria : 16 en bas à gauche, 17 en bas à gauche ; Werner Forman Archive / Private
Collection : 31 ; Werner Forman Archive / Viking Ship Museum, Bygday : 102, 114, 115

Frontispice *Sur le calendrier en pierre de la grande pyramide de Ténochtitlan, le visage de Tonatiuh est encadré de symboles décrivant le séisme de la fin du monde. Les symboles du calendrier aztèque l'entourent. Cette pièce se trouve au musée national d'Anthropologie de Mexico.*

Pages précédentes *Ce bas-relief du VIIIe siècle av. J.-C. se trouve au palais de Sargon II, à Khorsabad, en Irak. Il représente le défilé des Mèdes victorieux.*

INTRODUCTION

L'archéologie est une science aléatoire. Elle peut exiger de longues années de recherches accompagnées de prises de notes fastidieuses, ou de passer des heures à décoder un fragment de texte ancien, pour se demander enfin avec angoisse comment interpréter le tout. Parfois, il arrive que les experts se mettent d'accord pour admettre tel ou tel fait. Et, pourtant, une banale découverte à proximité d'une vieille ferme peut d'un coup balayer plusieurs années de certitude et forcer les spécialistes à avoir une autre vision des sites déjà étudiés. Mener une recherche archéologique, c'est entamer un puzzle dont la plupart des pièces ont disparu et dont l'image reconstituée ne cesse de changer. Rares sont les disciplines qui marient autant frustration et fascination.

Vous voilà donc prévenu. Mais il faut aussi admettre que, malgré bien des failles et des erreurs, l'histoire de l'archéologie multiplie les succès depuis 350 ans. En effet, nous sommes passés de thèses fondées sur l'histoire sainte (un ecclésiastique du XVIIe siècle soutenait par exemple que la Terre avait été créée à minuit le 23 octobre 4004 av. J.-C. !) à une reconnaissance générale de l'évolution, à une compréhension globale des racines de l'humanité et à une observation des progrès techniques qui nous ont permis d'aller de l'avant. Les premiers « explorateurs » et « aventuriers » européens, qui ont pillé sans vergogne les sites anciens, ne méritent guère d'éloges. Mais, avant de les juger trop durement, souvenons-nous que notre XXe siècle industriel n'a pas été exempt, loin s'en faut, d'un certain vandalisme historique !

Quoi qu'il en soit, l'archéologue contemporain doit aborder le monde tel qu'il est, et non tel qu'il le voudrait. La moindre découverte est soumise à des restrictions budgétaires, et est vouée à une course contre la montre, soumise aux ingérences politiques et aux objections – parfois légitimes – de ceux qui estiment que les morts doivent reposer en paix. Tous ces facteurs rendent les recherches plus complexes que jamais. Il faut y opposer les progrès révolutionnaires qu'a connus le XXe siècle : la datation au carbone 14, la magnétométrie (détection d'anciens édifices par leur influence sur le champ magnétique terrestre), le radar au sol, la dendrochronologie (datation par l'étude des anneaux de croissance des arbres), l'analyse des pollens et la photographie aérienne. Toutes ces techniques, combinées aux traditionnelles méthodes de recherche sur le terrain, nous ouvrent nombre des portes pour mieux comprendre notre passé.

Le bonheur de l'archéologue ne saurait se limiter à un jeu technique ou à une minutie académique, même si l'un et l'autre sont de première importance. Ce qui compte avant tout, c'est la connaissance de l'être humain : la découverte de ses origines, la datation de ses déplacements, l'étude de son mode de vie et de ses croyances. Le présent ouvrage s'efforce de restituer la magie des plus beaux sites du monde – des plus anciennes et plus sommaires traces de pas fossilisées à la richesse inimaginable du tombeau de Toutankhamon ou aux 7 000 soldats de l'armée de terre cuite chargée de veiller sur le défunt Qin Shi Huangdi, « Premier Auguste Souverain » de Chine. Nous avons voulu aborder toutes les grandes civilisations, anciennes ou classiques, et explorer en détail des sites bien précis qui définissent ou distinguent une culture donnée. Et, sachant que l'archéologie ne se prête guère à une classification rigide, nous avons aussi retenu des découvertes hors normes et encore mal documentées. Car il serait hasardeux de croire qu'un site revêt une grande importance historique uniquement parce qu'il a fait l'objet de nombreuses publications et a été exploré de fond en comble.

Nous avons également évité de présenter les sujets par ordre chronologique. S'il est satisfaisant de penser que l'humanité a progressé selon un rythme régulier et clairement défini, ponctué par les grands progrès que furent l'agriculture et la diffusion du travail des métaux sur toute la planète, la réalité est tout autre : les progrès ont lieu à des moments différents en des lieux différents. De nos jours, des milliards d'hommes utilisent l'ordinateur pour communiquer sans limites et accéder comme jamais auparavant à toutes sortes de données et d'informations ; mais tout aussi nombreux sont ceux qui mènent une existence étrangement semblable à celle de nos ancêtres de l'âge de fer. Lequel de ces modes de vie est le juste portrait du monde ?

Cet ouvrage aborde donc l'archéologie par le biais de la géographie et localise l'emplacement précis des sites évoqués sur des cartes parfaitement lisibles, tout en y apportant, chaque fois que possible, des précisions historiques. L'Europe, l'Afrique du Nord et l'Asie font inévitablement l'objet d'une étude plus approfondie : ce sont en effet les régions où le plus de recherches ont été conduites. Pour faciliter la consultation de l'ouvrage, nous avons divisé le monde en douze régions géographiques ou politiques (Empires grec et romain, par exemple). De manière inévitable, certaines rubriques se recoupent. Ainsi, les vestiges romains les plus importants figurent à la fois dans les chapitres traitant de l'Afrique et l'Europe occidentale, et dans les rubriques sur les Romains et les Étrusques.

En ce début de IIIe millénaire, il nous reste à employer nos outils et nos méthodes de recherche inédits pour rédiger les pages manquantes de cet atlas. Toutefois, à moins que nos techniques de détection ne connaissent un progrès radical, notre savoir demeure encore et toujours soumis au hasard et à l'inattendu. En ces temps de miracles technologiques, il est finalement rassurant de se dire qu'un ouvrier qui creuse un trou reste le mieux à même de réécrire l'Histoire.

Nick Constable

CHAPITRE 1
L'AFRIQUE

La richesse et la diversité des sites archéologiques africains ne sont pleinement reconnues que depuis une centaine d'années. Cela peut s'expliquer en partie par les dangers et les difficultés auxquels beaucoup d'expéditions ont dû faire face, mais aussi par le fait que la recherche est longtemps restée tournée vers l'Égypte ancienne et les innombrables trésors des tombeaux de la vallée du Nil.

L'Égypte est bel et bien une civilisation classique des plus exceptionnelles, mais elle a porté ombrage à l'étude de questions plus profondes quant à la place du continent africain dans l'histoire de l'humanité. Jusqu'à la moitié du XXᵉ siècle, beaucoup d'anthropologues pensaient

■ **Nok**
■ **Igbo-Ukwu**

Figurine Nok

Cette sculpture nigérienne du XVIᵉ ou XVIIᵉ siècle a probablement été influencée par des œuvres de la civilisation Nok, qui lui était bien antérieure puisqu'elle a prospéré entre 900 et 200 av. J.-C.

que les réponses au mystère de l'évolution viendraient d'Asie. Il fallut attendre que des paléontologues tels que Raymond Dart, Louis et Mary Leakey, et l'équipe de Wymer et Singer remettent en cause cette doctrine pour que l'Afrique prenne sa place de premier royaume de l'espèce humaine.

Plus récemment, il a pu être démontré que certaines civilisations complexes d'Afrique avaient quitté relativement tôt l'âge de pierre et maîtrisaient dès 450 av. J.-C. le travail du cuivre, du bronze et même du fer. Au Nigeria, la civilisation Nok passa en quelques siècles de l'existence « primitive » de chasseurs-cueilleurs à un mode de vie fondé sur l'agriculture et le culte de la fertilité. Ses fascinantes figurines de terre cuite ont probablement inspiré des bronzes plus récents, d'une

facture remarquable. Au même moment, dans le centre de l'Afrique australe, les Shonas fondaient une puissante dynastie qui fit édifier, en l'honneur des souverains divins, ces extraordinaires forteresses de pierre que sont les *zimbabwe*.

Si l'on tient compte de toutes ces données, on ne peut guère exprimer qu'une certitude : l'Afrique est encore loin d'avoir livré tous ses secrets.

Sabrata

Leptis Magna

Ruines de Leptis Magna

Australopithecus boisei
ou zinjanthrope

*Fleuve
Congo*

*Lac
Victoria*

Gorges d'Olduvai

Laetoli

Grand Rift africain

*Une des sept figures
d'oiseaux en stéatite
du site du Zimbabwe*

Grand Zimbabwe

*Crâne d'Australopithecus
africanus (2,8 millions
d'années av. J.-C.)*

Grotte Apollo 11

Taung

Klasies River Mouth

LES ANCÊTRES DE L'HUMANITÉ
Les traces de pas de Laetoli et les gorges d'Olduvai

Le 15 septembre 1976, un groupe de jeunes chercheurs en mission fit une pause sur le site de Laetoli, dans les plaines du nord de la Tanzanie. Les fouilles étaient dirigées par la renommée Mary Leakey, dont les découvertes précédentes avaient fait beaucoup pour la compréhension de l'évolution de l'espèce humaine.

Le grand sérieux de leur patronne n'empêchait pas les chercheurs d'avoir envie de se distraire, et ils commencèrent une bataille de crottes d'éléphant, ramassant de grosses poignées pour se les lancer avec force cris et rires. Au beau milieu de la mêlée, l'un des membres du groupe, Andrew Hill, glissa et tomba la tête la première sur une surface dure. Lorsqu'il ouvrit les yeux, il vit une série d'empreintes assez curieuses. Sans le savoir, sa chute venait de lui faire faire un bon en arrière de quelque 3 millions d'années !

Ces traces – Mary Leakey l'établit par la suite – étaient celles d'un être préhistorique ayant marché sur une terre volcanique humide. Intriguée, elle comprit qu'il pouvait y en avoir d'autres alentour et entreprit de les rechercher sans tarder. En trois ans, elle mit au jour le site des empreintes de Laetoli, des traces de pas fossilisées laissées il y a 3,6 millions d'années par des hominidés australopithèques, ancêtres communs de l'homme et du singe.

Curieusement, ces empreintes semblaient être celles de deux individus. Le premier mesurait environ 1,40 m, l'autre 1,50 m. Ils avaient marché côte à côte, probablement comme deux compagnons. Leurs empreintes n'étaient pas tellement différentes de celles que nous laissons aujourd'hui quand nous cheminons sur le sable humide d'une plage. Leurs gros orteils étaient accolés aux autres, et non

en saillie ou plus longs, comme chez les singes. Plus remarquable encore, une analyse approfondie a montré qu'il y avait, sur la série principale, les traces d'un troisième australopithèque. La conclusion – simple hypothèse – serait qu'un jeune australopithèque ait mis ses pas dans les empreintes de ses parents de façon délibérée, peut-être par jeu.

Filmée en direct

Aucune preuve ne vient étayer cette supposition, mais la découverte, par Leakey, des plus anciennes traces de pas de nos ancêtres est bel et bien venue bouleverser les thèses de l'anthropologie. Jusqu'au début des années soixante-dix, il était admis que la station debout (sur deux pieds) coïncidait avec le développement du cerveau et l'apparition d'outils en pierre. En 1974, dans la dépression de l'Afar, en Éthiopie, la découverte de Lucy – un squelette d'australopithèque – par les Américains Don C. Johanson et Tom Gray a montré que des créatures proches du singe et dotées d'un cerveau de taille modeste se déplaçaient déjà sur deux pieds il y a 3,5 millions d'années – soit au moins un million d'années avant l'invention des premiers outils en pierre.

Ci-dessus *En 1978, la paléontologue Mary Leakey analysa des traces de pas fossilisées dans la cendre volcanique de Laetoli, en Tanzanie.*

3 600 000 av. J.-C.	3 500 000 av. J.-C.	2 400 000 av. J.-C.	1 800 000 av. J.-C.	1 790 000 av. J.-C.	1 600 000 av. J.-C.	1 000 000 av. J.-C.	400 000 av. J.-C.
Empreintes d'australopithèques datant de cette époque découvertes en Tanzanie en 1976.	Fragments de squelette d'australopithèque découverts en Éthiopie en 1974.	Date des plus anciens outils en pierre connus à ce jour.	L'*Homo erectus* s'étend dans l'Asie du Sud et du Sud-Est.	*Australopithecus boisei* ou zinjanthrope découvert dans les gorges d'Olduvai, en Tanzanie, en 1959.	Premier usage connu du feu, en Afrique du Sud.	L'*Homo erectus* gagne l'Europe. Début de la deuxième glaciation.	Une lance trouvée en Allemagne est la plus ancienne arme en bois jamais découverte.

Les anciennes certitudes sont balayées : l'Afrique est bien le berceau de l'humanité.

Ci-dessus *Reconstitution photographique d'un crâne d'Australopithecus boisei, ou zinjanthrope, découvert en 1959 dans les gorges d'Olduvai, en Tanzanie.*

À droite *Les gorges d'Olduvai, dans les plaines du Serengeti, au nord de la Tanzanie, occupent une place prépondérante dans la compréhension des origines du développement humain.*

Laetoli a apporté la preuve irréfutable que l'être humain s'est éloigné du singe parce qu'il a adopté la station debout, et non parce que son cerveau a pris du volume.

Le triomphe de Mary Leakey, décédée en 1996, était le couronnement d'une carrière éblouissante, où le hasard avait plus d'une fois joué son rôle. Ainsi, en 1959, Mary travaillait avec son mari, le grand paléontologue anglo-kenyan Louis Leakey, dans les gorges d'Olduvai, un ravin de 100 m de profondeur qui s'étend sur 100 km dans le nord de la Tanzanie. À la demande d'une équipe de cinéma qui voulait la filmer en train de chercher des outils en pierre taillée, elle se leva un matin et partit explorer le ravin Frida Leakey (du nom de la première épouse de Louis).

Encadrée de ses dalmatiens Victoria et Sally, elle explora par hasard un tas de terre qui avait été emporté par une pluie abondante… et y trouva un minuscule fragment de crâne : le premier d'une série de quatre cents. En quelques mois, elle reconstitua presque entièrement le crâne d'*Australopithecus boisei* ou zinjanthrope, reconnaissable à ses grosses dents noires ; elle en estima l'âge à environ 1,8 million d'années. Le film de cet événement attira l'attention du monde entier et stimula le financement de recherches similaires. Les regards, jusqu'alors portés sur l'Asie, se tournèrent vers les terres désertiques de l'Afrique orientale.

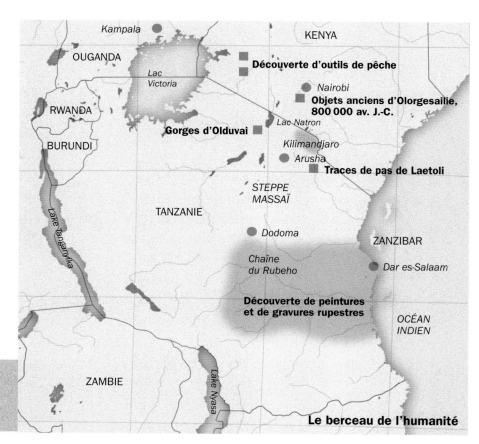

Kampala
OUGANDA
Lac Victoria
KENYA
Découverte d'outils de pêche
Nairobi
Objets anciens d'Olorgesailie, 800 000 av. J.-C.
RWANDA
Gorges d'Olduvai
Lac Natron
BURUNDI
Kilimandjaro
Arusha
Traces de pas de Laetoli
STEPPE MASSAÏ
TANZANIE
Lake Tanganyika
Dodoma
ZANZIBAR
Chaîne du Rubeho
Dar es-Salaam
Découverte de peintures et de gravures rupestres
OCÉAN INDIEN
ZAMBIE
Lake Nyasa
Le berceau de l'humanité

À LA RECHERCHE DE L'HOMO SAPIENS

De l'enfant de Taung à « Little Foot »

Malgré leur importance capitale, les restes d'australopithèques découverts par les Leakey à Olduvai ne sont pas les premiers que l'on ait trouvés. Cet honneur revient à Raymond Dart, professeur d'anatomie à l'université de Witwatersrand à Johannesburg. En 1924, on lui apporta deux caisses de débris divers qui provenaient d'une carrière de chaux située à Taung, à l'ouest du désert du Kalahari.

Raymond Dart tira de la seconde caisse un morceau de calcaire dans lequel étaient fossilisés le crâne, le visage et la mâchoire inférieure d'un enfant, dont on estime aujourd'hui qu'il était l'équivalent préhistorique d'un enfant de six ans. L'anatomiste passa des semaines à manier délicatement le burin pour libérer ce crâne, convaincu d'avoir entre les mains « l'une des découvertes d'anthropologie les plus importantes de tous les temps ».

Le chaînon manquant

Il nomma cet être *Australopithecus africanus* – « singe austral africain » – et établit une norme, adoptée depuis par tous les anthropologues. Selon lui, même si les grandes figures du monde scientifique mirent un certain temps à accepter cette idée, c'était là l'un des chaînons manquants entre le singe et l'homme. Pendant des années, les publications académiques ont été animées d'un débat intense quant à la place de cet enfant dans

l'évolution. Bien des experts soutenaient que le « chaînon manquant » aurait eu un cerveau plus volumineux ; mais cette théorie était fondée sur la supercherie de l'homme de Piltdown, découvert en Angleterre en 1912. On admet aujourd'hui que l'enfant de Taung, âgé de 2 millions d'années, doté d'une mâchoire similaire à la nôtre et d'un cerveau proche de celui du singe, figure au stade intermédiaire de l'émergence de la famille des humains et appartient aux australopithèques, dont au

moins deux types (l'un solidement bâti, l'autre nettement plus léger) vagabondaient dans le sud de l'Afrique il y a d'1 à 3 millions d'années.

Les controverses sur l'apparition de notre espèce, l'*Homo sapiens*, ont elles aussi fait rage dans les couloirs des académies. Jusqu'au début des années soixante-dix, la thèse la plus répandue soutenait que l'être humain moderne était apparu à peu près en même temps en Europe et en Afrique, il y a 35 000 ans.

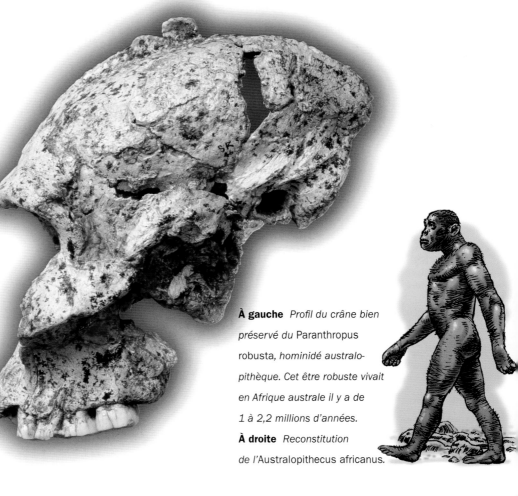

À gauche *Profil du crâne bien préservé du* Paranthropus robusta, *hominidé australopithèque. Cet être robuste vivait en Afrique australe il y a de 1 à 2,2 millions d'années.*

À droite *Reconstitution de l'*Australopithecus africanus.

3 500 000 av. J.-C.	3 000 000 av. J.-C.	2 500 000 av. J.-C.	2 000 000 av. J.-C.	1 600 000 av. J.-C.	1 500 000 av. J.-C.	1 000 000 av. J.-C.	300 000 av. J.-C.
« Little Foot », australopithèque découvert à Sterkfontein, en Afrique du Sud, en 1998.	Chasse aux éléphants en Espagne. Des chasseurs bâtissent des abris sommaires à Nice.	Outils sommaires en Éthiopie. La famille *Homo* s'établit en Europe.	L'enfant de Taung, *Australopithecus africanus*, découvert en 1924 dans le désert du Kalahari.	Premier usage connu du feu, en Afrique du Sud.	Les hominidés vivent dans des grottes ; des communautés se développent, en France.	L'*Homo erectus* gagne l'Europe. Début de la deuxième glaciation.	Construction d'une hutte en France : le plus ancien bâtiment édifié par l'homme connu à ce jour.

La découverte de l'enfant de Taung, « chaînon manquant » entre le singe et l'homme, déclencha un vif débat parmi les anthropologues à la recherche des origines de l'espèce humaine.

Pourtant, des fouilles à Klasies River Mouth, en Afrique du Sud – menées d'abord par John Wyner et Ronald Singer en 1966, puis par l'université de Stellenbosch en 1984 – ont mis au jour des fossiles humains datant de plus de 100 000 ans. Cela revient à dire que des hommes évolués vivaient en Afrique alors même que l'Europe et l'Asie n'étaient peuplées que d'êtres archaïques, même si cette hypothèse reste fragile.

En effet, les membres de la communauté de Klasies, s'ils nous ressemblaient, ne se comportaient pas comme des êtres humains de l'âge de pierre. Ils semblent avoir été de piètres chasseurs fuyant les grands prédateurs pour s'en tenir à des proies plus faciles. Ils ne maîtrisaient aucune technique élaborée,

Petit pied, grande découverte

L'incessante quête des origines de l'homme fut stimulée en décembre 1998, quand des chercheurs annoncèrent qu'ils avaient découvert le squelette d'homme-singe le plus complet : un australopithèque de 3,5 millions d'années, qu'ils surnommèrent « Little Foot ». Il avait été déterré en 1980 en Afrique du Sud, dans une grotte de Sterkfontein, très riche gisement de fossiles d'animaux anciens. D'abord pris – à tort – pour ceux d'un singe, ces os avaient été relégués dans les entrepôts de l'université de médecine de Witwatersrand. En mai 1997, le paléontologue britannique Ron Clarke les redécouvrit et les compara avec des ossements de pieds humains qu'il avait lui-même trouvés. Il réexamina ensuite le site de Sterkfontein avec son équipe et, en septembre 1998, il annonça qu'ils avaient trouvé le squelette complet d'un hominidé de 1,20 m de haut, moulé dans du calcaire. « Little Foot » était tombé dans un puits, ce qui avait tenu sa dépouille à l'abri des bêtes sauvages. L'étude de son ossature devrait permettre aux anatomistes de mieux comprendre comment l'australopithèque se déplaçait, quelles étaient sa posture et la forme de son corps, et d'estimer combien de temps il passait dans les arbres.

Les premiers hommes en Afrique australe

n'éprouvaient aucun intérêt pour l'art ou la religion et n'enterraient pratiquement jamais leurs morts. Les griffures et les brûlures identifiées sur quelques ossements montrent même qu'ils pratiquaient le cannibalisme. Rien à voir, donc, avec une civilisation au sens où nous l'entendons ; le cerveau de ces êtres était probablement bien différent du nôtre, ce qui les exclut de la catégorie des espèces plus « conventionnelles » de la deuxième glaciation.

Si la capacité crânienne ne va plus cesser de croître, il faudra attendre *Homo habilis* pour que celle-ci soit vraiment spécifique.

128 000 av. J.-C.	100 000 av. J.-C.	50 000-30 000 av. J.-C.	45 000 av. J.-C.	35 000 av. J.-C.	32 000 av. J.-C.	30 000 av. J.-C.
Fin de la deuxième glaciation : les mers, plus chaudes, submergent les côtes.	Date supposée de l'apparition de l'*Homo sapiens*, d'après les fouilles effectuées à Klasies en 1966.	Nouveau refroidissement en Europe et en Asie. Arrivée d'hommes en Australie et en Asie du Sud-Est.	Une flûte datant de cette époque a été trouvée en Afrique.	Date admise de l'apparition de l'*Homo sapiens*.	Premières œuvres rupestres en Europe.	Extinction de l'homme de Neandertal, remplacé par l'*Homo sapiens sapiens*.

LE GRAND ZIMBABWE
Les richesses d'un palais du XIIᵉ siècle

À gauche *Le site du Zimbabwe. Au cours des XIIᵉ et XIIIᵉ siècles, ses souverains amassèrent des fortunes colossales en contrôlant les voies commerciales.*

En 1872, en revenant d'une expédition en Afrique australe, le géologue allemand Carl Mauch annonça qu'il avait découvert un site mythique : Ophir, lieu mentionné dans les récits légendaires d'anciens explorateurs portugais et d'où provenait la fabuleuse richesse du roi Salomon. Il avait pour cela suivi les conseils d'un de ses hommes de terrain, le missionnaire et révérend africain A. Merenski, et adopté l'hypothèse romantique, admise par quelques historiens occidentaux, selon laquelle un peuple inconnu vivait encore au cœur du continent africain. De plus, Carl Mauch révéla qu'il avait trouvé les ruines d'une cité perdue édifiée par la reine de Saba en personne : le Grand Zimbabwe.

Carl Mauch fut suivi et aidé, entre autres, par Cecil Rhodes, un financier et homme politique sud-africain né en Grande-Bretagne ; les sociétés minières de celui-ci (extraction de diamants et d'or) attirèrent les ambitions conquérantes de la Grande-Bretagne dans la région concernée. Cecil Rhodes installa son entreprise dans la zone de recherche de Carl Mauch. L'idée qu'un peuple civilisé ait pu un jour venir du nord pour faire progresser la culture locale le séduisait, car il était lui-même convaincu que l'Afrique de son siècle avait besoin de l'aide d'une puissance colonisatrice. Il parraina des recherches archéologiques approfondies, mais ce n'est qu'en 1927, soit 27 ans après sa mort, que la vérité émergea enfin. C'étaient bel et bien des Africains qui avaient édifié le site de Zimbabwe, dans le pays qui reçut ensuite ce nom.

Pour les Shonas peuplant cette région, un « zimbabwe » est le palais d'un souverain ou d'un chaman. Il en existe plus de cent cinquante, un peu partout dans les plaines centrales du pays, mais le Grand Zimbabwe est de loin le plus impressionnant. Il est édifié en partie sur un mont granitique et en partie dans la vallée attenante, avec des blocs de granite habilement travaillés, sans mortier. L'une des deux hautes enceintes situées sur la

Ci-dessus : reconstitution du Grand Zimbabwe

La vie antique au Zimbabwe et dans les cités des Shonas

ZAMBIE

Zambèze

NAMIBIE

Dhlo-Dhlo
Cité de l'âge de fer qui succéda au Grand Zimbabwe et à Khami.

Harare

ZIMBABWE

Grand Zimbabwe

Peuples tailleurs de pierre
(200 000 av. J.-C.)

BOTSWANA

Tropique du Capricorne

Khami
Ruines d'une cité en pierre postérieure au Grand Zimbabwe

MOZAMBIQUE

OCÉAN ATLANTIQUE

OCÉAN INDIEN

745 apr. J.-C.	vers 960 apr. J.-C.	960-1279 apr. J.-C.	974 apr. J.-C.	vers l'an 1000	1052	1076	XIIᵉ siècle
Début de l'Empire ouïgour en Mongolie.	L'étoile de David est employée comme symbole par les juifs.	La dynastie des Song règne sur la Chine.	Plus ancien séisme dont on ait connaissance, au Royaume-Uni.	Les Vikings s'installent à Terre-Neuve.	Début de la construction de l'abbaye de Westminster, à Londres.	L'empire du Ghana est détruit par les Almoravides.	Construction de la ville Zimbabwe, capitale de l'Empire shona.

colline était réservée à un petit groupe de l'élite locale – l'autre enceinte étant une résidence plus ouverte. Dans la vallée se trouve un bâtiment qui était destiné aux épouses du roi, des silos à grain – symboles de la richesse et de la puissance du souverain –, et une grande tour, structure complexe encore mal expliquée. Tout autour se dressaient des cases de terre sèche, où logeaient plus de 10 000 personnes.

Des ressources locales lucratives

Le Grand Zimbabwe, édifié au XIIe siècle apr. J.-C., a connu quelque 300 ans d'opulence. C'était la capitale d'un vaste Empire shona qui s'étendait à l'est du Botswana, des rives du Zambèze aux frontières nord de l'Afrique du Sud. Pendant cette période, les souverains shonas amassèrent une

fortune colossale, d'une part en contrôlant les exportations d'or et d'ivoire destinées aux marchands arabes, qui avaient établi un comptoir commercial sur la côte est, et, d'autre part, en important des perles et des céramiques chinoises. Le site était bien placé pour exploiter les ressources locales (étain, fer, cuivre et sel) qui avaient remplacé le bétail, les céréales et le bois d'œuvre des premiers temps. Toutefois, la croissance de la population ne fut pas sans conséquences sur l'autosuffisance de la cité. Et, en 1450, celle-ci avait été abandonnée et la capitale transférée à Khami, à l'ouest.

Il semble que les méthodes de construction du « zimbabwe » se soient répandues dans une grande partie du centre de l'Afrique australe. Le site de Mapungubwe, « la colline des chacals », figure ainsi parmi les exemples les plus

Ci-dessus *La tour conique du Grand Zimbabwe, en blocs de granite taillés à joints vifs.*

lointains, dans la province nord de l'Afrique du Sud, à proximité de la frontière botswanaise. C'est une superbe muraille naturelle, avec une seule voie d'accès et des murs à pic. Des échanges commerciaux très lucratifs avaient lieu dans cette grande cité shona. On a d'ailleurs retrouvé dans des tombeaux des objets en or très finement travaillés, parmi lesquels une remarquable figurine de rhinocéros et des personnages en bois sculpté, recouverts de feuilles d'or maintenues par de fines pointes, elles aussi en or. Il ressort de tout cela l'impression d'une civilisation très organisée, ce qui offre un contraste saisissant avec les communautés moins structurées de l'âge de fer en Afrique australe.

Résidence d'une élite puissante, le Grand Zimbabwe est un édifice complexe de l'Empire shona, qui dura 300 ans.

1176	1193	1232	vers 1254	1282	1325	vers 1450	1498
Début de l'édification du pont de Londres, achevé en 1209.	Fondation du bouddhisme zen au Japon.	Les Chinois font la guerre avec des roquettes.	Naissance de Marco Polo, à Venise.	Le roi Édouard Ier d'Angleterre conquiert le pays de Galles.	Montée en puissance des Aztèques.	Abandon du Grand Zimbabwe ; Khami devient la nouvelle capitale des Shonas.	Vasco de Gama est le premier Européen à effectuer en navire un aller et retour entre l'Europe et l'Inde.

LA CULTURE NOK DU NIGERIA ET LE TOMBEAU D'IGBO-UKWU

De l'âge de fer aux coupes en bronze

Dans la plupart des régions du globe, la transition entre les âges de pierre, du cuivre, du bronze et du fer s'est faite progressivement, sur plusieurs milliers d'années. En Afrique, les progrès de la métallurgie n'ont pris que quelques siècles, et les artisans sont passés très vite des outils de l'âge de pierre à ceux en fer. Ils n'avaient besoin que d'une chose : le moyen de chauffer un four à 1 000 °C, température à laquelle il devient possible de travailler le métal. Ils édifièrent donc des fonderies en dôme, qu'ils alimentaient avec d'immenses quantités de charbon de bois.

Avec la propagation de ce savoir, la gamme des outils disponibles pour travailler les métaux et faire de la joaillerie ou de la sculpture s'étendit. Les premiers

Africains de l'ouest à maîtriser ces techniques nouvelles furent les Nok, dans le centre-nord du Nigeria. L'un de leurs hauts-fourneaux, à Taruga, date du IVe siècle av. J.-C., et l'on pense qu'ils travaillaient déjà le fer – quoique de manière plus rudimentaire – depuis une centaine d'années.

Il semble que la culture Nok ait prospéré entre le VIe siècle av. J.-C. et l'an 300. Elle a surtout contribué à l'art africain avec ses figurines en terre cuite (marne argileuse), et en particulier ses têtes humaines facilement reconnaissables à leurs coiffures extravagantes et leurs grands yeux triangulaires. Les caractéristiques physiques inhabituelles comme les difformités étaient reproduites fidèlement, et certaines figures étaient complétées par des perles ou des armes. Le but recherché reste mal compris mais, selon certains experts, ces créations étaient associées à un culte de la fertilité des terres.

L'art Nok n'a été pleinement reconnu qu'au début du XXe siècle, quand les ouvriers des mines d'étain des flancs sud et ouest du plateau de Jos ont découvert des fragments de figurines en terre cuite.

À gauche et ci-dessus *Ces têtes Nok en terre cuite ont été réalisées entre 900 av. J.-C. et 200 apr. J.-C. On pense qu'elles étaient associées à des rites de fertilité.*

Une reconstitution minutieuse a mis en évidence des têtes d'hommes et d'animaux, mais aucun archéologue professionnel n'étant alors présent au Nigeria, il revint à quelques historiens de l'art de les replacer dans leur contexte. Ils se contentèrent de les définir comme « vestiges de la culture Nok », sans en estimer plus précisément l'âge ou l'origine.

Un caveau fastueux

Il fallut attendre les fouilles de Tarouga et de Samun Dukiya pour que la portée de l'influence des Nok soit pleinement perçue. Des couteaux et des pointes de flèche en fer, de la poterie et des bracelets ont été découverts dans des lieux où une société sédentaire, aux croyances religieuses assez complexes, avait vraisemblablement vécu. Ces fouilles ont surtout permis de mieux comprendre certaines

776 av. J.-C.	753 av. J.-C.	VIe siècle av. J.-C.	551 av. J.-C.	539 av. J.-C.	vers 500 av. J.-C.	vers 490 av. J.-C.	486 av. J.-C.
Premiers jeux Olympiques, en Grèce.	Fondation de la ville de Rome, sur le Tibre.	La culture nok atteint son apogée.	Naissance de Confucius.	Conquête de Babylone par les Perses.	Les Aryens cinghalais atteignent l'île de Sri-Lanka.	Victoire des Grecs sur les Perses à Marathon.	Mort de Siddhârta Gautama, fondateur du bouddhisme.

Les structures sociales évoluèrent très vite en Afrique occidentale.

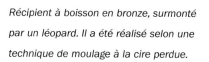

œuvres d'art plus récentes, telles que les têtes en cuivre, en bronze et en terre cuite des cités nigérianes d'Ife et du Benin.

Les pièces trouvées dans la grotte d'Igbo-Ukwu, dans les forêts du sud du Nigeria, montrent la rapidité de l'évolution des sociétés d'Afrique occidentale. L'archéologue britannique Thurstan Shaw, intrigué par la grande quantité de bronzes découverts sur ce site en 1938, organisa en 1959 et 1960 des fouilles systématiques. Il trouva alors un tombeau qui reste parmi les plus importantes découvertes archéologiques de tous les temps : un souverain trônant assis sur un tabouret encadré de trois défenses d'éléphant, dans un caveau dont les murs et le toit sont habillés de bois. Juste au-dessus de ce caveau, une chambre abritait les corps de cinq serviteurs. Les trésors du tombeau comptaient notamment une canne et un fouet en bronze, un ornement en cuivre, une couronne, et plus de 100 000 perles en verre et en pierre quartzique semi-précieuse, probablement importées d'Inde par des marchands arabes.

Le travail des matériaux, et surtout du bronze, montrait le niveau atteint par la culture africaine au début du IXe siècle. Les bronzes étaient coulés à cire perdue, ceci signifiant qu'un modèle en cire était couvert d'argile, puis mis à fondre. Une fois la cire disparue, le moule argileux ainsi créé était posé sur le sable pour y recevoir le métal en fusion. Après refroidissement, il ne restait qu'à briser l'ar-

Récipient à boisson en bronze, surmonté par un léopard. Il a été réalisé selon une technique de moulage à la cire perdue.

gile pour révéler le bronze, qui était alors poli et lustré.

La possession de tels trésors était un signe de supériorité sociale. À partir de l'âge de pierre, au cours duquel de petites communautés connurent plusieurs milliers d'années durant des vies simples organisées autour de la chasse et de la cueillette, les habitants d'Afrique occidentale adoptèrent rapidement un mode de vie développé et industrialisé, dominé par des rois adulés comme des dieux.

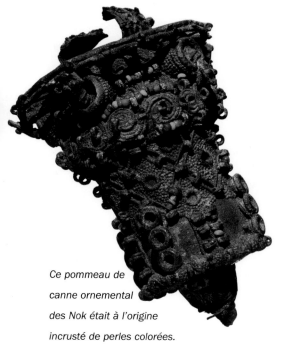

Ce pommeau de canne ornemental des Nok était à l'origine incrusté de perles colorées.

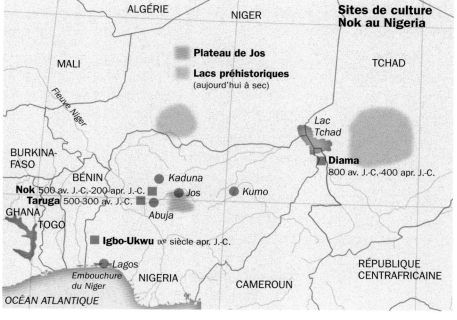

Sites de culture Nok au Nigeria

ALGÉRIE · NIGER · TCHAD · MALI · Plateau de Jos · Lacs préhistoriques (aujourd'hui à sec) · Fleuve Niger · Lac Tchad · Diama 800 av. J.-C.-400 apr. J.-C. · BURKINA-FASO · BÉNIN · Kaduna · Nok 500 av. J.-C.-200 apr. J.-C. · Taruga 500-300 av. J.-C. · Jos · Kumo · GHANA · TOGO · Abuja · Igbo-Ukwu IXe siècle apr. J.-C. · Lagos · Embouchure du Niger · NIGERIA · CAMEROUN · RÉPUBLIQUE CENTRAFRICAINE · OCÉAN ATLANTIQUE

IVe siècle av. J.-C.	334 av. J.-C.	vers 138 av. J.-C.	220 apr. J.-C.	vers 250 apr. J.-C.	vers 300 apr. J.-C.	449 apr. J.-C.	IXe siècle apr. J.-C.
Utilisation d'un haut-fourneau à Taruga, au Nigeria.	Alexandre le Grand envahit l'Asie mineure.	Tchang Kien explore l'Asie centrale.	En Chine, fin de la dynastie des Han et début de l'époque des « Trois Royaumes ».	Le royaume d'Aksoum, en Éthiopie, contrôle le commerce sur la mer Rouge.	Recul de la culture Nok.	Les Saxons, Angles et Jutes conquièrent la Grande-Bretagne.	Utilisation de procédés de métallurgie de pointe en Afrique.

IMAGES DE LA VIE À L'ÂGE DE PIERRE
Les rochers sculptés de la grotte Apollo 11, en Namibie

Pour les anciens Bochimans d'Afrique australe, le spectacle d'un chaman en transe était le reflet même du monde spirituel. Sur un fond de musique puissante, de percussions rythmées et de chants, ce sorcier amorçait une danse rituelle et complexe autour d'un feu ardent.

Durant la cérémonie, son souffle court et son immense concentration le mettaient peu à peu en transe : le chaman se penchait alors en avant, tremblant, couvert de sueur, le nez ruisselant de sang. Il connaissait à ce moment une mort symbolique pour entrer dans le domaine des esprits, où il invoquait le pouvoir surnaturel nécessaire au bien-être de son peuple. Il s'agissait par exemple de guérir les malades, d'appeler la pluie, vaincre l'ennemi ou faire une chasse fructueuse.

La transe fut pratiquée par de multiples cultures anciennes et reste aujourd'hui en usage dans plusieurs régions du monde. En général, lorsqu'on entre dans cet état second (il peut suffire d'être saisi d'une migraine aiguë), les troubles du système nerveux entraînent des hallucinations. Cela commence par des formes géométriques – spirales, quadrillages et zigzags – qui se transforment peu à peu en êtres vivants ou objets reconnaissables. Au stade ultime, la personne « possédée » se voit de l'extérieur et se ressent devenue animal ou esprit.

C'est sur ce fond mystique qu'ont été réalisées certaines des œuvres d'art les plus riches de l'histoire. Leur interprétation est certes une science inexacte, mais de nombreux experts estiment qu'il existe une relation étroite entre le chamanisme et les arts préhistoriques d'Afrique australe. Ainsi, d'après l'une des théories dominantes, les dessins d'une antilope à l'agonie seraient une représentation symbolique de la transe : l'animal mourant est en effet saisi de convulsions similaires à celles d'un chaman. Les Bochimans ont longtemps été persuadés

Ci-dessus *Des animaux gravés donnent vie à ce flanc de colline de Twyfelfontein, en Afrique du Sud.*

Ci-dessus *Plusieurs œuvres d'art primitif montrent des hommes à la chasse. Grotte de Bambata, parc de Matopos, Zimbabwe.*

L'art rupestre illustre une relation intime entre les animaux et les chasseurs.

vers 27 000 av. J.-C.	vers 25 000-17 000 av. J.-C.	vers 18 000 av. J.-C.	vers 15 000 av. J.-C.	vers 12 000 av. J.-C.	vers 10 000 av. J.-C.	vers 9 000 av. J.-C.	vers 8 000 av. J.-C.
Grotte habitée au Brésil.	Peintures rupestres de cette ère découvertes en Namibie en 1969.	Première sculpture de forme humaine en Asie.	Peintures des grottes de Lascaux, en France.	Emploi de techniques rudimentaires de poterie au Japon.	Peintures rupestres dans la province du Cap Nord, en Afrique du Sud.	Les chasseurs se dispersent sur le continent américain.	Les chasseurs européens inventent le tir à l'arc.

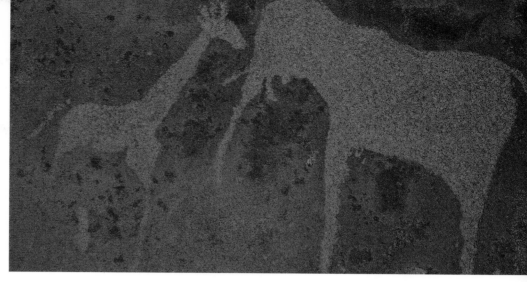

À droite *Silhouettes de girafe et d'éléphant à Twyfelfontein. Les peuples d'Afrique prêtaient un profond pouvoir symbolique et religieux aux bêtes sauvages, qui figurent sur beaucoup de leurs gravures.*

que l'élan – l'une des plus grandes antilopes, dotée d'un rôle symbolique très important – libérait un pouvoir immense quand on le tuait. Seul le chaman de la tribu pouvait saisir cette énergie et l'exploiter à bon escient.

De l'âge des cavernes aux navettes spatiales

À ce jour, les plus anciennes œuvres rupestres connues dans le sud du continent sont celles de huit blocs rocheux d'une grotte de Namibie. Tout en y menant ses recherches, l'archéologue Eric Wendt écoutait des reportages radio sur l'expédition lunaire de 1969, et c'est pourquoi il nomma le site « Apollo 11 ». Les pierres y sont ornées d'images diverses : antilope couronnée d'une ligne rouge, rhinocéros noir, animal rayé, et félin à jambes d'homme. D'autres dessins sont plus abstraits, comme des lignes noires le long d'une tache rouge. Grâce à des prélèvements de carbone 14 opérés sur des débris de charbon de bois trouvés non loin, ces peintures ont pu être datées : elles remontent au milieu de l'âge de pierre – entre 25 000 et 17 000 av. J.-C.

Il existe des lieux comparables dans plusieurs régions d'Afrique. La grotte de Wonderwerk, dans la province du Cap Nord, renferme des dessins datant de 10 000 ans ; les massifs du Sahara tels que le Hoggar, l'Adrar des Iforas et le Tibesti nous ont livré des gravures peintes d'animaux datant de 5 000 av. J.-C. La grotte de Nswatugi, dans le parc de Matopos (Zimbabwe), montre clairement que les animaux sauvages occupaient un rôle primordial aux yeux des indigènes.

Des peintures rupestres nettement plus récentes représentent des troupeaux de bétail, des chevaux, des attelages, et même des soldats britanniques du XIXᵉ siècle ; mais il est des thèmes qui ont survécu à des milliers d'années. Entre les XVIᵉ et XIXᵉ siècles, dans les montagnes de Drakensberg, en Afrique du Sud, on peignait encore des antilopes – expression de la mythologie San.

Depuis que les archéologues ont admis que certaines peintures rupestres étaient bel et bien préhistoriques, au début des années 1900, les connaissances dans ce domaine ont énormément progressé. Ainsi, nous savons que les artistes de l'âge de pierre ne peignaient pas seulement dans les grottes, mais que leurs travaux y étaient moins exposés à l'érosion, et donc mieux conservés. Les falaises et les abris rocailleux étaient eux aussi décorés, et quelques objets d'art ont été identifiés : pierres et os gravés, dents taillées, et pendentifs en coquillages.

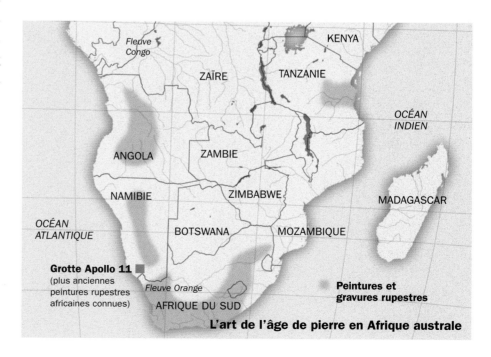

L'art de l'âge de pierre en Afrique australe

vers 7 000 av. J.-C.	vers 6 500 av. J.-C.	vers 6 000 av. J.-C.	vers 5 000 av. J.-C.	vers 3 300 av. J.-C.	vers 3 000 av. J.-C.	XVIᵉ-XVIIᵉ s. apr. J.-C.
Le cochon est domestiqué en Nouvelle-Guinée.	Premiers pas de l'agriculture en Grèce et en mer Égée.	Le riz est cultivé en Thaïlande.	Des peintures et des gravures rupestres sont réalisées dans le Sahara et au Zimbabwe.	Les Sumériens échangent des biens contre de petits objets en terre.	Fabrication de couteaux et de haches en cuivre, en Palestine.	La peinture rupestre reste pratiquée dans les montagnes Drakensberg, en Afrique du Sud.

LA ROME AFRICAINE
Leptis Magna et Sabrata

La ville de Leptis Magna (aujourd'hui Lebda), à 130 km à l'est de Tripoli, en Libye, fut fondée par les Phéniciens vers 650 av. J.-C. Pendant plusieurs siècles, ce ne fut qu'un modeste port sur l'estuaire d'un tout aussi modeste cours d'eau, mais il prit de l'importance avec l'extension de l'Empire romain dans toute l'Afrique du Nord, durant le Ier siècle apr. J.-C. En l'an 1 ou 2, Annobal Rufus, bienfaiteur local, y fit édifier un théâtre. Quant au marché, constitué de deux pavillons octogonaux datant de l'an 8 av. J.-C., il fut enrichi de portiques en 31 et 37 apr. J.-C. À la fin du IIe siècle, la ville était ainsi devenue un comptoir commercial de première importance entre l'Europe et l'Afrique, et elle vit naître l'empereur Septime Sévère – qui allait se montrer un mécène généreux.

Convaincu que sa cité natale avait sa place parmi les plus grandes villes romaines, il nomma une commission chargée d'élaborer un plan de développement urbain, plan qui reste à ce jour un modèle d'efficacité et de réflexion, aux yeux des architectes. Il s'agissait principalement de détourner le cours d'eau – ce qui n'est pas un mince exploit, même de nos jours –, puis d'élargir l'estuaire naturel pour agrandir le port. Sur le lit asséché de la rivière, Septime Sévère fit aménager une grande avenue vers le centre administratif de la ville, où se trouvait une majestueuse « basilique », c'est-à-dire une salle de congrès.

Mais ce prestige ne devait pas durer. Deux siècles plus tard, l'Empire romain, constamment harcelé par les attaques des tribus du désert, perdait de son influence en Afrique quand une inondation brisa la berge de la rivière. Chargée de limon et de sable, l'eau reprit son cours d'origine et ensevelit les murs et les colonnades de la cité. Paradoxalement, c'est à ce désastre naturel que Leptis Magna doit d'être restée l'une des villes romaines d'Afrique les mieux conservées. Très peu de matériaux étaient susceptibles d'attirer les pilleurs et une grande partie de l'avenue ensevelie a ainsi pu être retrouvée intacte.

L'industrie de l'olive

Les thermes de la Chasse constituent un des hauts lieux de la cité. Ils auraient été achevés au début du règne de Septime Sévère. Les voûtes sont restées dans un état remarquable, tout comme la fresque représentant une chasse au léopard et qui donne son nom au bâtiment. Le toit est également en bon état grâce au sable sous lequel il est resté enfoui si longtemps. En ville, un splendide arc sculpté représente l'empereur à bord d'un char, accompagné de ses fils Caracalla et Geta. Il aurait été édifié pour commémorer la visite de Septime Sévère dans sa ville, en 207.

La grandeur de Leptis ne saurait s'expliquer uniquement par ses richesses. La ville était un lieu de grande activité économique, où s'échangeaient des relations commerciales à grande échelle.

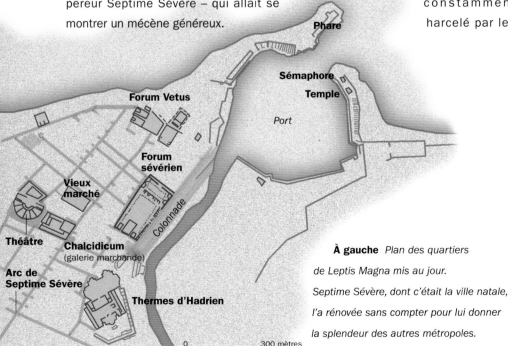

À gauche *Plan des quartiers de Leptis Magna mis au jour. Septime Sévère, dont c'était la ville natale, l'a rénovée sans compter pour lui donner la splendeur des autres métropoles.*

vers 550 av. J.-C.	509 av. J.-C.	vers 500 av. J.-C.	vers 480 av. J.-C.	323 av. J.-C.	44 av. J.-C.	Ier siècle apr. J.-C.	1-2 apr. J.-C.
Les Arabes s'établissent en Éthiopie.	Fondation de la République romaine.	Première utilisation du fer en Afrique.	La peste emporte un quart de la population d'Athènes.	Mort d'Alexandre le Grand.	Assassinat de Jules César.	Édification du forum de Sabrata, au carrefour des voies commerciales d'Afrique occidentale.	Construction du théâtre de Leptis Magna par Annobal Rufus.

Leptis Magna, simple poste d'approvisionnement, devint l'une des plus belles cités romaines d'Afrique du Nord.

Ainsi, le marbre utilisé pour orner les façades des bâtiments publics était importé de carrières aujourd'hui en Turquie, et le matériau était probablement accompagné de marbriers hautement qualifiés en garantissant un résultat irréprochable.

Les propriétaires d'oliveraies, exploitations florissantes à Leptis, ont participé au paiement de tous ces frais. Des pressoirs ont été trouvés à la périphérie de la ville, et il est probable que l'huile était exportée vers l'Italie. La production était alors si abondante que, lorsque Jules César décida de frapper d'une amende les habitants de Leptis, il exigea que celle-ci fût payée en nature, sous forme d'huile, pour une valeur de 3 millions de livres romaines.

Ci-dessous *Le plus grand théâtre romain d'Afrique du Nord, édifié en 180 apr. J.-C. et aujourd'hui restauré, se trouve à Sabrata.*

Sabrata

Sabrata, sur la côte ouest, est un autre avant-poste romain bien conservé. Ce fut d'abord une colonie carthaginoise devant sa bonne fortune en grande partie à sa situation géographique : elle se trouve en effet au croisement des voies marchandes des caravanes du Sahara. Le forum (fin du Ier siècle apr. J.-C.) et le théâtre (fin du IIe siècle) – l'un des plus grands et des plus luxueux de l'Afrique romaine – sont parmi les monuments remarquables. C'est aussi le cas des ruines des thermes, du vieux port, de divers temples et fontaines, ainsi que des catacombes. La protection assurée par l'armée romaine, dont la troisième légion était basée à Lambèse, montre bien l'importance stratégique des cités de Sabrata et de Leptis Magna.

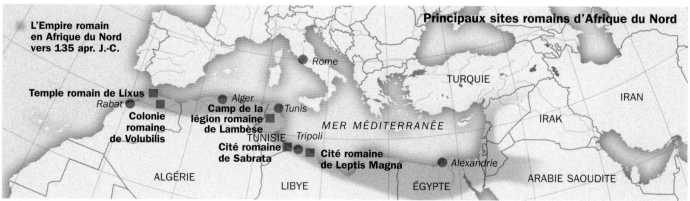

Principaux sites romains d'Afrique du Nord

L'Empire romain en Afrique du Nord vers 135 apr. J.-C.

Rome
TURQUIE
IRAN
Temple romain de Lixus
Rabat
Alger
Camp de la légion romaine de Lambèse
Tunis
MER MÉDITERRANÉE
IRAK
Colonie romaine de Volubilis
TUNISIE
Tripoli
Cité romaine de Sabrata
Cité romaine de Leptis Magna
Alexandrie
ALGÉRIE
LIBYE
ÉGYPTE
ARABIE SAOUDITE

27 apr. J.-C.	31 et 37 apr. J.-C.	43 apr. J.-C.	58 apr. J.-C.	vers 200 apr. J.-C.	vers 207 apr. J.-C.	375 apr. J.-C.	vers 400 apr. J.-C.
Baptême de Jésus.	Le marché de Leptis Magna, fondé en l'an 8, se développe.	Les Romains envahissent l'actuelle Grande-Bretagne.	L'empereur Ming-Ti établit le bouddhisme en Chine.	Septime Sévère, empereur romain, rénove la ville de Leptis Magna.	Les thermes de la Chasse sont élevés en l'honneur de Septime Sévère.	Les Huns d'Asie centrale envahissent l'Europe de l'Est.	À Leptis Magna, le canal de détournement de la rivière cède ; l'Empire romain s'affaiblit.

CHAPITRE 2

L'ÉGYPTE ET LA VALLÉE DU NIL

Rares sont les grandes civilisations qui, comme l'Égypte ancienne, combinent mysticisme, puissance, génie et mystère. Alors que cette dynastie royale a émergé bien après d'autres civilisations du Proche-Orient, elle est restée stable pendant plus de 3 000 ans, gagnant ainsi une place de premier ordre dans l'histoire du continent africain. Des impressionnantes pyramides de Gizeh à la maudite Vallée des Rois, en passant par les glorieux temples de Karnak et d'Abou-Simbel, ce pays allie prouesses techniques et mythologie passionnante. Il n'est donc pas étonnant que, pendant des siècles, elle ait attiré comme un aimant les chercheurs et les chasseurs de trésors.

Rien n'est plus complexe que l'origine et le lignage des pharaons mais, pour les non-spécialistes, il peut s'avérer utile de rappeler quelques périodes clés de l'histoire de l'Égypte. Les égyptologues ont identifié 34 dynasties successives : ère

Les pyramides de Gizeh

prédynastique et début de la dynastie (de 5000 à 2625 av. J.-C.), Ancien Empire (de 2625 à 2130 av. J.-C.), Moyen Empire (de 1980 à 1630 av. J.-C.), Nouvel Empire (de 1539 à 1075 av. J.-C.). Les périodes séparant ces époques et suivant le Nouvel Empire sont les première, deuxième et troisième périodes intermédiaires et, enfin, la Basse Époque (de 664 à 332 av. J.-C.). Ensuite, la période hellénistique, centrée sur le vieux port d'Alexandrie, porte l'Égypte jusqu'en 30 av. J.-C. et à sa conquête finale par l'Empire romain.

Serein et souriant, le visage de Touthmosis III, qui régna de 1504 à 1450 av. J.-C., nous adresse le doux regard de celui qui se sait né pour régner.

MER MÉDITERRANÉE

LIBAN

SYRIE

Scribe assis datant de l'Ancien Empire (vers 2625 à 2130 av. J.-C.)

Rachid (Rosette)

Alexandrie

ISRAËL

JORDANIE

Tanis

Le Caire

Memphis

Suez

ARABIE SAOUDITE

Navire commercial de l'Ancien Empire

Le Nil

MER ROUGE

ÉGYPTE

Tell el-Amarna

Abydos

Kamak

Deir el-Medineh
Vallée des Rois

Buste grandeur nature de Néfertiti, épouse du pharaon Akhenaton

Assouan

Lac Nasser

Site des temples d'Abou Simbel

SOUDAN

Nubie

Colosses de Ramsès II à Abou-Simbel

23

LES PYRAMIDES DE GIZEH
L'escalier vers le ciel

Les pyramides sont le symbole de l'Égypte ancienne, et aucune ne saurait rivaliser avec celle de Gizeh, à la pointe du delta du Nil. C'est là que sont situés aussi Khéops (ou Khoufou), peut-être le monument égyptien le plus célèbre, et

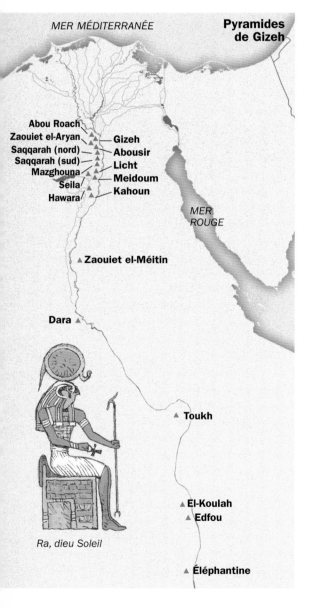

MER MÉDITERRANÉE

Pyramides de Gizeh

Abou Roach
Zaouiet el-Aryan — **Gizeh**
Saqqarah (nord) — **Abousir**
Saqqarah (sud) — **Licht**
Mazghouna — **Meidoum**
Seila — **Kahoun**
Hawara —

MER ROUGE

▲ **Zaouiet el-Méitin**

Dara ▲

Ra, dieu Soleil

▲ **Toukh**

▲ **El-Koulah**
▲ **Edfou**

▲ **Éléphantine**

l'édifice appelé Grande Pyramide. D'une hauteur de 146 m et d'une largeur au sol de 230 m, la pyramide de Khéops se compose de plus de 2,3 millions de blocs de calcaire et a nécessité la présence de quelque 18 000 ouvriers pendant une grande partie du règne de Khéops, membre de la quatrième dynastie (de 2585 à 2560 av. J.-C.). Non loin se trouvent des pyramides plus modestes : celle de Khéphren, composée de gros blocs de granite rouge, et celle de Menkaouré, édifiée à la hâte à partir de briques de terre crue.

L'édification de Khéops et de la centaine de pyramides royales reste une épineuse question pour les archéologues. La plupart d'entre eux pensent aujourd'hui que les énormes blocs ont été hissés à la force du poignet grâce à un système de rampes disposées en périphérie pour laisser au maître d'œuvre une perspective suffisante pour juger de l'effet général. Si l'on garde à l'esprit que tout

Ci-dessus *Le sphinx de Gizeh et, derrière lui, la pyramide de Khéphren.*

cela a eu lieu voici plus de 4 000 ans, la précision du résultat est pour le moins stupéfiante. Ainsi, les flancs de Khéops s'élèvent selon un angle d'exactement 51,52 degrés, la base étant tournée vers le nord géographique. Le socle occupe une superficie de 5,4 ha et, si ses bords ne sont pas rigoureusement parallèles, ils ne sont décalés que de 2,5 cm.

La pyramide a été édifiée pour honorer Ra, le dieu Soleil. Selon les « Textes de Pyramides » (invocations et formules rituelles gravées sur les murs intérieurs des tombeaux), la mort d'un pharaon était suivie d'un renforcement des rayons solaires, qui formaient une rampe ardente que le défunt devait gravir pour atteindre l'immortalité. Les pyramides symbolisaient le point de rencontre entre cette voie et la terre – le relief extérieur des pyramides à degrés – les plus anciennes

vers 3000 av. J.-C.	vers 2750 av. J.-C.	vers 2700 av. J.-C.	2625 à 2130 av. J.-C.	2585 à 2560 av. J.-C.	vers 2500 av. J.-C.	vers 2300 av. J.-C.	vers 2200 av. J.-C.
Édification du premier temple en pierre, à Malte.	Plusieurs civilisations se développent dans la vallée de l'Indus, en Asie.	Les Chinois tissent de la soie.	Ancien Empire d'Égypte.	Règne du roi Khoufou, de la quatrième dynastie. Construction de la Grande Pyramide.	Établissement des premières bibliothèques, en Mésopotamie.	Création des premières céramiques en Amérique centrale.	En Extrême-Orient, premier emploi d'une forme de hiéroglyphe.

Selon la rumeur,
les profanateurs s'exposaient
à de terribles malédictions.

Ci-dessus *Les pyramides de Khéphren et de Khéops. Elles avaient pour but d'aider les pharaons défunts à monter au ciel.*

– exprimant bien cette idée d'escalier céleste. Quant aux dimensions phénoménales de la pyramide de Khéops, elles sont peut-être dues au statut de ce souverain, réputé incarner le Soleil.

Dérouter les pilleurs

Le site de Gizeh recèle aussi les ruines d'une nécropole, avec des temples funéraires, des réserves de biens destinés à l'au-delà et de nombreuses sépultures – plus simples celles-là – de membres de la famille royale. Un village de chantier autonome était également édifié sur place pour permettre aux artisans qualifiés de résider loin des travailleurs manuels. Il comptait une boulangerie, des silos à grain, des boutiques et un cimetière – particulièrement utile étant donné le nombre d'ouvriers mourant écrasés. Il faut noter que les roturiers étaient eux aussi enterrés dans des pyramides, à la fois plus petites et en terre crue.

Outre leur rôle religieux, les pyramides avaient un but bien plus matériel : décourager les pilleurs de tombes. Conscients de l'attrait irrésistible de ces édifices, les pharaons avaient mis au point des modes de défense élaborés, tels des labyrinthes intérieurs menant – ou non – au tombeau. On répandait aussi une rumeur selon laquelle tout intrus éventuel se verrait maudit à jamais. Cette mise en garde fut ensuite adoptée par les simples citoyens. Le tombeau d'un des constructeurs de la Grande Pyramide affiche une malédiction rédigée par l'épouse même du défunt : « Ceux qui pénétreront dans ce tombeau y feront aussi entrer le mal ; que le crocodile les poursuive dans les eaux, et les serpents sur la terre ; que l'hippopotame les pourchasse dans les eaux, et le scorpion sur la terre. »

Hélas ! ces moyens de dissuasion se révélèrent d'une piètre efficacité. Les souverains des Moyen et Nouvel Empires (de 1980 à 1075 av. J.-C.), horrifiés par les actes des pilleurs, décidèrent de se faire enterrer dans la Vallée des Rois – une nécropole constituée de caveaux de pierre inviolables, derrière les collines de Thèbes, à l'ouest du Nil.

À droite *La barque en cèdre du roi Khoufou était déposée dans une chambre profonde, scellée par des blocs de calcaire.*

En mai 1954, mettant au jour la face sud de la Grande Pyramide, l'archéologue égyptien Kamal el-Mallakh découvrit un lieu secret qui avait jusqu'alors égaré les pilleurs. Le hasard le mena vers une chambre rectangulaire protégée par 41 blocs de pierre calcaire, dont certains pesaient plus de 15 tonnes. Au fond d'un caveau de 31 m de profondeur, il découvrit une barque funéraire en cèdre, de 42 m de long, soigneusement démontée et prête à être reconstituée. On pense que ce bateau a servi à transporter le corps du défunt avant d'être enterré près de lui, pour l'aider à traverser le ciel en compagnie de Ra.

vers 2000 av. J.-C.	vers 1980 à 1630 av. J.-C.	vers 1894 à 1595 av. J.-C.	vers 1760 av. J.-C.	vers 1620 av. J.-C.	vers 1550 à 1075 av. J.-C.	vers 1500 av. J.-C.	de 1400 à 1100 av. J.-C.
Premiers voiliers sur la mer Égée.	Moyen Empire d'Égypte.	Première dynastie de Babylone.	Hammourabi, roi de Babylone, fait graver un recueil de lois sur un bloc de pierre.	Montée en puissance des Hittites en Anatolie.	Nouvel Empire d'Égypte.	Utilisation courante d'armes en fer au Proche-Orient.	Apogée de la civilisation mycénienne.

LE TOMBEAU PERDU DE TOUTANKHAMON
La découverte maudite de Carter

Le site de la Vallée des Rois, fondé par Touthmosis Ier, est une nécropole aménagée dans le lit asséché d'une rivière proche de Thèbes, sur la rive gauche du Nil. Entre la mort de ce pharaon, en 1482 av. J.-C., et le début du Ier millénaire av. J.-C., quelque soixante-dix tombeaux royaux furent creusés dans la roche, sous la butte de Thèbes présentant l'avantage d'être de forme pyramidale. Des escaliers, des couloirs, des entrepôts et des puits de ventilation étaient aménagés dans ces tombeaux, ainsi que des chambres funéraires richement décorées. Les plus grandes atteignaient une profondeur de 91 m, et leur aménagement et décoration nécessitait une armée de travailleurs et d'artisans qualifiés. La nécropole était placée sous la surveillance d'un garde, spécialement chargé d'éloigner les pilleurs.

Regrouper ainsi les sépultures permettait d'en assurer plus facilement la sécurité, mais cela ne décourageait pas les voleurs de rôder comme des vautours. Certaines tombes ont ainsi été vidées seulement quelques jours après avoir été scellées, et des gardiens soudoyés ont livré des informations concernant les entrées et les passages secrets des tombeaux.

Après ces premiers pillages eurent lieu les visites d'« explorateurs » européens, tel Giovanni Belzoni qui, entre autres outils d'excavation, employa un bélier. Dès lors, au début du XXe siècle, peu de tombeaux restaient encore inviolés, exception faite du légendaire tombeau du jeune roi Toutankhamon, mort vers 1323 av. J.-C. à l'âge de 19 ans, après un règne de moins de dix ans.

Dès 1907, lord Carnarvon, lui-même obsédé par l'idée de découvrir des tombeaux à Thèbes, finança les recherches de l'archéologue britannique Howard Carter. Celui-ci avait eu un certain succès : il avait notamment localisé la sépulture de petits nobles non loin de la montagne

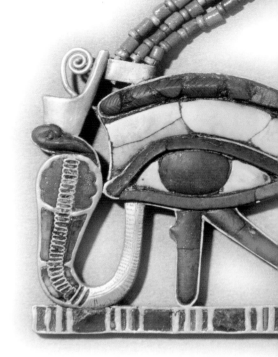

Ci-dessus *Ce pendentif d'une grande finesse a été trouvé dans le tombeau. Il fallut des mois à l'équipe de Carter pour dresser le catalogue de trésors tels que celui-ci.*

Ci-dessous *Le masque funéraire de Toutankhamon est l'un des plus fascinants joyaux archéologiques.*

À gauche *Couvercle orné du cercueil de Toutankhamon. Le jeune souverain mourut avant son dix-neuvième anniversaire.*

vers 1600 av. J.-C.	vers 1500 av. J.-C.	1482 av. J.-C.	vers 1450 av. J.-C.	de 1400 à 1100 av. J.-C. env.	vers 1350 av. J.-C.	vers 1330 av. J.-C.	vers 1323 av. J.-C.
Civilisation urbaine de l'âge du bronze en Chine.	Apparition d'écritures symboliques en Chine, en Crète, en Grèce et en Anatolie.	Mort de Touthmosis Ier, fondateur de la nécropole dite « Vallée des Rois ».	Fin de la Crète minoenne.	Apogée de la civilisation mycénienne.	Les Syriens deviennent multilingues en acquérant le hittite et le babylonien.	Le roi Kurigalzu II quitte Babylone pour établir sa nouvelle capitale, Dûr-Kurigalzu (Aqarquf) à 160 km de là.	Mort de l'enfant-roi Toutankhamon.

Lord Carnarvon avait suspendu les recherches, mais Carter sut le convaincre de mener une ultime tentative.

de Thèbes ; mais, à partir de 1917, il se concentra pleinement sur Toutankhamon. Après quatre ans, il n'avait pas progressé et, alors que Carnarvon s'apprêtait à renoncer, il insista pour que celui-ci accepte de financer une ultime saison de travail dans le seul et unique site qui fût encore accessible : un triangle de terre non loin du tombeau de Ramsès II.

Le tombeau maudit

Après seulement trois jours de fouilles, le 21 novembre 1922, l'équipe découvrit des marches en pierre menant à une porte plâtrée, sur laquelle figurait ce qui ressemblait à un sceau d'administrateurs de nécropole. Howard Carter fit prévenir son employeur et suspendit les travaux, pour laisser à Carnarvon le temps d'arriver sur place et de franchir le premier la porte du tombeau – ce qui arriva le 23 novembre.

Ce qu'il vit alors, dans une chambre souterraine scellée, reste difficilement descriptible : un somptueux trésor d'ob-

jets datant de l'Égypte ancienne, comprenant des coffres, des sièges et des lits recouverts de plaques en or, ainsi que plusieurs statues grandeur nature du roi, à l'entrée de sa chambre funéraire. Dans cette pièce se trouvait un sarcophage richement paré d'or, qui en contenait lui-même trois autres, encastrés à l'instar des poupées russes. Sous le dernier, un couvercle en granite protégeait un cercueil orné de feuilles d'or. Howard Carter eut alors la certitude d'avoir découvert le tombeau inviolé du souverain.

Il fallut des mois pour dresser l'inventaire des trésors de Toutankhamon, et l'archéologue britannique ne put se consacrer pleinement au sarcophage qu'en février 1925. Sous le couvercle de granite, il trouva encore deux cercueils : l'un orné de faïence, d'obsidienne et de lapis-lazuli ; l'autre en or massif, d'une épaisseur de 25 mm et pesant plus de 110 kg.

Mais Carter n'était pas au bout de ses surprises. Quand le corps du roi fut enfin mis au jour, il s'aperçut que sa tête et ses épaules étaient elles aussi couvertes d'or, de lapis-lazuli et de pierres bleues : c'était le masque funéraire de Toutankhamon, qui allait devenir le plus célèbre des visages de toute l'Antiquité.

L'histoire de Carnarvon connut toutefois une fin tragique. Jamais il ne put admirer ce joyau, car il fut emporté en avril 1923 par une pneumonie transmise par une puce. Conan Doyle, le père de Sherlock Holmes, lui prêta une fin plus romanesque en suggérant qu'il avait été tué par des spores placés dans le tombeau pour punir ceux qui le violeraient. En 1998, des chercheurs ont reconnu qu'il était en effet possible, en théorie, qu'un virus végète dans un tombeau pendant plusieurs milliers d'années et gagne même en puissance au fil du temps.

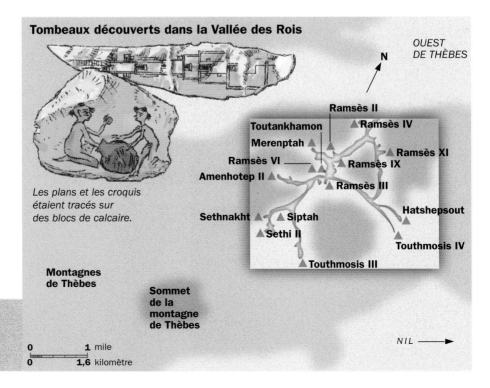

Tombeaux découverts dans la Vallée des Rois

OUEST DE THÈBES

N

Ramsès II
Toutankhamon ▲ ▲ Ramsès IV
Merenptah ▲
Ramsès VI ▲ ▲ Ramsès XI
Ramsès IX
Amenhotep II ▲ ▲ Ramsès III
Hatshepsout ▲
Sethnakht ▲ ▲ Siptah
Sethi II ▲ Touthmosis IV ▲
Touthmosis III ▲

Les plans et les croquis étaient tracés sur des blocs de calcaire.

Montagnes de Thèbes

Sommet de la montagne de Thèbes

NIL ⟶

0   1 mile
0   1,6 kilomètre

vers 1300 av. J.-C.
Arrivée de colons aux îles Tonga, à Fidji et à Samoa.

vers 1200 av. J.-C.
Fin de l'Empire hittite ; en Grèce, fin de la civilisation mycénienne.

LES TEMPLES DU NIL
Le culte des tombeaux

Les Égyptiens ont élevé deux types de temples : ceux qui étaient voués aux dieux de la mythologie, et ceux dédiés au culte mortuaire des pharaons défunts. Le commun des mortels n'avait accès ni aux uns ni aux autres, mais les alentours immédiats étaient souvent des lieux agités et bruyants, où les fidèles porteurs d'offrandes se mêlaient aux fonctionnaires, aux scribes et aux artisans. Pour la plupart des Égyptiens, se rendre au temple n'était envisageable que les jours de fête, par exemple pour assister à une procession ou à une cérémonie se déroulant dans le péristyle. Seuls les prêtres les plus haut placés étaient admis dans l'enceinte sombre et silencieuse du sanctuaire lui-même, où ils se chargeaient de veiller sur la statue du dieu ou du pharaon qui y était adoré.

Le magnifique site de Karnak, sur la rive gauche du Nil, à Thèbes, est certainement le meilleur témoin de la complexité de la religion de l'Égypte ancienne. Plusieurs souverains des Moyen et Nouvel Empires y ont fait édifier toute une série de temples, ainsi que des enceintes nord-sud et est-ouest percées de portes monu-mentales (les pylônes), des avenues bordées de sphinx et des étangs sacrés.

La construction du plus important de ces temples, consacré au dieu Amon, fut ordonnée par Aménothis III au XIVe siècle av. J.-C. mais ne fut achevée que sous Ramsès II (vers 1200 av. J.C.). L'enceinte d'Amon mesure 140 m2 ; le toit de la cour centrale repose sur 122 colonnes de plus de 70 m de haut. Les murs sont ornés de reliefs, récits historiques, prières et hymnes, offrant aux historiens des indices précieux pour la compréhension de la vie des Égyptiens après le Nouvel Empire.

Les repas sacrés du pharaon

Les Égyptiens rendaient visite à la sépulture de leurs dieux officiels, tout comme à celle de divinités moins élevées. Ils leur adressaient des prières touchant la vie quotidienne, par exemple pour obtenir une bonne récolte ou chasser la maladie. Complication supplémentaire, l'adoration des dieux, y compris les dieux d'État, variait avec le temps. Ainsi, avant qu'Amon ne lui succède, Ra était le plus adulé. Et la montée en puissance d'Osiris, dieu des morts que l'on disait enterré à Abydos,

coïncida avec la chute de son prédécesseur, Khenty-imentyou.

On possède une meilleure compréhension des rites funéraires depuis la découverte des archéologues tchèques, en 1982, de 2 000 pièces d'archives admi-

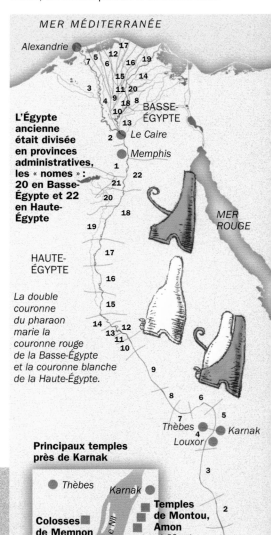

L'Égypte ancienne était divisée en provinces administratives, les « nomes » : 20 en Basse-Égypte et 22 en Haute-Égypte

La double couronne du pharaon marie la couronne rouge de la Basse-Égypte et la couronne blanche de la Haute-Égypte.

Principaux temples près de Karnak

Les statues étaient parfumées, maquillées, habillées et nourries.

vers 2800 av. J.-C.	vers 2700 av. J.-C.	vers 2500 av. J.-C.	vers 2455 av. J.-C.	de 2371 à 2230 av. J.-C.
Développement de l'agriculture en Amazonie.	Fabrication de bronze en Chine.	Domestication du cheval en Asie centrale.	Mort de Rêneferef, roi d'Égypte de la Ve dynastie.	Premier Empire, fondé par Sargon d'Agadé (ou Sargon l'Ancien).

Ci-contre *Une voie sépare les piliers du temple de Louxor.*

À droite *Le pylône et les colosses de Ramsès II, à Louxor. Le temple a été élevé dans la partie sud de l'ancienne cité de Thèbes.*

nistratives concernant le temple d'un roi mineur de la Vᵉ dynastie : Rêneferef, mort vers 2455 av. J.-C. Ces documents relatent que, chaque jour, une procession de prêtres s'assemblait autour de la pyramide dudit pharaon, dont la statue était aspergée d'huile aromatique, maquillée, vêtue et « nourrie ». Un repas était déposé à côté de la statue, après quoi l'un des prêtres annonçait que les aliments avaient été spirituellement consommés et pouvaient donc être partagés entre les membres du groupe. Les temples de la Vallée des Rois voués à un souverain sont principalement situés sur la rive gauche

du Nil, au sud de Thèbes. C'est là que les célèbres statues connues sous le nom de colosses de Memnon marquent l'entrée du temple funéraire d'Aménophis III.

Dans les temples, les statues s'accumulaient avec une telle profusion que les prêtres ordonnaient parfois que l'on emporte et enterre les plus anciennes. En 1903, l'un de ces caveaux fut découvert sur l'axe nord-sud de Karnak. Il recelait 800 statues et 17 000 objets religieux divers.

À gauche *Les œuvres de maçonnerie égyptienne associent prestige et maîtrise technique.*

Le palais à la poussière d'or

Au début de l'année 1999, l'égyptologue allemand Edgar Pusch annonça qu'il avait découvert les ruines d'un palais d'or sous 60 cm de limon du Nil. Ses premières trouvailles inclurent des statues en or, des céramiques exceptionnelles et des bronzes finement travaillés, ce qui suggérait que les pharaons étaient bien plus riches et raffinés que les pyramides ne le laissaient supposer. Selon Edgar Pusch, ces richesses surgies de terre confirmaient la légende selon laquelle les rues de la capitale perdue de Ramsès III étaient couvertes d'or. « Il est difficile de trouver dans ce palais un centimètre carré exempt de toute trace d'or, déclara-t-il. Rien qu'en marchant sur le sol, on fait voleter de minuscules particules de poussière d'or. »

vers 2300 av. J.-C.	vers 2000 av. J.-C.	vers 1900 av. J.-C.	vers 1894 à 1595 av. J.-C.	vers 1800 av. J.-C.	vers 1240 av. J.-C.	vers 1200 av. J.-C.	vers 1150 av. J.-C.
Sargon annexe Sumer à l'empire d'Agadé.	Les immigrants indonésiens s'installent en Mélanésie.	Début des travaux du temple d'Amon à Karnak.	Première dynastie de Babylone.	Fondation de l'État d'Assyrie par Shamshi-Adad Iᵉʳ.	Moïse prononce les dix commandements.	Le temple d'Amon est achevé, sous Ramsès II.	Le roi David unifie Israël.

TELL EL-AMARNA
Une cité dédiée à Aton, dieu du Soleil

Lorsqu'Akhenaton accède au pouvoir en 1353 av. J.-C., il lance l'Égypte dans une révolution religieuse qui ébranlera des centaines d'années de tradition. Le dieu Amon, qui a régné sur Thèbes en tant que roi des dieux pendant des siècles, est remplacé par Aton, dieu du Soleil, dont l'épouse d'Akhenaton, la reine Néfertiti, était une fervente disciple : celui-ci l'aurait même autorisée à célébrer des rites alors que ce rôle était exclusivement réservé aux rois.

Pour imposer sa réforme, Akhenaton quitte la ville de Thèbes et fonde une nouvelle capitale au centre de l'Égypte, qu'il nomma Akhetaton (aujourd'hui Tell

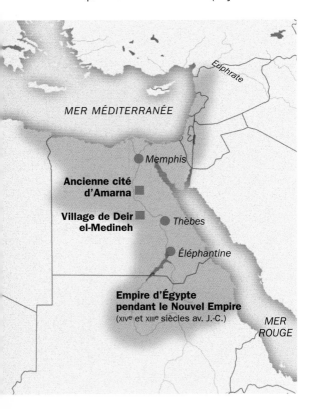

el-Amarna). Ses architectes dressèrent alors les plans de la nouvelle cité, qui comportait un centre administratif autour du palais royal et du temple d'Aton, un quartier réservé aux dignitaires, et des faubourgs pour les gens du peuple. À l'est, une zone était réservée aux tombes princières, tandis que les limites de la ville étaient matérialisées par 14 stèles taillées dans les falaises.

Les archives enterrées

Nous devons presque tout ce que nous savons de la vie quotidienne de ces lieux à une paysanne qui, un jour de 1887, se mit à creuser à l'emplacement du cœur de l'ancienne métropole pour y prélever du *sebakh* (engrais issu de briques et de pierres décomposées). Elle trouva soudain une série de tablettes d'argile, gravées d'écriture cunéiforme plus tard identifiée comme de l'akkadien, la langue des diplomates du Proche-Orient à la fin de l'âge du bronze. Les plus de 300 tablettes, aujourd'hui connues sous le nom de « lettres d'Amarna », révélèrent l'activité diplomatique de l'Égypte envers ses voisins moins puissants de la Méditerranée orientale et envers les royaumes qui exerçaient une influence comparable.

En 1891, le grand égyptologue britannique Flinders Petrie débuta des fouilles à Amarna et mit au jour une partie du temple d'Aton, à la fois palais, résidence

Deir el-Medineh, le village des artisans

Dans la Vallée des Rois, la lourde tâche de l'aménagement, de l'entretien et de la décoration des tombeaux royaux imposait la présence permanente d'une grande équipe d'hommes qualifiés. Pour les accueillir, le pharaon Touthmosis Ier fonda un village d'artisans, Deir el-Medineh, vers l'an 1550 av. J.-C. Aménagé dans une faille de la colline de Thèbes, celui-ci rassemblait dans des rues en terrasses quelque 70 maisons, qui restèrent occupées pendant 500 ans malgré la rareté de l'eau et des aliments. Des fouilles y ont révélé les sépultures des artisans – versions plus modestes des sites royaux. Elles contenaient des milliers de tablettes en terre crue, d'éclats de calcaire ou *ostracons*, ainsi qu'une documentation détaillée sur la vie quotidienne des résidents. Touthmosis Ier fut le premier à se faire construire une tombe dans la Vallée des Rois.

Carte :
MER MÉDITERRANÉE
Euphrate
Memphis
Ancienne cité d'Amarna
Village de Deir el-Medineh
Thèbes
Éléphantine
Empire d'Égypte pendant le Nouvel Empire
(XIVe et XIIIe siècles av. J.-C.)
MER ROUGE

vers 1600 av. J.-C.	vers 1595 av. J.-C.	vers 1550 av. J.-C.	vers 1500 av. J.-C.	vers 1500 av. J.-C.	vers 1450 av. J.-C.	vers 1390 av. J.-C.	1353 av. J.-C.
Civilisation urbaine de l'âge du bronze en Chine.	Fin de la dynastie d'Hammourabi à Babylone, ville prise par les Hittites de Moursil Ier.	Fondation du village de Deir el-Medineh par le pharaon Touthmosis Ier.	Violentes éruptions volcaniques sur l'île de Santorin, dans la mer Égée.	Les peuples de la région des Grands Lacs, en Amérique du Nord, découvrent la métallurgie.	Fin de la Crète minoenne.	Apparition de l'écriture en Chine.	Akhenaton règne sur l'Égypte.

Ci-contre *La tête inachevée de la reine Néfertiti. La souveraine resta fidèle au culte d'Aton après la mort de son mari.*

À droite *Cette princesse gravée dans l'ivoire cueille des fleurs et des fruits de lotus.*

du roi et centre administratif. Il découvrit de nouvelles tablettes en écriture cunéiforme et put établir que les bâtiments du centre de la ville avaient été construits très rapidement à partir de *talatat*. Ces petits blocs de pierre bien particuliers ont été en partie réutilisés de l'autre côté du Nil, à Hermopolis, après la mort d'Akhenaton (vers 1334 av. J.-C.).

Mais la plus belle découverte fut peut-être celle que fit Ludwig Borchardt qui, lors des fouilles qu'il menait entre 1908 et 1914 dans le quartier des grandes résidences privées, y trouva l'un des plus grands chefs-d'œuvre de la sculpture égyptienne : la tête en terre de la reine Néfertiti. Cette œuvre, probablement une commande due au maître sculpteur

À gauche *Ce mur de pierre sculpté montre Akhenaton et sa famille qui procèdent à des sacrifices en l'honneur du dieu du Soleil Aton.*

Thoutmose, se trouve aujourd'hui au Musée égyptien de Berlin.

Quant à Néfertiti, il semble que son influence n'ait pas duré. Quand arriva la douzième année du règne d'Akhenaton, la reine était déjà déchue et souffrait de se voir supplanter par l'une de ses six filles, Méritaten.

Après la mort d'Akhénaton, Néfertiti aurait adressé une lettre désespérée au roi hittite le suppliant de lui envoyer un de ses fils pour qu'elle n'ait pas à épouser un « serviteur ».

La décoration des tombeaux de la Vallée des Rois nécessitait la présence permanente d'une équipe nombreuse et qualifiée.

1341 av. J.-C.	vers 1334 av. J.-C.	vers 1300 av. J.-C.	vers 1200 av. J.-C.	vers 1150 av. J.-C.	vers 1100 av. J.-C.	vers 1050 av. J.-C.	vers 1027 av. J.-C.
La reine Néfertiti est supplantée par sa fille.	Mort d'Akhenaton.	Arrivée de colons en Mélanésie.	Les juifs quittent l'Égypte pour s'installer en Palestine.	La civilisation des Olmèques s'établit au Mexique.	Les Phéniciens s'installent dans la région méditerranéenne.	Abandon du site de Deir el-Medineh.	En Chine, les Zhou renversent la dynastie des Shang.

LES SECRETS DE TANIS
Un site qui résume l'Histoire

La chute du Nouvel Empire d'Égypte, en 1075 av. J.-C., ouvrit la voie à une nouvelle dynastie venue des régions nord du royaume. Ces rois voulurent édifier leur capitale au nord-est du delta du Nil et firent venir des statues, des temples, des monuments et divers édifices d'anciennes capitales, en particulier de Pi-Ramsès. C'est ainsi que Tanis, où l'on exhuma une profusion d'œuvres et d'objets, devint une sorte de condensé historique pour les archéologues des XIXᵉ et XXᵉ siècles. À l'ère biblique, ce site, reconnaissable à la butte de terre située au centre, était appelé Zoan. Pour que Tanis soit enfin explorée, il fallut attendre que les égyptologues s'enhardissent et entreprennent des fouilles systématiques.

L'archéologue français Pierre Montet travaillait sur le site depuis dix ans quand, en février 1939, il se mena des fouilles à l'emplacement du grand temple. Ce site était depuis longtemps l'un des plus fréquentés – Auguste Mariette l'avait étudié dès 1860 – et Pierre Montet n'espérait guère y faire de découverte décisive. Toutefois, il révisa son opinion quand son équipe découvrit une salle souterraine secrète derrière un bloc de pierre calcaire.

Pour les souverains de Tanis, protéger les tombeaux royaux en édifiant des pyramides ou en aménageant une vallée n'était qu'un leurre. De plus, en raison de la nature du sous-sol dans la région du delta du Nil, il n'était guère réaliste d'y creuser des fondations profondes ou des

Ci-dessus *La tête du sarcophage de Psousennès Iᵉʳ. Des pots, appelés canopes, conservant les viscères du souverain se trouvaient à côté.*

Ci-dessous *Le delta du Nil regorge de trésors archéologiques.*

Les rois tanites estimaient que toutes les mesures de protection des tombeaux royaux avaient jusqu'alors échoué.

vers 1700 av. J.-C.	vers 1600 av. J.-C.	vers 1550 av. J.-C.	vers 1500 av. J.-C.	vers 1450 av. J.-C.	vers 1400 av. J.-C.	vers 1400 à 1100 av. J.-C.	vers 1200 av. J.-C.
Le chef tribal Abraham installe son peuple à Hébron, en terre de Canaan, après avoir quitté Ur.	Civilisation urbaine de l'âge du bronze en Chine.	Début du Nouvel Empire d'Égypte.	Les marchands traversent la mer Égée et atteignent la Sicile.	Naissance de la littérature indienne (littérature védique).	Les Hittites apprennent à couler et forger le fer.	Construction des remparts de l'acropole, à Athènes.	Les juifs quittent l'Égypte pour s'installer en Palestine.

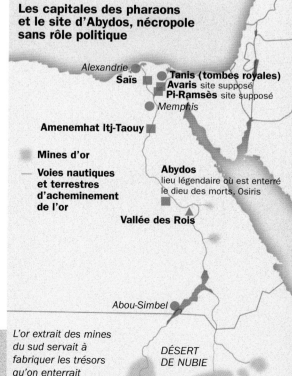

galeries. Ils ont donc préféré aménager leurs sites funéraires au cœur des temples de leur capitale, elle-même placée sous la protection de hautes murailles et de gardes armés. Le membre de l'équipe de Pierre Montet était tombé sur l'une de ces chambres funéraires, d'une importance historique comparable à celle du tombeau de Toutankhamon.

Le tombeau caché

La salle, constituée de quatre chambres, abritait les sarcophages d'Orsokon III et du prince Hornakht, ainsi que les restes de Takélot II et d'Osorkon Ier. Un peu plus au nord se trouvait un autre tombeau, divisé en cinq pièces dont Pierre Montet a prouvé qu'elles avaient d'abord été destinées à Psousennès Ier. Curieusement, on ne trouva qu'un seul cercueil, dans une antichambre : celui de Chéchanq II.

Pour l'archéologue français c'était une énigme, jusqu'à ce qu'il découvre que le mur ouest de l'antichambre comportait deux portes en trompe-l'œil ; l'une menait au caveau de Psousennès Ier, l'autre à celui de son successeur Aménémopé. Pierre Montet déplaça un bloc de granite massif encore monté sur ses antiques roues en bronze qui marquait une pièce étroite. Il y avait là un tombeau de granite rose, où Psousennès était gravé sous les traits du dieu des morts, Osiris. Non loin, des pots contenaient les viscères du roi, mêlés à différents objets en or et en argent. Dans le tombeau lui-même furent trouvées une seconde tombe, en granite noir, et une troisième, en argent surmontée d'un masque en or massif. Certes moins travaillé que celui de Toutankhamon, ce masque était d'une qualité et d'une finesse exceptionnelles.

La salle et les innombrables objets d'art d'Aménémopé soulevaient plusieurs questions. D'abord, le site semblait conçu non pas pour lui, mais pour la reine Moutnedjemet. Il avait apparemment été mis en service plus tôt que prévu, dès la mort d'Aménémopé, qui ne régna que neuf ans. D'autre part, lorsque les cher-

cheurs français dressèrent le plan du tombeau, ils s'aperçurent que leurs mesures présentaient certaines incohérences : au centre du croquis, il apparaissait un espace vide ne correspondant à rien. De nouvelles fouilles mirent au jour une pièce supplémentaire : le tombeau du général Oundebaounded, ami de Psousennès Ier.

À ce jour, le nombre de sépultures royales intactes découvertes à Tanis dépasse celui de la Vallée des Rois. Et il est probable que ce vaste site sacré réserve encore bien des surprises.

Les capitales des pharaons et le site d'Abydos, nécropole sans rôle politique

Alexandrie
Saïs
Tanis (tombes royales)
Avaris site supposé
Pi-Ramsès site supposé
Memphis

Amenemhat Itj-Taouy

Mines d'or

Voies nautiques et terrestres d'acheminement de l'or

Abydos
lieu légendaire où est enterré le dieu des morts, Osiris

Vallée des Rois

Abou-Simbel

DÉSERT DE NUBIE

L'or extrait des mines du sud servait à fabriquer les trésors qu'on enterrait avec les rois égyptiens.

vers 1184 av. J.-C.	vers 1100 av. J.-C.	1075 av. J.-C.	vers 1027 av. J.-C.	vers 1000 av. J.-C.
Date supposée de la destruction de Troie.	Création de l'écriture alphabétique par les Phéniciens.	Chute du Nouvel Empire d'Égypte ; début du règne des rois tanites.	En Inde, les Ariens s'étendent vers l'est.	Les Étrusques arrivent en Italie.

LA PIERRE DE ROSETTE
La clé qui permit de comprendre l'Égypte ancienne

Pendant des siècles, les textes de l'Égypte ancienne restèrent incompréhensibles, ce qui faisait obstacle à l'avancée des connaissances. Aux XVIIe et XVIIIe siècles, de nombreux archéologues s'étaient penchés sur la question et avaient fini par conclure que les hiéroglyphes étaient un langage symbolique, destiné à consigner des connaissances religieuses et philosophiques. Ils n'imaginaient pas que ces signes aient pu concerner des tâches aussi terre-à-terre que l'inventaire de réserves alimentaires ou la tenue d'éphémérides.

Comme c'est souvent le cas dans les grands progrès de l'Histoire, l'avancée résulta d'un phénomène qui n'avait rien à voir : les ambitions territoriales de Napoléon Bonaparte. Ses forces conquirent l'Égypte en 1798 et se mirent alors à dresser des fortifications stratégiques le long de la côte, pour décourager la Royal Navy britannique de venir chercher vengeance.

Rachid, appelé Rosette par les Européens, était l'un des ports ainsi fortifiés, sur la branche occidentale du Nil. Durant les travaux de terrassement du fort Saint-Julien, entrepris dès 1799, le capitaine Bouchard, officier chargé des ouvrages de fortification, remarqua que les ouvriers avaient déterré une plaque de basalte noir gravée de plusieurs écritures. En soi, cela n'avait rien de révolutionnaire – il était courant de trouver des objets anciens sur les chantiers égyptiens – mais la différence était que cette stèle d'une hauteur de 1,18 m portait des messages en trois langues, dont une forme de grec déchiffrable.

À gauche *La Pierre de Rosette.*
Le même texte y est gravé en trois écritures (hiéroglyphes, démotique et grec), ce qui a permis aux chercheurs de décoder les hiéroglyphes.

332 av. J.-C.	322 av. J.-C.	290 av. J.-C.	247 av. J.-C.	243 av. J.-C.	241 av. J.-C.	225 av. J.-C.	224 av. J.-C.
Alexandre le Grand conquiert l'Égypte.	Fondation de l'Empire des Maurya, en Inde.	Les Romains conquièrent le centre de l'Italie.	Arsace, premier souverain de la dynastie des Parthes.	Aratos de Sicyone chasse les Macédoniens du Péloponnèse.	Pendant les guerres puniques, Rome vainc Carthage.	Les tribus de Gaule cisalpine sont vaincues par les Romains à la bataille du cap Télamon, en Italie.	Le colosse de Rhodes, l'une des Sept Merveilles du monde, est détruit par un séisme.

Les chercheurs européens comprirent que cette pierre était un aide-mémoire.

Après la victoire de la Royal Navy sur la flotte française dans la baie d'Aboukir, puis la capitulation des forces napoléoniennes à Alexandrie, les Britanniques prirent le contrôle de l'Égypte. La Pierre de Rosette, tout comme des centaines d'objets amassés par les chercheurs français qui avaient rejoint l'expédition, furent saisis, emmenés à Londres et exposés au British Museum (où ils se trouvent toujours aujourd'hui). Le diplomate suédois Johan Akerblad et le physicien britannique Thomas Young figurent parmi les chercheurs européens chargés de les étudier. Tous deux réalisèrent que la Pierre de Rosette était une sorte d'aide-mémoire, avec trois versions différentes d'un seul et même texte en l'honneur du roi Ptolémée V. En comparant les mots grecs avec les hiéroglyphes et l'écriture démotique, ils identifièrent quelques signes phonétiques dans la version démotique, ainsi que des noms propres. Il s'avéra que la stèle datait de la neuvième année du règne de Ptolémée (196 av. J.-C.) et qu'elle avait été réalisée par les grands prêtres de Memphis.

La révélation

Le plus grand progrès fut celui d'un remarquable égyptologue français, Jean-François Champollion, qui, dès l'âge de 16 ans, avait déjà acquis six langues orientales ; en 1821, il commença à travailler sur la Pierre de Rosette et put enfin en briser le code grâce à la découverte de la correspondance des signes hiéroglyphes ; il laissa inachevée à sa mort une grammaire égyptienne ainsi qu'un dictionnaire de cette langue. Il démontra l'existence de deux types de hiéroglyphes : les idéogrammes, qui désignent chacun un objet spécifique (un soleil peut signifier « soleil » ou « jour », par exemple), et les phonogrammes, simples transcriptions de sons sans rapport direct avec l'objet représenté.

Pour compliquer le tout, une image peut représenter un mot ou un son similaire, mais doté d'un sens différent. La plupart des phrases combinent les deux. Ainsi, une image représentant le sol d'une maison signifie simplement « maison » ; mais, si elle est suivie de signes phoniques et d'une paire de jambes en marche, elle signifie alors « sortir ».

Le travail de traduction fut toutefois facilité par le fait que certains mots étaient entourés d'un ovale pour former un cartouche. En étudiant le texte en grec, Champollion comprit que ces cartouches faisaient référence à des souverains tels que Ptolémée et Cléopâtre, et il put s'en servir pour décoder d'autres noms de rois. En quelques années, il fit parler la pierre gravée et le papyrus pour rattraper quelque 5 000 ans d'histoire de l'Égypte ancienne.

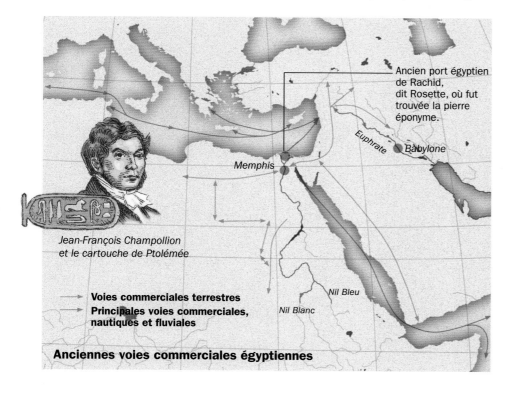

Jean-François Champollion et le cartouche de Ptolémée

→ **Voies commerciales terrestres**
→ **Principales voies commerciales, nautiques et fluviales**

Anciennes voies commerciales égyptiennes

Ancien port égyptien de Rachid, dit Rosette, où fut trouvée la pierre éponyme.

Euphrate · Babylone
Memphis
Nil Bleu
Nil Blanc

221 av. J.-C.	205 av. J.-C.	202 av. J.-C.	vers 200 av. J.-C.	196 av. J.-C.	183 av. J.-C.	165 av. J.-C.	112 av. J.-C.
Fondation de la Chine féodale par Shi Huangdi, roi de la dynastie Qin.	Ptolémée V devient roi d'Égypte.	Défaite d'Hannibal face aux Romains à Zama, en Tunisie.	De très grands motifs géométriques et des silhouettes d'animaux sont tracés dans le sol du désert, au Pérou.	Création de la pierre de Rosette.	Hannibal se suicide.	Jérusalem est reprise aux Grecs par Judas Maccabée.	Fondation de la route de la soie, qui établit un lien commercial entre la Chine et l'Europe.

LA CITÉ SAUVÉE DES EAUX
La glorieuse Nubie

Les pharaons de la XIIe dynastie du Moyen Empire (de 1980 à 1630 av. J.-C.) connurent des heures prospères. Ils entretenaient des relations commerciales très lucratives avec l'Asie, et leur désir d'étendre leur royaume déboucha sur la conquête de la Nubie, région autonome située autour des premières cataractes du Nil.

Les Nubiens étaient pour la plupart des fermiers indépendants. Héritiers d'une longue tradition guerrière, ils n'en furent pas moins incapables de faire face à leurs envahisseurs, ni capables de recruter une troupe de 20 000 hommes. Un ministre égyptien du XXe siècle av. J.-C. a écrit : « J'ai tué plusieurs fois des Nubiens. Je venais du Nord, saccageant les récoltes, abattant les arbres et incendiant les maisons… » Il justifiait cette agression afin de « répandre la peur d'Horus [son roi] dans les terres étrangères du Sud et de les pacifier ».

La Nubie suscitait un tel intérêt à cause de sa richesse en minéraux, et tout particulièrement en or. Le nom même de cette région serait un dérivé de l'égyptien *nub*, signifiant « or ». Des expéditions vers le sud rapportaient aussi d'autres matériaux très recherchés : ivoire, encens, myrrhe, ébène, bois aromatique, peaux de léopard et de girafe. Curieusement, les commerçants et les raids militaires évitaient d'utiliser le Nil comme voie de transport. Ils préféraient emprunter la « route de l'oasis », qui s'éloignait du fleuve pour s'enfoncer dans les terres du centre de l'Égypte et reliait une chaîne d'oasis, dont Farafra, Dakhleh et Douch.

Ci-dessous *La façade du temple de Ramsès est sculptée dans la roche.*

La course contre le Nil

L'Égypte nubienne nous a laissé nombre de trésors archéologiques, mais les plus spectaculaires sont les temples d'Abou-

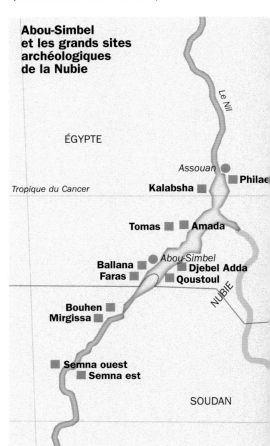

Abou-Simbel et les grands sites archéologiques de la Nubie

ÉGYPTE
Le Nil
Assouan
Tropique du Cancer
Kalabsha ■ — ■ Philae
Tomas ■ ■ Amada
Abou-Simbel
Ballana ■ ■ Djebel Adda
Faras ■ ■ Qoustoul
NUBIE
Bouhen ■
Mirgissa ■
Semna ouest ■
Semna est ■
SOUDAN

Simbel, sur le Nil, au sud du barrage d'Assouan. Ces deux monuments ont été creusés dans des falaises de calcaire vers 1250 av. J.-C., à la demande de Ramsès II. Le plus grand, qui atteint 55 m de profondeur, était un véritable réseau de salles et de pièces menant au sanctuaire principal consacré aux dieux Memphis et Héliopolis, les plus adulés à Thèbes. Il

2000 av. J.-C.	1980 av. J.-C.	1630 av. J.-C.
Début de la culture néolithique en Sibérie du Sud.	Début du Moyen Empire en Égypte.	Fin du Moyen Empire en Égypte.

La sauvegarde des sanctuaires d'Abou-Simbel fut une entreprise digne des pharaons !

À gauche *Détail des statues du temple de Ramsès.*

apparemment faites par des mercenaires grecs vers 550 av. J.-C. Le plus petit des deux temples est dédié à Néfertari, épouse de Ramsès, ainsi qu'aux enfants royaux (dont le portrait orne la façade).

L'une des opérations de sauvegarde archéologique les plus mémorables eut lieu en 1964, quand il fallut sauver ces bâtiments menacés par la montée des eaux du Nil – conséquence de la construction du barrage d'Assouan. Les vingt-deux pays qui répondirent à l'appel de l'Unesco découvrirent des centaines de nouveaux sites. Des milliers d'études furent menées, les résultats des fouilles étant notés jour après jour et les sites systématiquement photographiés. Enfin, plusieurs des temples, dont celui d'Abou-Simbel, furent démontés et reconstruits en des lieux suffisamment élevés pour échapper à la montée du fleuve.

était orienté de telle sorte que, deux fois par an, à l'aube, lors des solstices, les rayons du soleil illuminaient le cœur du sanctuaire, au plus profond du temple, et en éclairaient les statues d'Hamon et du pharaon. Parmi les décors muraux figurent une série de bas-reliefs sur le thème de la bataille de Kadesh, qui opposa les Égyptiens et les Hittites, et des inscriptions

Le lac artificiel Nasser – les besoins d'aujourd'hui menacent l'héritage du passé.

vers 1600 av. J.-C.	vers 1300 av. J.-C.	vers 1250 av. J.-C.	vers 1200 av. J.-C.	vers 1100 à 900 av. J.-C.	814 av. J.-C.	vers 800 av. J.-C.	776 av. J.-C.
Début de la civilisation mycénienne en Grèce.	Arrivée de colons aux îles Tonga, à Fidji et à Samoa.	À la demande de Ramsès II, les temples d'Abou-Simbel sont ornés de gravures.	Les Grecs détruisent Troie.	Établissement d'un dictionnaire de langue chinoise.	Fondation d'une colonie phénicienne à Carthage.	Les Aryens se disséminent en Inde.	Premiers jeux Olympiques, en Grèce.

CHAPITRE 3
L'ASIE OCCIDENTALE ET LE PROCHE-ORIENT

Cette terre a été immortalisée par la Bible et les contes envoûtants des *Mille et Une Nuits*. Au-delà de cette ambiance de légende, qui plane sur une grande partie de l'histoire ancienne de la Mésopotamie et du Proche-Orient, c'est bel et bien là que se trouvent les racines des premières grandes cités du monde : Babylone, Ninive, Ur, Persépolis, Ebla et Jéricho. En ces lieux, les archéologues ont découvert des aménagements urbains et des travaux de génie civil d'une efficacité étonnante, et les traces de villes alimentées en eau potable à travers des réseaux de canaux et d'aqueducs de 45 km de long – à une époque où d'autres régions du monde sortaient à peine de l'âge de pierre.

À gauche *Archer de la période des Achéménides, vers 375 av. J.-C. (bas-relief en brique vernissée).*

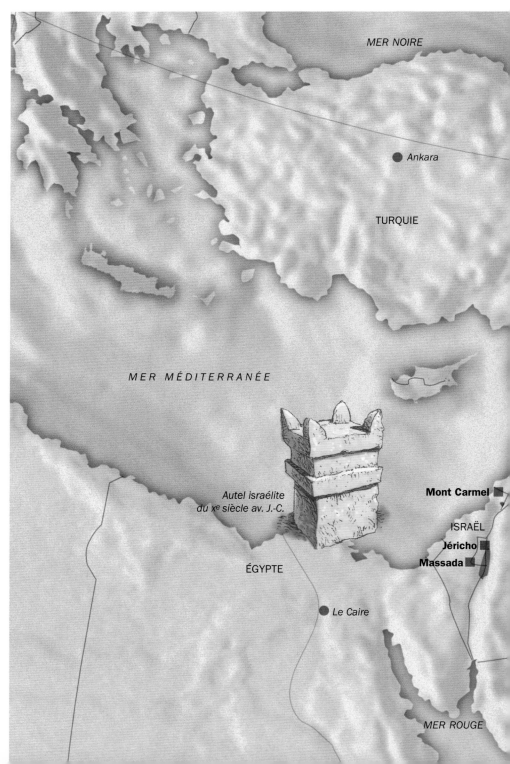

Autel israélite du Xe siècle av. J.-C.

La diffusion de ces nouvelles techniques d'urbanisme, d'agriculture et de métallurgie a influé sur la formation de relations commerciales plus larges et, inévitablement, stimulé l'ambition des chefs et des souverains, qui voulaient protéger leurs richesses et agrandir leur empire. En quelques siècles, la Mésopotamie – aujourd'hui principalement partagée entre l'Irak, l'Iran et la Syrie – devint un champ de bataille, où quantité de royaumes et d'États-cités mesurèrent leurs forces militaires. Sumériens, Assyriens, Perses, Babyloniens et Chaldéens considéraient tous cette terre comme la leur, et tous y ont déployé leurs bannières.

Cette période est aussi celle de l'apparition de certaines religions : persécutés par les païens de l'Empire romain, les juifs et les chrétiens se sont affirmés par des actes de martyre et de terrorisme. L'un des défis les plus remarquables – et les plus tragiques – eut lieu dans la forteresse de Massada, l'ancien palais du roi Hérode le Grand. Un millier d'hommes, de femmes et d'enfants résistèrent à la Xe légion romaine deux ans durant, avant de finalement choisir le suicide collectif. Comme des milliers d'autres hommes après eux, ils pensaient que leur terre valait un tel sacrifice.

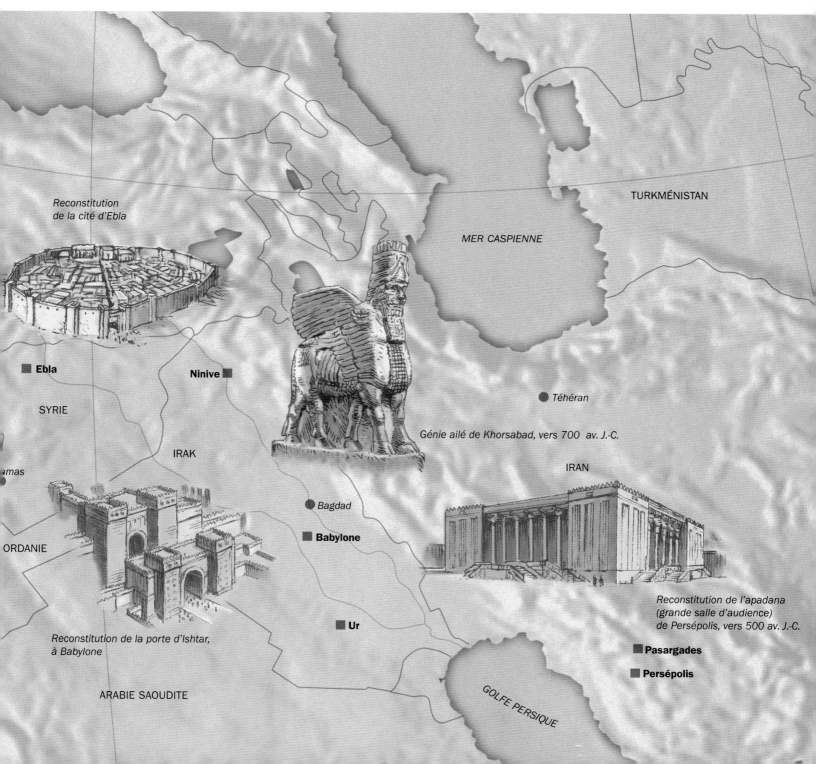

Reconstitution de la cité d'Ebla

TURKMÉNISTAN

MER CASPIENNE

■ **Ebla**

Ninive ■

SYRIE

● *Téhéran*

Génie ailé de Khorsabad, vers 700 av. J.-C.

IRAK

IRAN

...amas

● *Bagdad*

■ **Babylone**

ORDANIE

Reconstitution de l'apadana (grande salle d'audience) de Persépolis, vers 500 av. J.-C.

■ **Ur**

Reconstitution de la porte d'Ishtar, à Babylone

■ **Pasargades**

■ **Persépolis**

ARABIE SAOUDITE

GOLFE PERSIQUE

LE MONT CARMEL
Le combat d'Élie contre les faux prophètes

De tous les sites mentionnés dans l'Ancien Testament, l'un des plus sacrés est le mont Carmel, où Élie livra bataille aux faux prophètes du dieu phénicien Baal. Entre autres défis, il opéra un miracle en faisant cesser la pluie pendant trois ans, puis en la rétablissant. Il rassembla ensuite le peuple d'Israël sur les pentes du mont Carmel et mit à mort cinquante prophètes de Baal. Bien qu'aucune preuve archéologique ne démontre qu'Élie a bel et bien existé, le mont Carmel a livré des traces de la présence de peuples paléolithiques y ayant vécu

200 000 ans avant lui – des peuples qui sont d'une importance cruciale pour comprendre l'évolution de l'homme. Les grottes du Taboun, d'el Wad, de Skhul et de Kebara ont attiré l'attention des paléontologues dans les années vingt et, à partir des années cinquante, les progrès des méthodes de datation ont permis de savoir quand les lieux avaient été occupés, d'après les outils de pierre qui y avaient été retrouvés.

Les tout premiers habitants étaient des *Homo sapiens* ressemblant davantage à l'homme de Neandertal européen qu'aux peuples qui y vivent aujourd'hui. Ils employaient des outils grossiers, tels que hachettes et grattoirs en éclats de pierres. Plus tard, au milieu de l'ère paléolithique, ils adoptèrent une technique plus sophistiquée, dite de Levallois, qui consiste à débiter un bloc de silex en éclats plus petits, de tailles et de formes régulières. Plus tard encore, ils aménagèrent des « ateliers » de fabrication d'outils sur des pierres plates – procédé identique à celui du site d'Aurignacien, en France.

Au menu des premiers chasseurs

L'analyse des os d'animaux trouvés dans des grottes nous a appris de quoi se nour-

À gauche *Cette sculpture en terre cuite proviendrait du Moyen-Orient et serait d'une époque antérieure à l'Ancien Testament.*

Qui a tué l'homme de Neandertal ?

Le mystère de la disparition de l'homme de Neandertal n'a toujours pas été résolu. Toutefois, des recherches génétiques à base d'ADN ont donné naissance à l'une des théories les plus pertinentes, selon laquelle le chien serait le meilleur ami de l'homme depuis bien plus longtemps qu'on ne le supposait. En effet, une étude a montré que les trois quarts des races canines connues à ce jour descendent directement d'une seule et même louve, qui vécut il y a plus de 100 000 ans. Comme l'a expliqué David Paxton, vétérinaire australien, le loup adopta l'homme quand il comprit que les campements lui offraient de la nourriture facile. Quant à l'homme, il voyait dans le loup un bon gardien et un aide efficace pour la chasse. Plus important encore, les loups complétaient l'odorat défaillant de l'homme ; la morphologie du visage de celui-ci put alors évoluer différemment et s'orienter vers l'acquisition de capacités plus subtiles, dont le langage. Cette théorie repose sur certains faits avérés. Ainsi, l'homme de Neandertal, lui, ne s'est jamais associé au loup et il a gardé une structure crânienne qui se prêtait mal à l'acquisition du langage.

vers 400 000 av. J.-C.	vers 300 000 av. J.-C.	vers 200 000 av. J.-C.	de 150 000 à 38 000 av. J.-C.	vers 128 000 av. J.-C.	100 000 av. J.-C.	de 50 000 à 30 000 av. J.-C.	32 000 av. J.-C.
Fabrication de la plus ancienne arme en bois connue : une épée, trouvée en Allemagne.	Construction du plus ancien édifice connu : une hutte, en France.	Les peuples paléolithiques vivent dans des grottes au mont Carmel.	Milieu de l'ère paléolithique, pendant laquelle on employait des outils en silex.	La température et le niveau des mers montent : c'est la fin de la glaciation.	Date des restes humains de l'ère « moderne » trouvés au mont Carmel.	Refroidissement climatique. L'homme gagne l'Australie et l'Asie du Sud-Est.	Premières œuvres rupestres en Europe.

Le mont Carmel,
site des combats entre Élie
et les faux prophètes,
révèle peu à peu son passé.

rissaient ces anciens chasseurs : chèvre, sanglier, cheval sauvage, cerf et gazelle y figuraient en bonne place. Curieusement, ces restes ont aussi permis d'estimer les variations du climat. Par des fouilles dans les différentes strates des grottes, il a pu être démontré que, selon l'époque, tel gibier semblait plus fréquent qu'un autre. La gazelle, par exemple, évolue dans un espace ouvert, sec et presque désertique, alors que le sanglier vit dans les bois, sur un sol plus riche, associé à un climat plus humide. En comparant ces os

Ci-dessus à gauche
Les visages aux traits marqués sont un thème commun aux artistes des premières civilisations.

À droite *Animal gravé dans la pierre.*

aux différentes périodes climatiques en Europe, il a été possible de dresser un tableau reconstituant les conditions de vie dans les grottes du mont Carmel.

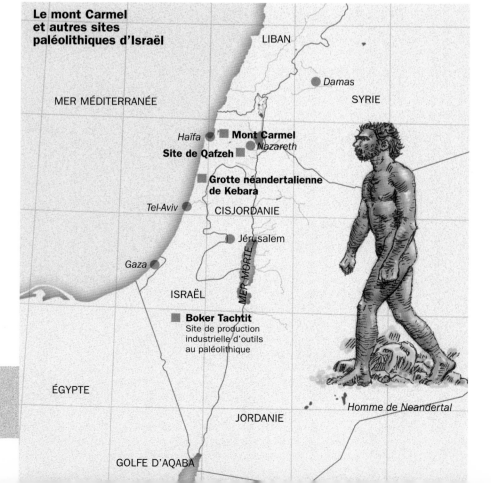

Le mont Carmel
et autres sites
paléolithiques d'Israël

LIBAN

MER MÉDITERRANÉE

Damas

SYRIE

Haïfa **Mont Carmel**
Nazareth
Site de Qafzeh

**Grotte néandertalienne
de Kebara**

Tel-Aviv CISJORDANIE

Jérusalem

Gaza

MER MORTE

ISRAËL

Boker Tachtit
Site de production
industrielle d'outils
au paléolithique

ÉGYPTE

JORDANIE

Homme de Neandertal

GOLFE D'AQABA

Autre trouvaille passionnante : les grottes du Taboun et de Skhul recelaient des squelettes d'hominidés. Les habitants des lieux conjuguaient des traits néandertaliens (arcades sourcilières proéminentes) à des caractéristiques plus modernes (front haut). Cela indiquerait une transition entre l'homme de Neandertal et l'être humain d'aujourd'hui. Les anthropologues admettent que les restes datés de 100 000 ans trouvés à Qafzeh, près de Nazareth, sont ceux des tout premiers êtres modernes, et qu'ils appartiennent à la même période que les squelettes de Neandertal du Taboun. Il semble donc que ces deux espèces humaines aient coexisté.

LES ARTS DU JUDAÏSME
Le plateau de Massada et les manuscrits de la mer Morte

Le site de Massada est l'un des plus puissants symboles de la bravoure et du courage des juifs. C'est au sommet de cette forteresse naturelle s'élevant au milieu du désert, sur la côte ouest de la mer Morte, que le roi Hérode le Grand décida de faire bâtir son palais d'été, entre 36 et 30 av. J.-C. Hérode, que les textes chrétiens décrivent comme un pantin aux ordres des Romains, mourut en l'an 4 av. J.-C. Soixante-dix ans plus tard, l'endroit fut occupé par les zélotes, véritable mouvement nationaliste, qui préparait un soulèvement général contre l'empereur romain. Les zélotes avaient fui Jérusalem en 70 av. J.-C. et Massada fut leur dernière étape. Sous la direction d'Eleazar ben Yaïr, ils furent un millier à résister au siège de la Xe légion romaine pendant presque deux ans.

Les Romains ne pouvaient pas se lancer à l'assaut des aplombs de la forteresse. Ils tentèrent plusieurs méthodes d'attaque ; par exemple, l'édification d'un mur de 3,2 km tout autour de la butte et d'une large rampe de terre sur la face ouest – mais en vain. Les zélotes, eux, ne pouvaient que remercier leur vieil ennemi Hérode d'avoir équipé son palais de grandes citernes, qui leur permettaient de résister au siège. Ils avaient de quoi manger, boire et se battre, ainsi qu'une ferme volonté de ne pas céder.

La mort organisée

Après deux ans, même les zélotes les plus fanatiques durent admettre que le siège arrivait à sa fin. Selon l'historien juif Flavius Josèphe, ils décidèrent de procéder à un suicide collectif : chaque homme devait tuer sa propre famille, et dix hommes choisis au hasard devaient ensuite tuer le reste des combattants. Un dernier homme, lui aussi tiré au sort, devait enfin se charger d'abattre les neuf autres, avant de se suicider. Cet épisode historique, qui témoigne de la prise de Jérusalem et de la destruction du Temple, demeure en tous points de vue extraordinaire.

Principaux sites du Nouveau Testament

MER MÉDITERRANÉE

LIBAN

Damas

SYRIE

Haïfa
Site de Qafzeh
Nazareth

Tel-Aviv   CISJORDANIE

Beit Gouvrin
Restes romains
et byzantins

Jérusalem

Grotte de Qumran
Découverte
des manuscrits
de la mer Morte

Bethléem

MER MORTE

Gaza

Hérodium
Site romain
de palais,
thermes,
etc.

Massada
Forteresse d'Hérode

ISRAËL

JORDANIE

ÉGYPTE

GOLFE D'AKABA

334 av. J.-C.	322 av. J.-C.	vers 200 av. J.-C.	165 av. J.-C.
Alexandre le Grand envahit l'Asie mineure.	Fondation de l'empire des Maurya, en Inde.	Date estimée du plus ancien manuscrit de la mer Morte.	Jérusalem est reprise aux Grecs par Judas Maccabée.

Le palais d'été du roi Hérode fut le théâtre d'un acte digne des grandes tragédies antiques.

Entre 1963 et 1964, l'archéologue israélien Yigaël Yadin mena de grands travaux à Massada. Son but était à la fois d'asseoir l'identité nationale de son jeune pays et de collecter des données historiques. Il concentra ses efforts sur le palais et ses thermes, autour de la pointe nord du plateau, qui plonge à pic. Il découvrit une petite synagogue, des thermes religieux et quelques rouleaux de l'Ancien Testament, qui avaient été enterrés sous la synagogue pour que les

Romains ne puissent pas s'en emparer. Et, surtout, il mit la main sur onze *ostracons*, sur lesquels étaient gravés les noms de certains défenseurs du site. Peut-être avaient-ils servi aux zélotes au moment du tirage au sort...

Ci-dessus à gauche *La grotte de Qumran, où furent découverts les manuscrits dits de la mer Morte.*

Ci-dessous à gauche *Massada, symbole de la résistance juive.*

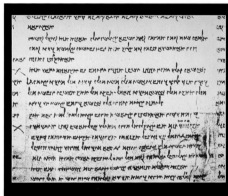

Les manuscrits de la mer Morte

En 1947, un Bédouin qui se promenait dans les grottes de la région de Qumran (ou Khirbet), sur la rive nord-ouest de la mer Morte, découvrit dans une cachette des manuscrits en cuir et en papyrus, rédigés en hébreu et en araméen. Les circonstances exactes de cette découverte restent peu claires, mais l'authenticité des pièces a été établie. Les autorités lancèrent des recherches et d'autres manuscrits furent ainsi trouvés, dont deux en cuivre.

Ces textes – plus de six cents au total – recueillent les règles de discipline d'une communauté juive non identifiée, des cantiques, des textes bibliques et diverses prédictions apocalyptiques. Parmi eux figurent la plus ancienne version connue du livre d'Isaïe, ainsi que des fragments de tous les livres de l'Ancien Testament, à l'exception du livre d'Esther. Tous auraient été rédigés entre 200 av. J.-C. et 68 apr. J.-C., cette dernière date ayant été confirmée par des recherches archéologiques. Il semble que, cette année-là, les zélotes aient subi une offensive – probablement menée par le général romain Vespasien – destinée à vaincre leur rébellion.

La communauté de Qumran suivait apparemment les lois de l'Israël de Moïse et se préparait donc pour le Jugement dernier. Ses membres étaient classés en fonction de leur pureté et devaient se plier à deux ans de mise à l'épreuve. Chaque année, un scrutin général décidait des promotions et des rétrogradations de chacun. La direction spirituelle était assurée par trois prêtres, qui appliquaient strictement les enseignements du Nouveau Testament. Il faut enfin noter que saint Jean Baptiste, dont les sermons trouvèrent un écho dans les paroles de Jésus, était originaire de cette région.

vers 138 av. J.-C.	de 36 à 30 av. J.-C.	4 av. J.-C.	27 apr. J.-C.	43 apr. J.-C.	58 apr. J.-C.	vers 68 apr. J.-C.	105 apr. J.-C.
Tchang Kien explore l'Asie centrale.	Construction du palais d'été d'Hérode le Grand à Massada, sur la côte ouest de la mer Morte.	Mort du roi Hérode le Grand.	Baptême de Jésus.	Les Romains envahissent l'actuelle Grande-Bretagne.	L'empereur Ming-Ti établit le bouddhisme en Chine.	Suicide collectif des zélotes ; rédaction des derniers manuscrits de la mer Morte.	Première utilisation du papier, en Chine.

LES CITÉS PERSES
L'histoire gravée dans la pierre

À Naqch-e Rustam, près de Persépolis, dans le sud-ouest de l'Iran, une falaise abrite d'impressionnants tombeaux royaux, qui ont été sculptés dans la masse. C'est la nécropole des souverains perses, une dynastie royale qui, à partir du VIᵉ siècle av. J.-C., fonda un immense empire qui s'étendait de l'Égypte et de la Turquie occidentale à l'Asie centrale. Même si Babylone était leur capitale, ces hommes n'oublièrent jamais leurs racines : certaines cérémonies, tels les couronnements et les funérailles nationales, étaient ainsi menées à Persépolis et dans la ville voisine et plus ancienne encore de Pasargades.

Cyrus II le Grand, fondateur de cet empire, fit édifier un palais à Pasargades, à l'époque où ses forces armées avaient prouvé leur puissance face aux Mèdes, aux Lydiens et aux Babyloniens. Cambyse II, son successeur, ajouta l'Égypte à cette liste ; puis Darius Iᵉʳ prit à son tour le pouvoir, dans des circonstances obscures et légèrement suspectes. Il étouffa les troubles civils et institua un régime fondé sur la division du pays en provinces – les satrapies. Il ordonna aussi l'édification de Persépolis.

Cette ville nouvelle fut construite sur une série de plateaux et d'escaliers majestueux, autour d'une immense esplanade de 435 x 310 m. C'est là que se trouvaient les appartements royaux et les bâtiments du gouvernement, comme la trésorerie et l'apadana (salle d'audience). Ces structures impressionnantes, sur piliers, étaient ornées de statues de génies ailés, inspirées des Assyriens.

Ailleurs, des hauts-reliefs et des bas-reliefs chantaient les louanges du roi entouré de sa cour, d'officiers, de ses forces armées, et de représentants des régions inféodées venus payer leur tribut. De tels monuments maçonnés et édifiés en hommage au roi constituent l'une des caractéristiques de ce régime. Pour répondre à ceux qui le critiquaient, Darius alla jusqu'à faire graver dans une falaise de Behistun, et en trois langues, son accession au pouvoir et sa stratégie pour mettre fin à la guerre civile.

Le massacre de la flotte perse

Darius, puis son fils Xerxès Iᵉʳ, menèrent une guerre sans merci aux Grecs. Les batailles des Thermopyles, Marathon et Salamine ont été décrites par des historiens classiques comme une lutte entre la liberté et l'oppression, les Grecs menant un combat d'arrière-garde qui était perdu d'avance. En 480 av. J.-C., après avoir ajouté Athènes aux territoires sous contrôle des Perses, Xerxès pénétra sans résistance en terre grecque. Quand les concitoyens implorèrent le général grec Thémistocle de reculer vers Corinthe, il préféra les convaincre de se joindre à lui pour attaquer de front la flotte perse.

À gauche *Ce bas-relief,*
qui encadrait une porte, est typique
du style architectural perse.

VIᵉ siècle av. J.-C.	539 av. J.-C.	509 av. J.-C.
Montée en puissance des rois perses.	Conquête de Babylone par les Perses.	Fondation de la République romaine.

Le puissant Empire perse fut stoppé dans ses conquêtes par un général grec, avant d'être anéanti par Alexandre le Grand.

Astucieusement, Thémistocle envoya aux Perses des messagers chargés d'annoncer que la flotte grecque, dominée par les Athéniens, acceptait de s'allier à eux et que toute offensive de Xerxès serait donc vouée à l'échec. Xerxès se laissa convaincre, mais quand ses 350 navires arrivèrent, ils se heurtèrent aux vaisseaux grecs qui remontaient la baie de Salamine. Les Perses se lancèrent à leur poursuite et furent pris au piège, comme Thémistocle l'avait prévu. Plus de 200 navires perses furent coulés, alors que les Grecs n'en perdirent que 40... La bataille mit fin aux ambitions des Perses de s'étendre vers l'ouest.

Cent cinquante ans plus tard, l'État-nation perse était réduit à néant. Les Perses avaient trouvé en la personne du général macédonien Alexandre le Grand un ennemi déterminé et sans pitié, le plus puissant que l'Orient ait jamais connu. Il envahit et occupa Persépolis en 330 av. J.-C. et mit la ville à feu et à sang – pour se venger, dit-on, de l'incendie que Xerxès avait lui-même déclenché à Athènes 150 ans plus tôt. La Perse fut avalée en un peu plus d'une nuit par l'empire naissant d'Alexandre.

Persépolis a laissé aux historiens un héritage précieux : de nombreuses inscriptions gravées dans la pierre ont permis de décrypter et de comprendre plusieurs langues anciennes du Proche-Orient, comme l'akkadien – une clé d'accès à la culture mésopotamienne. L'art et l'architecture perses ont aussi maintenu dans toute une région une certaine continuité culturelle, en des temps de grande instabilité politique. Persépolis, exemple parfait de l'architecture achéménide, symbolise la fusion des différentes parties du monde oriental.

Ci-dessus *Détail du palais de Xerxès.*

Ci-dessus à gauche *Bracelet en or finement gravé, qui faisait partie d'un trésor trouvé près du fleuve Oxus (aujourd'hui l'Amou-Daria).*

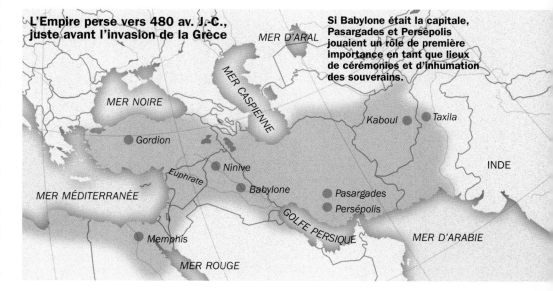

L'Empire perse vers 480 av. J.-C., juste avant l'invasion de la Grèce

MER D'ARAL

Si Babylone était la capitale, Pasargades et Persépolis jouaient un rôle de première importance en tant que lieux de cérémonies et d'inhumation des souverains.

MER NOIRE

MER CASPIENNE

Gordion

Kaboul   Taxila

Ninive

Euphrate

MER MÉDITERRANÉE

Babylone

Pasargades

Persépolis

INDE

GOLFE PERSIQUE

MER D'ARABIE

Memphis

MER ROUGE

vers 500 av. J.-C.	vers 480 av. J.-C.	449 av. J.-C.	447 av. J.-C.	vers 330 av. J.-C.	290 av. J.-C.	247 av. J.-C.	224 av. J.-C.
Première utilisation du fer en Afrique.	Après avoir envahi la Grèce, le roi Xerxès ajoute Athènes à l'Empire perse.	Publication du premier code civil romain.	Édifiication d Parthénon à Athènes.	Fin de l'État-nation perse. Alexandre le Grand envahit et brûle Persépolis.	Les Romains conquièrent le centre de l'Italie.	Arsace, premier souverain de la dynastie des Parthes.	Le colosse de Rhodes, l'une des Sept Merveilles du monde, est détruit par un séisme.

L'ENVOÛTANTE NINIVE
Le palais-cité des Assyriens

La Mésopotamie, entre le Tigre et l'Euphrate dans l'Irak d'aujourd'hui, porte à juste titre le surnom de « berceau de la civilisation ». Elle a vu fleurir les premières cultures urbaines d'Asie occidentale et, au grand désespoir des chercheurs en histoire, ses frontières politiques n'ont cessé de changer tant les chefs politiques tenaient à l'incorporer à leur propre territoire. À partir de 3500 av. J.-C., et pendant 3 000 ans, la Mésopotamie a ainsi été dirigée par les Sumériens, les Babyloniens, les Assyriens, les Chaldéens et les Perses, ce qui lui vaut de figurer en bonne place dans l'Ancien Testament.

À partir de leur bastion du nord de la Mésopotamie, les Assyriens commencèrent à faire la démonstration de leur force militaire à partir de 1350 av. J.-C. Ils prirent Babylone en 1225 av. J.-C. et, à partir de 1100 av. J.-C. env., ils régnèrent un certain temps sur l'est méditerranéen.

Leurs projets de conquêtes furent contrecarrés pendant deux siècles par la résistance des Araméens et des Chaldéens, qui prirent Babylone vers 915 av. J.-C. Les Assyriens se regroupèrent et reprirent des forces, à tel point que leur empire atteignit son apogée en 730 av. J.-C. : il couvrait tout le Moyen-Orient jusqu'à l'Égypte et, de l'autre côté, jusqu'au golfe persique. En général, si les Assyriens recevaient leur tribut régulièrement, ils laissaient en poste les souverains locaux. Quant aux territoires moins conciliants, ils les annexaient purement et simplement.

Pendant cet âge d'or – du point de vue des Assyriens –, Ninive fut promue capitale de l'empire. C'était depuis longtemps un centre religieux, où se trouvait la statue de la déesse de la fécondité, Ishtar. Il fallut attendre le règne de Sargon II, entre 722 et 705 av. J.-C., pour que la ville change d'allure.

Sargon fit élever une bibliothèque et son successeur, Sennachérib, qui régna jusqu'en 681 av. J.-C., en fit la capitale du pays à la place de Kalah (aujourd'hui Nimrud).

L'incomparable palais de Sennachérib

Sennachérib ne tarda pas à se faire un nom. L'ancienne cité fut réorganisée, ses rues furent élargies, et des places, des jardins et des parcs floraux furent créés, de même qu'un immense palais nommé « Le palais sans rival ». L'eau potable y arrivait par un réseau sophistiqué de canaux et d'aqueducs de 50 km. Comme dans tous les palais-cités assyriens, les fortifications étaient dotées d'épaisses murailles avec fortins et portails élaborés.

À gauche *Les animaux gravés dans l'ivoire – tel ce lion allongé – étaient très prisés des Assyriens fortunés.*

vers 1700 av. J.-C.	vers 1500 av. J.-C.	vers 1350 av. J.-C.	vers 1323 av. J.-C.	vers 1250 av. J.-C.	vers 1225 av. J.-C.	vers 1100 av. J.-C.	753 av. J.-C.
Importation de poteries ukrainiennes vers la Chine.	Utilisation courante d'armes en fer au Proche-Orient.	Naissance de l'Empire assyrien.	Mort de l'enfant-roi Toutankhamon.	Apogée de la civilisation mycénienne.	Les Assyriens prennent Babylone.	Les Assyriens conquièrent les terres de l'est méditerranéen.	Fondation de la ville de Rome, sur le Tibre.

Malgré leur puissance militaire, les Assyriens avaient une faiblesse qui leur fut fatale : leur expansionnisme.

Ci-dessus *Ce fragment d'ivoire finement gravé provient de Kalah (aujourd'hui Nimrud).*
À droite *Ce bas-relief sur le thème de la cavalerie se trouvait dans le palais d'Assurbanipal, à Ninive.*

Les palais de Ninive et d'autres villes importantes, comme Khorsabad et Kalah, étaient en général édifiés autour d'une grande cour centrale circulaire. Les pièces étaient regroupées suivant leur fonction : appartements royaux, locaux administratifs, salles de cérémonie, sans oublier les lieux plus fonctionnels consacrés à la cuisine, à l'entretien et au rangement. Les principaux portails étaient placés sous la protection de statues de plus de 3,5 m de haut à l'effigie d'êtres ailés mythologiques, mi-hommes, mi-taureaux. Des panneaux gravés immortalisaient par ailleurs les grands faits du roi sur le champ de bataille, à la chasse ou devant Dieu. Ces gravures édifiantes visaient à le rendre seul garant de l'influence et de la richesse de l'Assyrie.

De façon plus discrète, plusieurs souverains, dont Assurbanipal (qui régna de 668 à 627 av. J.-C.), se consacrèrent à la création d'une grande bibliothèque, riche en tablettes d'argile gravées d'écriture cunéiforme akkadienne – dont le sujet était souvent l'alchimie et la magie. Certaines ont été retrouvées dans les années 1870 par George Smith, un expert britannique autodidacte, qui a ainsi livré au monde le récit du Déluge par les Mésopotamiens. D'autres pièces ont permis de comprendre la gestion quotidienne du palais royal et le fonctionnement de la trésorerie.

Comme c'est souvent le cas, les Assyriens doivent leur chute à un expansionnisme sans retenue. Il leur était impossible de maintenir leur autorité sur un si vaste territoire et, en 612 av. J.-C., les Mèdes et les Chaldéens s'allièrent pour mettre Ninive à sac. Les Mèdes s'installèrent ensuite sur les hauteurs de la Mésopotamie, et les Chaldéens, sous Nabuchodonosor II, contrôlèrent Babylone jusqu'à l'invasion des Perses.

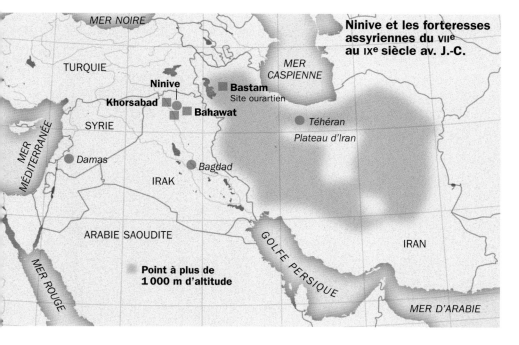

Ninive et les forteresses assyriennes du VIIᵉ au IXᵉ siècle av. J.-C.

MER NOIRE

TURQUIE

MER CASPIENNE

Ninive
Khorsabad
Bahawat
Bastam
Site ourartien

SYRIE

Téhéran
Plateau d'Iran

MER MÉDITERRANÉE

Damas

Bagdad

IRAK

ARABIE SAOUDITE

GOLFE PERSIQUE

IRAN

MER ROUGE

MER D'ARABIE

■ Point à plus de 1 000 m d'altitude

vers 730 av. J.-C.	de 722 à 705 av. J.-C.	de 705 à 681 av. J.-C.	de 668 à 627 av. J.-C.	650 av. J.-C.	vers 640 av. J.-C.	612 av. J.-C.	539 av. J.-C.
Point culminant de l'Empire assyrien.	Règne de Sargon II. Grands travaux à Ninive.	Règne de Sennachérib. Ninive devient la capitale de l'empire.	Le roi Assurbanipal crée la bibliothèque de Ninive.	Les Phéniciens fondent la cité de Leptis Magna, à l'est de Tripoli.	Les Assyriens commettent un génocide envers leurs vieux ennemis, les Élamites.	Ninive est mise à sac par les Mèdes et les Chaldéens.	Conquête de Babylone par les Perses.

NABUCHODONOSOR ET BABYLONE
Les merveilles du monde ancien

Au temps de son apogée, Babylone était la plus grande ville du monde. Elle couvrait une surface de plus de mille hectares et abritait quelques-uns des monuments les plus prestigieux de l'histoire, comme les jardins suspendus, la porte d'Ishtar, et une ziggourat de 90 m de côté qui inspira le mythe biblique de la tour de Babel. L'importance de la ville, en tant que capitale, remonte au IIIᵉ millénaire av. J.-C. Toute son économie reposait sur sa situation géographique : c'était un véritable carrefour des voies terrestres entre le golfe Persique et la Méditerranée.

Mais il fallut attendre que le roi chaldéen Nabopolassar s'empare de Babylone, jusqu'alors tenue par les Assyriens, en 625 av. J.-C., pour que la ville devienne la florissante métropole qui devait en inspirer tant d'autres. Ce roi, et surtout son fils Nabuchodonosor II, rénovèrent la ziggourat Etemenanki et firent aménager des palais, des voies pavées et d'impressionnantes fortifications. Nabuchodonosor commanda aussi l'aménagement des jardins suspendus, série de terrasses en paliers qui devint l'une des Sept Merveilles du monde. Enfin, sur le front, ses forces triomphèrent en Palestine et en Syrie, et donnèrent naissance au royaume agrandi de Babylone.

Notre connaissance de Babylone doit beaucoup aux travaux de l'archéologue allemand Robert Koldewey qui, entre 1899 et 1917, découvrit plusieurs bâtiments du temps de Nabuchodonosor. Il révéla que la cité englobait en fait deux villes. Celle de la périphérie mesurait 7 km² et était protégée par un triple rempart, si épais qu'un quadruple attelage pouvait faire demi-tour sur l'arête du mur sans dételer les chevaux.

À gauche *Exemple de la mythologie religieuse de Babylone : Ivriz, dieu de la météorologie.*

L'amour, l'or et la guerre

Au nord-est, ce rempart se fondait avec le palais de Tell Babil ; à l'ouest, il menait au quartier intérieur, véritable centre politique de Nabuchodonosor. Ici, à partir d'un chemin de procession menant à la porte d'Ishtar, les chambres royales et sacrées étaient gardées par un régiment spécifique. La porte d'Ishtar, du nom de la déesse de l'amour et de la guerre, était en briques cuites, vernissées et teintées. Ce fond coloré mettait en valeur les silhouettes de dragons et de taureaux qui encadraient la grande arche.

La tour de Babel

Selon l'Ancien Testament, la tour de Babel fut édifiée sur la plaine de Sennaar, à Babylone, par les descendants de Noé. Leur but était de se rapprocher des cieux, mais leur arrogance provoqua la colère de Dieu, qui fit en sorte que les hommes se mettent à parler plusieurs langues jusqu'alors inconnues. Il les dispersa ensuite à la surface de la terre – ce qui est une façon d'expliquer la diffusion des langues. Certains chercheurs pensent que cet épisode a été inspiré par l'effondrement de la ziggourat Etemenanki de Babylone, restaurée ensuite par Nabopolassar et Nabuchodonosor II.

776 av. J.-C.	729 av. J.-C.	625 av. J.-C.	551 av. J.-C.	509 av. J.-C.	500 av. J.-C.	490 av. J.-C.	482 av. J.-C.
Premiers jeux Olympiques, en Grèce.	Le roi assyrien Teglath-Phalasar III étouffe la révolution babylonienne et règne à Babylone.	Le roi chaldéen Nabopolassar prend Babylone aux Assyriens.	Naissance de Confucius.	Fondation de la République romaine.	Les Aryens cinghalais atteignent l'île de Sri-Lanka.	Victoire des Grecs sur les Perses à Marathon.	Le roi perse Xerxès réprime la rébellion de Babylone en détruisant les temples.

Les fortifications de Babylone donnaient l'impression que la ville était imprenable. Mais la dynastie de Nabuchodonosor n'en fut pas moins brève.

Ci-dessus *Vue panoramique du site d'Ebla. Les tablettes qui y furent déterrées ont permis de comprendre les méthodes agricoles et commerciales de l'âge du bronze.*

Robert Koldewey découvrit aussi le musée auquel Nabuchodonosor avait confié les antiquités mésopotamiennes auxquelles il tenait tant, ainsi qu'un réseau souterrain de salles voûtées et de puits, protégés de l'humidité par une couche d'asphalte. L'archéologue soutint qu'il s'agissait des fondations des jardins suspendus, mais les preuves restent fragiles. Situé à 1 km au sud, le long de la voie de procession, le site du sanctuaire de Mardouk, lui, ne souffre pas la contestation. Certains historiens grecs, parfois portés à l'exagération, ont raconté que le coulage de la statue divine et des accessoires associés avait nécessité vingt tonnes d'or fondu. Ils ont affirmé aussi que deux tonnes d'encens étaient consumées chaque année.

La gloire de Babylone ne devait pas durer. Le fils de Nabuchodonosor, Amel Marduck, régna vingt-trois ans et ne sut s'opposer à

Les tablettes d'Ebla
La collection des tablettes d'Ebla compte 20 000 blocs de terre crue, gravés de textes en perse ancien et en akkadien. Elles ont été découvertes par des archéologues italiens qui menaient des recherches sur l'âge du bronze à Tell Mardik, en Syrie. Ils comprirent très vite qu'il s'agissait d'une collection exceptionnelle d'archives administratives, pleines de détails sur le bétail et les réserves céréalières, la production de textile et de métal, les offrandes religieuses et le commerce outre-mer. Ces tablettes ont démontré que les communautés du Proche-Orient n'étaient pas de simples satellites de la Mésopotamie.

la conquête de la ville par les troupes perses de Cyrus II le Grand. Plus tard, en 330 av. J.-C., Babylone tomba aux mains d'Alexandre le Grand, qui rêvait d'en faire la capitale de son empire. Il mourut avant d'atteindre ce but, mais, pendant encore mille ans, l'influence de Babylone ne fit que décliner. Quand l'islam s'imposa dans la région, au VIIᵉ siècle apr. J.-C., la ville n'était pratiquement plus qu'un souvenir.

Babylone et les grandes villes de Mésopotamie

TURKMÉNISTAN	
MER CASPIENNE	
Limites de la culture mésopotamienne (XXIVᵉ siècle av. J.-C.)	
TURQUIE	IRAK
Alalakh	
Ebla	
CHYPRE	Ugarit
MÉDITERRANÉE	Mari · Kish
SYRIE	· Téhéran
· Damas	IRAN
Babylone · Tal Agrab	· Bagdad
Agadé	Euphrate
ISRAËL	Lagash · Tchoga Zambil
JORDANIE	
ARABIE SAOUDITE	GOLFE PERSIQUE
MER ROUGE	Cœur de la Mésopotamie

IVᵉ siècle av. J.-C.	vers 330 av. J.-C.	323 av. J.-C.
Utilisation d'un haut-fourneau à Taruga, au Nigeria.	Babylone tombe aux mains d'Alexandre le Grand.	Mort d'Alexandre le Grand.

LES SACRIFICES HUMAINS D'UR ET LE DÉLUGE

La terre d'Abraham

Imaginez la scène : à Ur, en pays Sumer, la cérémonie mortuaire consacrée au souverain défunt va s'achever. Le corps du roi repose dans une immense salle qui mène à son tombeau souterrain. Autour de lui se trouvent les membres de sa famille qui ont choisi de l'accompagner dans l'au-delà. Non loin, ses servantes, des soldats armés de javelots, de vieux courtisans et même des bœufs attelés à leur chariot sont alignés. Tandis que les prêtres achèvent les derniers rituels, la mise à mort collective commence...

Il est difficile d'imaginer les sentiments qui habitaient l'entourage du roi. Ce qui est sûr, c'est que le massacre atteignait parfois des proportions impression-nantes. Dans une nécropole, les restes de soixante-huit femmes et six hommes, soigneusement alignés et vêtus de leurs plus beaux atours, ont été retrouvés. Dans une autre : les corps des soldats et leurs attelages : ils étaient chargés d'assurer la sécurité du roi dans l'au-delà ; enfin, la salle d'inhumation regroupait neuf corps de femmes.

En tout, au cimetière royal d'Ur, ce sont plus de 2 500 sépultures qui ont été retrouvées, dont beaucoup étaient celles de plébéiens. Leurs « bagages » allaient du simple pot de terre ou collier de perles aux œuvres d'art extraordinaires des Sumériens – comme le drapeau royal d'Ur, un panneau incrusté de nacre et de pierres semi-précieuses. Autres objets mis au jour : des tables de jeux, des figu-rines animales et plusieurs lyres, dont l'une était ornée d'un décor « humoris-tique » : une série d'animaux sauvages jouant de la musique.

Ci-dessus *Ces bijoux, que portaient les serviteurs de la reine Puabi, ont été retrouvés par Leonard Woolley dans des tombeaux.*
Ci-contre *Cette tête de taureau gravée ornant un instrument à cordes a été découverte dans un tombeau royal, à Ur.*

La réalisation la plus frappante des forgerons du roi est sans doute le casque du souverain Meskalamdug. Il est en électrum, alliage naturel d'or et d'argent très prisé des artisans de cette époque – preuve de l'opulence atteinte par le régime sumérien. Leonard Woolley a découvert un grand nombre d'œuvres de ce type en menant des recherches pour le compte du British Museum et de l'université de Penn-sylvanie, entre 1922 et 1924.

Ur et le Déluge

Woolley a étudié le site de la ville d'Ur des temps préhistoriques à son abandon soudain, dans les années qui suivirent la naissance de Jésus. L'inventaire archéo-logique qu'il en a dressé montre qu'Ur a probablement été fondée vers 5500 av. J.-C. par une communauté de fermiers, également artisans habiles dans l'art des poteries peintes dans un style très carac-téristique. En 3500 av. J.-C., des temples raffinés et richement décorés avaient été élevés sur les lieux. C'est à cette même époque qu'est apparue une écriture rudi-mentaire dont le but était probablement d'aider les prêtres à consigner les accords commerciaux. Et, avant 2700 av. J.-C., elle a évolué en véritable langage écrit permettant aux souverains de chanter leurs propres louanges et aux

vers 5500 av. J.-C.	vers 5000 av. J.-C.	vers 4000 av. J.-C.	vers 3500 av. J.-C.	vers 3000 av. J.-C.	vers 2700 av. J.-C.	vers 2100 av. J.-C.	vers 1900 av. J.-C.
Fondation de la ville d'Ur par une communauté d'agriculteurs.	Des peintures et des gravures rupestres sont réalisées dans le Sahara et au Zimbabwe.	Invention de la charrue.	Construction de temples raffinés à Ur.	Fabrication de couteaux et de haches en cuivre en Palestine.	Utilisation de l'écriture à Ur pour noter les exploits des rois et les mythes des religieux.	Construction de la grande ziggourat d'Ur.	Selon la bible, la famille d'Abraham quitte Ur pour aller en Palestine.

La Genèse raconte que Noé a découvert la fabrication du vin juste après le Déluge. Les viticulteurs du mont Djoudi étaient-ils ses descendants ?

prêtres d'immortaliser leurs mythes cultuels. Vers 2100 av. J.-C., le roi Ur-Nammu fit édifier la grande ziggourat, signe tangible de sa puissance et de son influence sur la Mésopotamie et les grandes voies commerciales qui, d'une part, longeaient l'Euphrate jusqu'à la mer et, d'autre part, traversaient le pays vers la Méditerranée.

C'est juste après cette époque que l'histoire de la ville croise certains épisodes bibliques. Le chapitre XI de la Genèse raconte que la famille d'Abraham quitta Ur vers 1900 av. J.-C. pour se rendre en Palestine. Curieusement, les recherches les plus poussées de Leonard Woolley ont mis au jour des ruines de huttes primitives datant des premiers temps d'occupation du site. Celles-ci étaient recouvertes d'une couche de 3,35 m d'argile et de limon, ce qui semble étayer la théorie du Déluge.

Il est peu probable que la querelle sur le Déluge et l'arche de Noé se dissipe un jour. Si certains archéologues admettent que le site d'Ur a subi une inondation limitée, d'autres soutiennent qu'il est raisonnable de voir dans ce lieu plusieurs points communs avec les récits de la Bible. Depuis l'an 1000, il est supposé que le mont Ararat, où l'arche aurait touché

Ci-dessous *Tablette d'argile retrouvée à Ur. C'est sur ce support que les prêtres ont pratiqué les plus anciennes formes d'écriture.*

Ci-dessus *Reconstitution de la ziggourat d'Ur.*

terre, est lié au mont Aregats, au nord-est de la Turquie. Pourtant, les traditions juive et chrétienne, tout comme le Coran, situent ce point sur le mont Djoudi, à 150 km de la vallée du Tigre. C'est là que le souverain assyrien Sennachérib se rendit au VIIᵉ siècle av. J.-C., en portant une planche qu'il disait provenir de l'arche.

Un autre détail curieux vient étayer cette hypothèse. La Genèse raconte que, lorsque Noé remit pied à terre, il planta de la vigne et découvrit le vin… Coïncidence ? Les traces les plus anciennes de la viniculture ont été découvertes en Mésopotamie, à l'ombre du mont Djoudi…

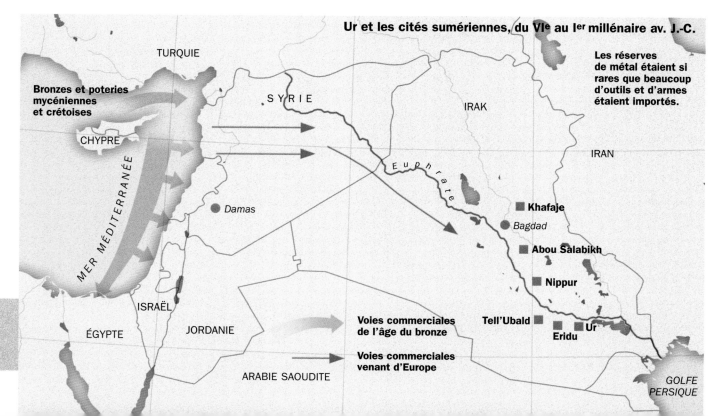

Ur et les cités sumériennes, du VIᵉ au Iᵉʳ millénaire av. J.-C.

TURQUIE

Les réserves de métal étaient si rares que beaucoup d'outils et d'armes étaient importés.

Bronzes et poteries mycéniennes et crétoises

SYRIE

IRAK

CHYPRE

IRAN

MER MÉDITERRANÉE

Damas

Euphrate

Khafaje

Bagdad

Abou Salabikh

Nippur

ISRAËL

Tell'Ubald

Ur

ÉGYPTE

JORDANIE

Eridu

Voies commerciales de l'âge du bronze

Voies commerciales venant d'Europe

ARABIE SAOUDITE

GOLFE PERSIQUE

JÉRICHO ET LES PREMIERS FERMIERS
Un nouveau départ

L'un des épisodes les plus hauts en couleur de l'Ancien Testament est celui de la démolition de Jéricho par Josué. D'après la Bible, Josué avait été désigné par Moïse pour conduire les Hébreux d'Égypte vers la Terre promise de Canaan. Sa première offensive fut la destruction de Jéricho, qui s'effondra au son des cornes de bélier de ses hommes.

Les vestiges archéologiques semblent indiquer que le site de Jéricho ait été abandonné vers 2000 av. J.-C., mais il a pu être occupé par Josué et ses hommes. De nombreux chercheurs admettent que les passages les plus anciens du livre de Josué ont été rédigés vers le Xe siècle av. J.-C., mais la plupart des passages ont été revus et modifiés en profondeur aux VIIe et VIe siècles av. J.-C.

La chose incontestable est que les plus anciennes terres cultivées au monde se trouvent dans la vallée du Jourdain, au nord de la mer Morte. En 1952, l'archéologue britannique Kathleen Kenyon a prouvé qu'un village y avait été édifié et que ses habitants maîtrisaient l'élevage et l'agriculture, sans toutefois aller jusqu'à la maîtrise de la poterie. Cette plaine fertile, exposée à des conditions climatiques idéales, a probable-

À droite *Les ruines du palais d'Hisham, à Jéricho. La diversité des éléments découverts dans cette ville antique a surpris plus d'un archéologue.*

ment été habitée dès 9000 av. J.-C., quand la culture paléolithique natoufienne a émergé.

Ces Palestiniens furent les premiers à construire des villages habités en permanence. Leurs huttes, qui ne disposaient que d'une seule pièce de forme circulaire, étaient à demi enterrées. Leur vie reposait sur la chasse et l'élevage, et ils savaient conserver dans des silos de grandes quantités d'orge et de blé. La cueillette faisait probablement partie de leurs modes d'approvisionnement, mais il fallut attendre l'ère néolithique – antérieure à la civilisation des potiers – pour qu'un système agricole plus structuré apparaisse. Entre 8350 et 7200 av. J.-C., les fermiers de Jéricho cultivèrent du blé et des légumes secs, tout en élevant des chèvres – une tradition peut-être empruntée aux communautés montagnardes de Turquie et d'Irak, où l'élevage atteignait un niveau plus avancé.

Squelettes vêtus et décorés
Kathleen Kenyon mena des recherches sur la butte de Tell al-Sultan où des huttes de terre ovales, entourées d'un fossé et d'un mur de 3 m d'épaisseur, avaient été élevées. Ce mur faisait le tour d'une pierre de 9 m de haut et l'archéologue en conclut qu'il s'agissait là d'un site d'observation et de défense. Cette idée a depuis été remise en question, et l'on pense aujourd'hui que cet édifice extraordinaire de génie civil – découverte totalement inattendue, étant donné l'espérance de vie des hommes de l'âge de la pierre – aurait servi à protéger les 4 ha de terre des inondations. Vers le VIIe millé-

vers 9000 av. J.-C.	de 6350 à 7200 av. J.-C. env.	vers 7500 av. J.-C.	vers 6000 av. J.-C.	vers 3300 av. J.-C.	vers 3000 av. J.-C.	2686 à 2160 av. J.-C.	vers 2500 av. J.-C.
Installation de la culture natoufienne à Jéricho, à la fin de la glaciation.	Les fermiers de Jéricho cultivent du blé, et élèvent des chèvres.	Date du plus ancien cimetière connu, en Amérique du Nord.	Début de la riziculture en Thaïlande.	Les Sumériens échangent des biens contre de petits objets en terre.	Édification des premiers temples en pierre, à Malte.	Ancien empire d'Égypte.	Établissement des premières bibliothèques, en Mésopotamie.

Le profond fossé et la tour de garde de la butte de Tell es-Sultan ont amené les archéologues à réviser certaines de leurs convictions sur l'architecture de l'âge de pierre.

Ci-dessus *L'artiste ayant réalisé cette scène campagnarde en mosaïque avait un sens aigu du détail (palais d'Hisham, Jéricho).*

Jéricho et les autres grands sites du néolithique et de l'âge du bronze au Proche-Orient.

MER NOIRE · MER CASPIENNE · TURQUIE · Hacilar · Çatal Höyük · Can Hassan · Mersin · Cnossos · IRAK · IRAN · SYRIE · Zaoui Chemi · Tigre · Euphrate · MER MÉDITERRANÉE · Mont Carmel · Jéricho · ISRAËL · JORDANIE · ARABIE SAOUDITE · LIBYE · ÉGYPTE · Wadi Madamagh

naire av. J.-C., les habitations, à l'abri derrière cette enceinte, prirent une forme rectangulaire qui rappelle celle des maisons villageoises du Moyen-Orient actuel : elles étaient disposées de façon anarchique, mais serrées les unes contre les autres et desservies par des passages étroits et sinueux.

La vie religieuse des habitants du site reste mal connue. Toutefois, la découverte de crânes humains enduits de plâtre, avec des coquillages à la place des yeux, suggère la pratique d'un culte similaire à celui d'autres régions de Terre sainte, d'Asie occidentale et d'Europe. L'un des cadavres avait même été orné d'une moustache peinte ! Parfois, le crâne était posé près du reste du corps ; dans d'autres cas, il se trouvait dans une autre pièce aménagée au-dessus ou, avec d'autres crânes, en un lieu sacré séparé. Kathleen Kenyon a aussi trouvé des statues d'êtres humains en plâtre, de grandeur nature, et dont le visage avait été moulé sur la tête même du défunt. Cela semble indiquer un culte d'adoration des ancêtres, à moins qu'il ne s'agisse des toutes premières idoles à l'effigie de Dieu.

Des sites comme celui de Jéricho viennent rappeler aux archéologues et aux historiens la nécessité de ne jamais s'en remettre aux premières certitudes au moment d'interpréter leurs travaux. Une découverte, banale en apparence, peut suffire à bouleverser toutes les théories étayées par des années de recherche.

À gauche *Vue aérienne d'un monastère orthodoxe édifié contre l'éperon d'une gorge, près du site de Jéricho.*

CHAPITRE 4
LA GRÈCE ANTIQUE ET ÉGÉENNE

GRÈCE

Vergina (Aigai) ■

La prêtresse de l'oracle de Delphes

Delphes ■

Mycènes ■

■ **Pylos**

On ne saurait trop souligner l'influence de la Grèce antique sur la culture des sociétés occidentales. Cette civilisation divisée, mais d'une puissance incomparable, a donné naissance à une quantité prodigieuse de dieux et de héros, de triomphes héroïques et de défaites glorieuses, et laissé le souvenir d'une démocratie que bien des pays pourraient lui envier aujourd'hui. Le peuple grec aimait l'art pour l'art, appréciait la beauté autant que la richesse et a su faire montre d'une tolérance religieuse qui fit cruellement défaut par la suite.

Il serait pourtant faux de croire que les personnages historiques du monde grec étaient de doux rêveurs obnubilés par des questions spirituelles. Les Grecs ont fait progresser la philosophie, la médecine, les mathématiques et les sciences naturelles ; ils furent d'excellents historiens et géographes, de grands architectes, des économistes et des administrateurs innovants, de courageux explorateurs et de superbes tacticiens. Ce n'est pas un hasard si les écoles militaires du monde entier tirent aujourd'hui encore une leçon exemplaire des conquêtes du général macédonien Alexandre le Grand.

Ce chapitre aborde quelques-uns des plus importants héritages laissés par la Grèce antique : opulents palais mycéniens de l'âge du bronze, naissance de l'écriture en Crète, expansion de l'empire, impressionnants monuments d'Athènes. Il explore également le mythe de Troie : autrefois considérée comme une fantaisie poétique, cette ville est désormais entrée dans l'histoire comme la plus grande et la plus fascinante des cités grecques.

Ces quelques piliers témoignent de la splendeur perdue de Délos

MER IONIENNE

Philippe II de Macédoine,
père d'Alexandre le Grand,
selon une petite gravure
en ivoire trouvée dans le
tombeau royal de Vergina

■ Troie

Statuette romaine
d'Alexandre le Grand.
Il partit de Troie pour
se lancer à la conquête
de l'Asie occidentale

MER ÉGÉE

TURQUIE

• Athens

■ Délos

Reconstitution de l'Acropole
de Mycènes

■ Akrotiri

MER DE CRÈTE

CRÈTE   ■ Cnossos

Spectacle de tauromachie,
dépeint sur une fresque de Cnossos

ATHÈNES : L'ACROPOLE ET L'AGORA
Berceau de la démocratie

De même que les pyramides évoquent instantanément l'Égypte, l'Acropole d'Athènes est un puissant symbole de la Grèce antique. Dominant la ville à plus de 150 m de hauteur, telle une sentinelle veillant sur le monde antique, cette forteresse édifiée sur un plateau fut au cœur

Ci-dessus *Les ruines de l'entrée de l'Acropole.*

de la civilisation héllénique entre 600 et 350 av. J.-C., quand Athènes avait vaincu toutes les cités rivales. La Grèce était alors un puzzle de *poleis* – communautés rurales dont les habitants étaient pratiquement égaux – et de cités plus urbaines.

Le mot grec *akropolis* signifie « ville haute ». En général, les premiers Grecs construisaient leurs villages en plaine, au pied d'éperons rocheux qui pouvaient servir de refuge et de tour d'observation en cas de conflit. Peu à peu, la plupart des villes se trouvèrent ainsi édifiées au pied d'une acropole, ce terme prenant ainsi le double sens de butte de terre et de bâtiment édifié sur ce relief. Les acro-

poles avaient souvent plusieurs fonctions : lieu de réunion, résidence du chef et lieu de culte.

Il semble que l'Acropole d'Athènes ait été occupée dès l'ère néolithique (vers 5000 av. J.-C.). À l'apogée de la civilisation mycénienne (de 1450 à 1200 av. J.-C. env.), elle devint une formidable forteresse, mais son rôle pendant les années qui suivirent est moins clair. En 490 av. J.-C., les Athéniens lancèrent un grand projet de réaménagement et élevèrent un temple pour remercier les dieux de leur victoire sur les Perses à Marathon.

Dix ans plus tard, alors que les fondations étaient en place et que les colonnes de marbre étaient dressées, les Perses reprirent l'offensive : ils poursuivirent les Grecs dans les Thermopyles, mettant Athènes à sac et dévastant

À droite *Une reconstitution des multiples bâtiments et temples au vᵉ siècle av. J.-C. La statue plaquée or d'Athéna et le Parthénon (à droite) dominent l'horizon.*

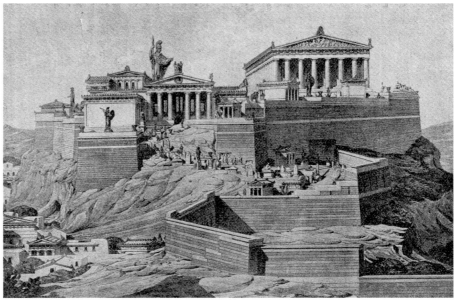

vers 5000 av. J.-C.	4236 av. J.-C.	vers 4000 av. J.-C.	vers 3100 av. J.-C.	vers 1750 av. J.-C.	vers 1450 av. J.-C.	de 600 à 350 av. J.-C. env.
Arrivée des premiers habitants sur le site d'Athènes.	Date la plus ancienne des calendriers égyptiens.	Premiers fermiers en Grande-Bretagne.	Invention de l'écriture pictographique à Sumer.	Hammourabi fonde l'empire de Babylone.	La civilisation mycénienne s'épanouit.	L'Acropole est le centre de la vie d'Athènes.

De même qu'Athènes dominait les États grecs, l'Acropole dominait la cité placée sous sa protection.

Le temple d'Apollon

Selon les anciens Grecs, la ville de Delphes, à une dizaine de kilomètres de la côte du golfe de Corinthe, était le centre de la terre et le lieu où Apollon avait triomphé de Python le monstre serpent. Les ruines du temple sont situées près du mont Parnasse, en un lieu spectaculaire qui fut autrefois le site d'un culte fort lucratif centré sur la prêtresse Pythie, incarnation supposée d'Apollon. Des individus et des représentants du pouvoir, issus des plus grandes cités grecques, venaient la consulter et déposaient de précieuses offrandes sur la voie sacrée menant au temple.

l'Acropole. Il faudra attendre trente ans pour que les Athéniens se décident à reprendre les travaux – une longue période de réflexion après le sacrilège envers les dieux grecs commis par les Perses tant haïs.

Le joyau d'Athènes

Lorsque Périclès fit reprendre les travaux, son intention était de faire de la ville l'emblème de l'État-cité. Les abondantes ressources naturelles de l'Attique furent mises à contribution, de même que les temples et les régions voisines, sans oublier une bonne partie du butin de guerre (puisque les Perses avaient enfin été vaincus).

L'édifice le plus imposant de toute l'Acropole était, et de loin, le Parthénon d'une superficie de 70 x 31 m et entièrement en marbre provenant de la grande carrière du mont Pentélique. Ce temple dédié à Athéna, bienfaitrice de la cité, possédait huit gigantesques colonnes en façade et pas moins de dix-sept à l'arrière. Il était constitué de deux parties principales : la salle où trônait la grande statue d'or et d'ivoire de la déesse, et la *salle des Vierges*, qui abritait le trésor du temple. À l'intérieur, une frise de plus de 160 m résumait le rite le plus important de la cité : la procession des Panathénées. Pendant cette fête, les habitants défilaient dans les rues jusqu'à l'Acropole, où ils faisaient don à Athéna d'un vêtement sacré.

L'autre grand monument de la cité antique, dont il reste aujourd'hui des ruines, est l'Agora – centre administratif commercial et religieux de la cité, situé entre l'Acropole au sud et l'Aréopage (ou « colline d'Arès ») au nord. Au VIe siècle av. J.-C., c'était un lieu de débat public prisé des politiciens défendant la démocratie contre les lois de l'aristocratie. Puissant symbole de citoyenneté, la place était interdite aux criminels. Et, pour décourager les malfaiteurs de s'y rendre, des stèles gravées affichaient un avertissement : « Je suis la frontière de l'Agora ».

En plus du temple d'Apollon, Delphes possédait l'un des théâtres les plus spectaculaires du monde grec. Sur cette carte figurent les principaux théâtres de la Grèce antique.

Athènes et l'expansion de l'Attique au VIe siècle av. J.-C.

BÉOTIE
Frontières de l'Attique
Territoires assujettis
CANAL DE L'EURIPE
ORÔPOS
Marathon
Oinoe
MÉGARE
Kephisos
Athènes
SALAMINE
GOLFE SARONIQUE
Céphale
CORINTHE

Mytilène
Delphes
Corinthe
Athènes
Éphèse
Mégalopolis
Épidaure
Délos
Sparte
Théra
Cnossos

AIGAI ET LES MACÉDONIENS
L'empire naissant d'un habile souverain

En une vingtaine d'années, l'Empire macédonien, autrefois soumis aux disputes des nobles locaux, devint une force militaire puissante des plus redoutée. Le mérite en revient en grande part à Philippe II, père d'Alexandre le Grand, qui unifia son royaume, passa à l'offensive contre ses voisins, et fut assez habile pour s'emparer d'une mine d'or de la colonie athénienne d'Amphipolis pour couvrir les frais. Entre le moment où il se hissa sur le trône macédonien, en 359 av. J.-C., et sa victoire sur les Athéniens lors de la bataille de Chéronée, en 338 av. J.C., il se forgea une réputation de meneur des peuples hellénophones. Il mourut assassiné en 336 av. J.-C., alors qu'il s'apprêtait à l'em-porter sur les Perses – une tâche que son fils endossa brillamment.

L'ancienne capitale de Philippe II était Aigai (aujourd'hui Edessa), au nord de la Grèce, non loin de la ville moderne de Vergina. C'est dans cette région que les Macédoniens enterraient leurs souve-rains. En 1977, l'archéologue grec Manolis Andronikos concentra ses recherches sur le Grand Tumulus, un tertre en faïence de 14 m de haut et de 110 m de diamètre.

La première sépulture que Manolis Andronikos découvrit avait, de toute évidence, déjà été « visitée », mais il y restait quelques tableaux en bon état. La seconde semblait nettement plus promet-teuse. Elle avait un plafond voûté et son

Ci-dessus *La cuirasse de Philippe II de Macédoine, découverte dans la seconde chambre funéraire.*

entrée était ornée d'une scène de chasse déployée sur plus de 5 m de long – ceci laissait supposer que celui qui reposait là était de noble naissance. Plus impor-tant encore, les deux dalles massives qui scellaient l'entrée du tombeau étaient intactes : les lieux étaient donc restés inviolés. Pour pénétrer, les chercheurs employèrent une technique qui avait fait ses preuves : ils démontèrent la clé de voûte en retirant la pierre qui sert de cale, à l'aplomb de l'arc de cercle.

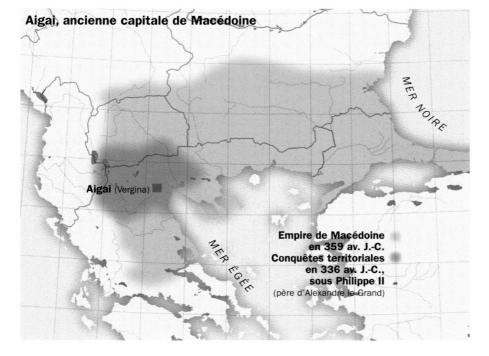

Aigai, ancienne capitale de Macédoine

MER NOIRE

Aigai (Vergina)

MER ÉGÉE

**Empire de Macédoine en 359 av. J.-C.
Conquêtes territoriales en 336 av. J.-C., sous Philippe II**
(père d'Alexandre le Grand)

359 av. J.-C.	de 359 à 340 av. J.-C. env.	357 av. J.-C.	356 av. J.-C.	338 av. J.-C.	336 av. J.-C.	335 av. J.-C.	de 334 à 333 av. J.-C.
Philippe II accède au trône de Macédoine.	Philippe II militarise la Macédoine et prépare la guerre.	Mariage de Philippe II et d'Olympias, future mère d'Alexandre le Grand.	Naissance d'Alexandre III, dit Alexandre le Grand.	Philippe II bat les Athéniens à la bataille de Chéronée.	Assassinat de Philippe II, Alexandre accède au trône.	Les troupes d'Alexandre détruisent Thèbes.	Invasion de la Turquie.

La découverte du tombeau de Philippe II de Macédoine, père de la suprématie grecque.

À gauche *Ce coffre en or est orné de l'étoile du souverain.*

Reconstitution de la vie d'un roi grec

Manolis Andronikos découvrit alors à travers les objets précieux et ornementaux tout ce qui sied à un tombeau royal : gobelets en argent, armure en bronze, bandeau d'or et d'argent déposé dans un casque, et des monceaux de copeaux d'or et d'ivoire qui avaient servi à décorer un bouclier tombé en poussière. Il constata assez vite que la tombe avait abrité des meubles en bois, dont un divan, qui n'avaient pas résisté à 2 000 ans d'humidité.

Fort heureusement, l'objet le plus important était en parfait état : un tombeau en marbre, qui renfermait un coffre en or de 11 kg orné d'une étoile, l'emblème du roi macédonien. Le coffre lui-même contenait des cendres qui avaient été jadis enveloppées dans une toile pourpre et protégées par une couronne de feuilles de chêne en or. Les expertises ont montré que le défunt était âgé de 35 à 55 ans et qu'il mesurait environ 1,70 m.

Une pièce voisine abritait des objets similaires : armure en bronze, meubles en bois, et une magnifique fronde plaquée or, ornée d'une scène de combat dans un temple. Des cendres furent retrouvées dans un second coffre : celles d'une femme de 20 à 30 ans, là aussi enveloppées dans ce qui avait été jadis une fine toile rouge et or.

Les preuves confirmant que cette tombe est bien celle de Philippe II ne manquent pas. Le site d'Aigai était en effet le lieu de sépulture des souverains. S'ajoutent à cela la présence de l'emblème royal étoilé (à la fois sur la poitrine et sur la couronne), l'âge estimé du défunt (Philippe II est mort à 46 ans) et la date de réalisation des objets et des peintures (milieu du IVe siècle av. J.-C.).

Le travail le plus fascinant fut la reconstitution du crâne par une équipe médicale spécialisée, qui put ensuite modeler le visage du défunt avec de l'argile. Une cicatrice à l'œil – tout comme Philippe II – et ses traits rappelaient indéniablement les portraits du roi effectués de son vivant.

Ci-dessus *L'équipe de chercheurs a pu accéder à la tombe en retirant la clé de voûte de l'entrée.*

À gauche *L'entrée du tombeau royal, sur le versant est du Grand Tumulus, à Vergina.*

332 av. J.-C.	330 av. J.-C.	329 av. J.-C.	326 av. J.-C.	325 av. J.-C.	324 av. J.-C.	324 av. J.-C.	323 av. J.-C.
Conquête de terres aujourd'hui divisées entre le Liban, Israël et l'Égypte.	Invasion de la Perse (aujourd'hui l'Iran).	Conquête de l'Afghanistan et d'une partie de l'Asie centrale.	L'armée d'Alexandre envahit l'ouest de l'Inde.	L'armée gagne les déserts du sud de la Perse.	Les forces armées retournent à Persépolis, ville incendiée six ans plus tôt.	Alexandre le Grand prend pour seconde épouse la fille du roi perse Darios III.	Mort d'Alexandre le Grand à Babylone.

LA DÉCOUVERTE DE TROIE
L'héritage littéraire d'Homère

Jusque dans les années 1870, la cité préhistorique grecque de Troie était considérée comme un mythe, produit de l'imagination fertile d'Homère. Selon la légende, la ville de Troie avait été prise d'assaut par le roi grec Agamemnon, qui voulait porter secours à la femme de son frère, Hélène, fille du dieu Zeus. Le dénouement est connu : vers 1260 av. J.-C., après dix ans de siège, les troupes d'Agamemnon se cachèrent dans un grand cheval en bois. Après avoir fait cadeau de cette statue à Athéna, Agamemnon fit mine de se retirer et les Troyens firent entrer le cheval dans la ville. La nuit venue, Sinon, un imposteur grec, alla libérer les soldats, qui ouvrirent les portes de la ville et permirent à l'armée grecque de prendre Troie. Mille ans plus tard, les écrivains grecs ont admis qu'il pouvait y avoir un fond de vérité dans ce

récit, mais l'idée ne séduisit pas les historiens des XVIIIe et XIXe siècles. Il fallut attendre l'archéologue allemand Heinrich Schliemann pour que la vérité revienne. Schliemann était fasciné par Homère depuis l'âge de 8 ans, quand son père, pasteur, lui avait lu l'*Iliade* et l'*Odyssée*.

Il était convaincu que l'œuvre d'Homère était fondée sur la vérité et, à l'âge de 46 ans, enrichi par ses activités commerciales avec la Russie, il se rendit pour la première fois en Grèce et en Turquie. Le site où aurait été édifiée la ville de Troie faisait alors débat, mais au

Ci-dessus à gauche *Masque mortuaire royal découvert à Mycènes et datant du XVIe siècle av. J.-C. Pour Schliemann, il s'agissait du masque d'Agamemnon.*

Les neuf villes de Troie

Chronologie des sept cités déterrées à Hissarlik

Troie 1 : campement muré en pierre et argile, 3000 av. J.-C.

Troie 2 : Immense forteresse préhistorique ; épais remparts, palais, maisons, IIIe millénaire av. J.-C. (c'est la ville que Heinrich Schliemann prit pour Troie).

Troie 3 : C'est dans cette couche que fut découvert le trésor de Priam.

Troie 4 et 5 : Villages de l'âge du bronze édifiés sur les ruines de Troie 2, entre 2300 et 2000 av. J.-C.

Troie 6 : Autre forteresse, plus grande encore que la précédente, avec murailles, tours de garde, portes et maisons, de 1900 à 1300 av. J.-C.

Troie 7A : Reconstruction de Troie 6, vers 1400 av. J.-C., après un séisme (c'est la « vraie Troie »).

Troie 7B et 8 : Villages grecs de simples maisons en pierre.

Troie 9 : Acropole de la cité gréco-romaine Ilion, datant du Ier siècle av. J.-C.

vers 1300 av. J.-C.	776 av. J.-C.	vers 750 av. J.-C.	vers 675 av. J.-C.	vers 650 av. J.-C.	592 av. J.-C.	vers 550 av. J.-C.	335 à 323 av. J.-C.
Mycènes est la cité la plus riche de Grèce.	Premiers jeux Olympiques, en Grèce.	Rédaction de l'*Iliade* et de l'*Odyssée*.	Militarisation des cités grecques, élargissement de la conscription.	Les Grecs étendent leur territoire sur toute la région méditerranéenne.	Le législateur Solon prépare l'établissement de la démocratie grecque.	Anaximandre dresse la plus ancienne carte du monde connue à ce jour.	Alexandre le Grand conquiert la quasi-totalité de la Macédoine.

L'archéologue Heinrich Schliemann était convaincu que les œuvres d'Homère reposaient sur une vérité historique.

vu de certaines recherches préliminaires menées en 1870, Heinrich Schliemann fut convaincu que le tumulus d'Hissarlik (« lieu de la citadelle » en turc) méritait un certain intérêt. En trois ans, son équipe de 150 chercheurs y creusa toute une série de tranchées et mit au jour plusieurs cités édifiées au fil du temps les unes par-dessus les autres.

De fructueuses recherches

En mai 1873, Heinrich Schliemann découvrit de l'or dans une tranchée. Il envoya son équipe déjeuner plus tôt que d'habitude et, aidé de son épouse grecque Sophie, déterra lui-même une impressionnante collection de bijoux d'or, d'argent et de bronze, ainsi que des ornements inestimables. Il se débrouilla pour les faire sortir de Turquie, ce qui lui valut la colère des autorités locales, qui estimaient avoir un droit sur ces découvertes. Le « trésor de Priam » fut exposé au Bode-Museum de Berlin. L'archéologue

À droite Quelques-uns des bijoux en or découverts par Heinrich Schliemann et son épouse grecque Sophie.

allemand – qui savait manipuler les médias – devint une célébrité, et le portrait de sa femme, couverte de ces bijoux, fit le tour du monde. Son hypothèse sur Homère se trouva d'un coup confirmée.

Selon Heinrich Schliemann, quatre villes successives avaient été édifiées sur le site de Troie, mais ses recherches ultérieures, en 1889, montrèrent qu'il y en avait eu sept. De nos jours, les archéologues s'entendent pour en reconnaître neuf. Toujours selon Schliemann, la seconde cité était celle des récits d'Homère, mais les travaux ultérieurs de son assistant, Wilhelm Dörpfeld, ont prouvé que cette couche date du IIIe millénaire av. J.-C., soit au moins mille ans avant le fameux siège.

Les découvertes de Wilhelm Dörpfeld, confirmées en 1938 par Carl Blegen, de l'université de Cincinnati, ont révélé que la « vraie » cité de Troie était la septième couche (donc proche de la surface), qui avait été détruite par un incendie. Cela confirme la date traditionnellement admise pour la guerre de Troie – vers 1260 av. J.-C. Mais c'est grâce à la découverte de ces ruines que le poème épique et légendaire d'Homère a rejoint l'histoire.

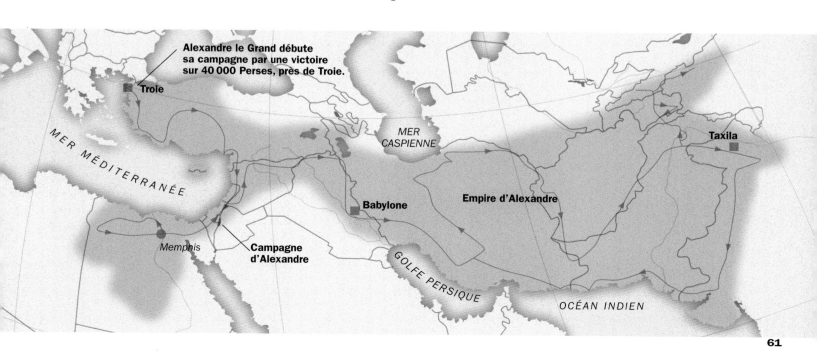

Alexandre le Grand débute sa campagne par une victoire sur 40 000 Perses, près de Troie.

Troie

MER MÉDITERRANÉE

MER CASPIENNE

Taxila

Babylone

Empire d'Alexandre

Memphis

Campagne d'Alexandre

GOLFE PERSIQUE

OCÉAN INDIEN

LES CAPITALES DES CONQUÉRANTS DE TROIE
Le palais d'Agamemnon et de Nestor

Après le succès rencontré à Troie, il était légitime que l'archéologue allemand Heinrich Schliemann se penche sur l'histoire des deux grands chefs grecs dont les troupes mirent la ville à sac. Il s'agit d'Agamemnon, dont la capitale était Mycènes, au nord de la Grèce, et de Nestor, dont le palais était censé se trouver à Pylos, en Messénie.

Avec Troie et Tirynthe, Mycènes et Pylos étaient les plus grandes villes de la culture mycénienne, qui domina la région entre les XIIIe et XIVe siècles av. J.-C. Ces peuples étaient issus des premières tribus d'Europe centrale et d'Asie occidentale, qui investirent la Grèce vers 2000 av. J.-C. Ils parlaient un ancien dialecte grec et gravaient des signes sur des tablettes, employant une écriture que les archéologues appellent le « linéaire B ».

Les fouilles de Heinrich Schliemann à Mycènes s'avérèrent plus faciles que celles de Troie, car l'emplacement de la cité ne faisait aucun doute. Dès le IIe siècle apr. J.-C., le voyageur et historien Pausanias avait relaté que les restes d'Agamemnon étaient enterrés derrière une enceinte cyclopéenne (remparts de 17 m de haut et de 6 m d'épaisseur) et avait décrit fidèlement les portes des Lionnes – deux éléments bien connus.

Heinrich Schliemann concentra ses efforts sur la zone située juste devant les portes et, en 1876, il découvrit trente tombeaux souterrains, disposés en deux cercles, où les restes de la royauté mycénienne avaient été enterrés. Il fit plusieurs découvertes spectaculaires, dont des armes, de la vaisselle et des bijoux datant de l'âge du bronze. Lorsqu'il déterra un masque mortuaire en or, il annonça au monde entier qu'il avait regardé Agamemnon dans les yeux ! Il faisait cependant erreur, ce masque datant du XVIe siècle av. J.-C., soit 300 ans avant Agamemnon.

Ci-dessus *La porte des Lionnes se dresse toujours entre les murs en ruine de la forteresse de Mycènes.*

L'introuvable Pylos

Malgré ces nouveaux triomphes, l'archéologue allemand ne parvint jamais à découvrir Pylos. Les historiens de la Grèce antique eux-mêmes se demandaient où cette ville pouvait être située, et le mystère demeura entier. Sans élément sérieux pour continuer ses recherches, Heinrich Schliemann abandonna.

À gauche *Les ruines du palais de Mycènes. Heinrich Schliemann y fit plusieurs grandes découvertes datant de l'âge du bronze.*

vers 2000 av. J.-C.	vers 2000 av. J.-C.	vers 1900 av. J.-C.	vers 1840 av. J.-C.	de 1400 à 1100 av. J.-C. env.	vers 1240 av. J.-C.	vers 1200 av. J.-C.	vers 1120 av. J.-C.
Les ancêtres des Grecs anciens s'installent en Grèce.	Premiers voiliers sur la mer Égée.	En Mésopotamie, les progrès des techniques d'irrigation permettent l'approvisionnement en eau.	Les Égyptiens annexent la Basse-Nubie.	Apogée de la civilisation mycénienne.	Moïse prononce les dix commandements.	Les Grecs détruisent Troie.	Fin de la civilisation mycénienne.

L'archéologue Carl Blegen découvre une série de tablettes d'argile, qui, pense-t-il, situent avec précision l'emplacement de Pylos.

Mais la quête recommença à l'aube du siècle suivant. La découverte de deux tombes (ou « tholos ») mycéniennes, avec leur toit de pierre haut et voûté évoquant une sorte de ruche pointue, relança l'intérêt pour la Messénie. Et, en 1939, l'archéologue américain Carl Blegen estima que certains des restes trouvés sur une colline à Epano Englianos méritaient de plus amples recherches. Dès le premier jour, ce vétéran des fouilles à Troie y trouva des poteries, des murs et des tablettes en « linéaire B ». Hélas ! la Seconde Guerre mondiale le força à suspendre ses recherches, qu'il ne put reprendre qu'en 1952.

Pendant quatorze ans, au prix de patients efforts, Carl Blegen mit au jour un palais d'allure très similaire aux forteresses royales de Mycènes et Tyrinthe. Il y avait là un foyer central circulaire, une salle de bains équipée de baignoires en terre cuite, des remises pleines de jarres à huile et à vin, des milliers de bols et

d'assiettes, et une véritable bibliothèque renfermant toute une collection de tablettes en argile cuites (et donc solidifiées) par l'incendie ayant dévoré le palais vers 1200 av. J.-C.

Ces tablettes permirent d'en apprendre beaucoup plus sur la vie des Mycéniens – les rations auxquelles avaient droit les ouvriers du textile, le bronze qui était fourni

L'île de Délos

Capitale commerciale de la mer Égée, Délos fut aussi un lieu de culte à l'ère mycénienne ; au VIIe siècle av. J.-C., c'était le foyer de l'adoration d'Apollon. On y organisait régulièrement des jeux, des processions et des sacrifices rituels, et des centaines de pèlerins venaient faire offrande aux statues qui se trouvaient sur l'île. Mais Délos ne joua un rôle stratégique dans le commerce qu'au IIe siècle av. J.-C. : la ville devint alors le plus grand port de l'est méditerranéen et le marché aux esclaves, en desservant à la fois Rome et Athènes, le plus actif. Dès lors, la ville connut un important essor et grandit tel un champignon en quelques dizaines d'années.

aux forgerons, et même les offrandes destinées aux dieux. Tout cela vint confirmer l'opinion de Carl Blegen, qui pensait avoir trouvé Pylos, même si aucun objet n'évoquait le roi Nestor. Mais, après tout, ce Nestor est peut-être le produit de l'imagination d'Homère… qui lui réserve un retour heureux dans l'*Odyssée*, après avoir vécu trois générations par la Grâce d'Apollon…

Principaux palais autour de Mycènes entre 2100 et 1110 av. J.-C.

Poliochni — Troie
Iolkos
Karditsa — Thermi
Delphes
Thèbes
Mycènes
Tirynthe
Pylos
Paros — Naxos
Phylacopie
Akrotiri
Cnossos
Phaistos

miles 100
kilomètres 150

Délos – principaux sites archéologiques

Gymnase
Lac sacré
Agora des Italiens
Temple d'Artémis
Sanctuaire d'Apollon
Agora
MONT CYNTHOS
Théâtre

600 pieds
150 mètres

L'HÉRITAGE DE CNOSSOS
Le palais du roi Minos

D'après la mythologie grecque, la ville crétoise de Cnossos abritait le palais du roi Minos, capitaine de frégate, qui avait demandé à l'architecte Dédale de bâtir un labyrinthe pour y enfermer le Minotaure. Comme nombre de fouilles l'ont montré, le taureau et le serpent étaient des figures religieuses d'une grande importance pour la culture de l'âge du bronze, qui était celle de Cnossos entre 2000 et 1100 av. J.-C. Comme les dauphins et le griffon, ces animaux mythiques figurent sur un grand nombre des magnifiques fresques dont sont ornés les murs intérieurs.

L'archéologue allemand Heinrich Schliemann (voir pages 60 à 63) était persuadé qu'un groupe humain d'une culture avancée avait vécu en Crète. En 1887, il tenta d'acheter le site de Cnossos, mais ne put se mettre d'accord avec le propriétaire turc qui cherchait à le lui vendre. Des années plus tard, l'antiquaire et journaliste britannique Arthur John Evans parvint à conclure le marché et il se mit au travail en 1900.

Arthur John Evans était persuadé que les Grecs préhistoriques étaient lettrés et, en moins d'une semaine, il découvrit un objet qu'il décrivit ainsi : « Une sorte de barre d'argile ressemblant un peu à un burin de maçon dont l'extrémité serait brisée, couverte de caractères et de ce qui semble être des chiffres. » Des poteries provenant du même endroit permirent de prouver que cette barre datait de l'ère pré-mycénienne, ce qui avalisait la supposition faite par les Britanniques. La découverte d'un trône en gypse confirma que Cnossos était une résidence royale et, par respect pour la légende grecque, Evans lui donna le nom de palais de Minos et nomma « Minoens » ses anciens occupants.

Ci-dessus *Sculpture d'une déesse-serpent minoenne. En 1100 av. J.-C., le palais de Cnossos ne servait plus qu'à quelques cérémonies religieuses.*

Les fouilles montrèrent que plusieurs palais y avaient été édifiés tour à tour, puis modifiés ou rénovés au fil du temps, comme à Troie. Les travaux avaient commencé en 2000 av. J.-C. et n'avaient cessé que vers 1400 av. J.-C., quand un incendie avait anéanti les lieux.

À gauche *Les dauphins de la mer Égée sont à l'honneur sur les murs du palais de Minos.*

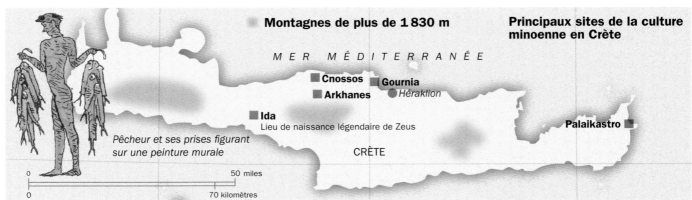

Montagnes de plus de 1 830 m

Principaux sites de la culture minoenne en Crète

MER MÉDITERRANÉE

■ Cnossos
■ Gournia
● Héraklion
■ Arkhanes

■ Ida
Lieu de naissance légendaire de Zeus

■ Palaikastro

CRÈTE

Pêcheur et ses prises figurant sur une peinture murale

0   50 miles

0   70 kilomètres

vers 2300 av. J.-C.	vers 2000 av. J.-C.	vers 2000 av. J.-C.	de 2000 à 1400 av. J.-C.	vers 1800 av. J.-C.	vers 1750 av. J.-C.	vers 1500 av. J.-C.	vers 1100 av. J.-C.
Premier empire de l'histoire mondiale (les Sumériens).	Les Minoens produisent de la poterie peinte.	La culture de l'âge du bronze se développe à Cnossos.	Rénovation périodique de palais et d'autres édifices à Cnossos.	Fondation de l'État d'Assyrie par Shamshi-Adad Ier.	Hammourabi fonde l'empire de Babylone.	Les Égyptiens importent du bois du Liban, stimulant ainsi le commerce transméditerranéen.	Le palais de Cnossos est abandonné et le site ne sert plus qu'à des cérémonies religieuses.

Le Labyrinthe du Minotaure

La disposition du palais en faisait un véritable labyrinthe pour les visiteurs. Le dédale de pièces qui couraient autour de la cour centrale transformait le moindre déplacement en cauchemar. Toutefois, après une étude approfondie, il s'avéra que le palais avait tout simplement été conçu « à l'envers » : la cour avait la priorité sur les pièces qui l'entouraient. Ailleurs, les pièces du premier étage semblaient commander l'emplacement des pièces du dessous. Ce bâtiment complexe comprenait des suites luxueuses, ornées de fresques et de sols en gypse, des appartements officiels, des remises souterraines, des ateliers, et un centre administratif où tout était consigné sur des tablettes d'argile.

C'est la découverte de ces tablettes, plus que les superbes œuvres et objets d'art des Minoens, qui marquèrent la contribution d'Evans à la connaissance de l'archéologie égéenne. Il identifia trois écritures différentes et comprit qu'elles avaient été employées pendant des siècles. La première, comparable aux hiéroglyphes égyptiens, reste à ce jour mal comprise. La deuxième, qui reçut le nom de « linéaire A » et a été identifiée depuis dans plusieurs autres sites de la Crète et des îles voisines, n'est guère plus claire.

Mais la troisième écriture, baptisée « linéaire B », a été déchiffrée en 1952 par un architecte anglais, Michael Ventris. Celui-ci n'y consacra pas moins de seize ans de sa vie, et bien des experts accueillirent ses travaux avec scepticisme. Sa théorie ne fut réhabilitée que lorsque l'Américain Carl Blegen (voir Agamemnon, pages 62 et 63) s'en servit pendant les fouilles de Pylos. Carl Blegen parvint non seulement à déchiffrer les inscriptions qui figuraient sur un bloc, mais aussi à démontrer que les mots pouvaient être liés par des symboles graphiques. Bien que la traduction du linéaire B s'avérât être un travail lent et fastidieux, il ouvrit de nombreuses portes permettant de mieux comprendre l'histoire égéenne – jusqu'alors sujette à controverses.

À la fin de l'âge du bronze, Cnossos fut abandonné, et de nouveaux villages furent fondés au nord et à l'ouest. Le site doit peut-être cette fuite à sa réputation de lieu sacré, renforcée par le mythe du Minotaure enfermé dans un labyrinthe oublié. En 1100 av. J.-C., seuls les prêtres fréquentaient Cnossos, lors de cérémonies religieuses bien éloignées du tribut sanglant offert au monstre.

La traduction du « linéaire B »
permit de mieux comprendre l'histoire égéenne.

AKROTIRI : UNE VILLE SOUS LES CENDRES

La chute rapide de la civilisation minoenne reste l'un des grands mystères du monde antique. On peut simplement affirmer qu'une catastrophe s'abattit sur la Crète en 1500 av. J.-C. et que les palais, les villas et même des villages entiers furent dévorés par les flammes. La citadelle de Cnossos paraît s'en être tirée sans trop de dégâts, mais elle fut désertée au cours du siècle suivant.

Un tel phénomène de disparition brutale n'est pas rare en archéologie, mais les explications font défaut. En ce qui concerne les Minoens, l'archéologue grec Spiridon Maritanos pensait avoir trouvé une réponse en évoquant une éruption du volcan de Théra (aujourd'hui Santorin). Il existe la preuve d'une violente éruption vers 1500 av. J.-C. et, le volcan se trouvant sur une île à une centaine de kilomètres au nord de la Crète, il est plausible que ses cendres et sa lave aient atteint cette dernière région.

Spiridon Marinatos s'intéressa aussi au déplacement inexplicable de gigantesques rochers. Ils provenaient du port minoen d'Amnisos, dont la côte est exposée au nord, juste en face de Théra. Un raz-de-marée aurait-il frappé la Crète alors même que des pierres en fusion tombaient du ciel ?

Dire que cette théorie souleva une controverse serait en dessous de la vérité, et de nombreux archéologues et géologues restèrent dubitatifs. Le débat fit rage pendant 28 ans, jusqu'à ce que Spiridon Maritanos décide, en 1967, de procéder à des fouilles approfondies à Théra, pour en savoir plus sur cette éruption. Mais ce fut plus facile à dire qu'à faire... L'île était couverte d'une couche de cendre volcanique si épaisse que les strates de terre arable étaient entièrement ensevelies. Les techniques habi-

Ci-dessous *Les ruines d'Akrotiri sont aujourd'hui protégées.*

vers 1800 av. J.-C.	1674 av. J.-C.	vers 1600 av. J.-C.	vers 1550 av. J.-C.	vers 1500 av. J.-C.	vers 1500 av. J.-C.	vers 1500 av. J.-C.	vers 1460 av. J.-C.
Les Égyptiens utilisent des modes de calcul mathématique avancés.	Memphis, capitale égyptienne, tombe aux mains des Hyksos.	En Chine, la dynastie des Shang fonde la première civilisation urbaine de cette région.	Les pharaons commencent à se faire enterrer dans la Vallée des Rois.	Progrès de la métallurgie en Amérique du Nord.	Fin de la civilisation minoenne.	Les Aryens, venus d'Europe, envahissent l'Inde.	Touthmôsis III étend l'Empire égyptien jusqu'en Mésopotamie.

tuelles de fouille n'étaient guère appropriées.

Pourtant, quelques objets préhistoriques avaient déjà été trouvés au sud de l'île, près du village d'Akrotiri. Quand Spiridon Maritanos apprit que des fermiers s'abstenaient de labourer certains champs parce qu'ils étaient truffés de trous pierreux, il supposa – à juste titre – qu'il y avait là des bâtiments ensevelis. Durant les mois qui suivirent, il mit au jour l'équivalent grec de Pompéi : un village

L'ancienne île de Théra (aujourd'hui Santorin)

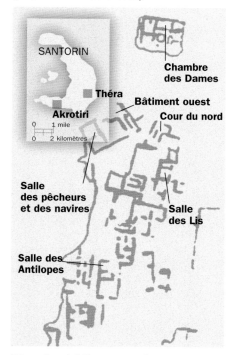

Plan des bâtiments qui ont pu être tirés de la cendre volcanique à Akrotiri. Les fresques les plus connues y sont mentionnées.

fantôme, qu'une éruption avait couvert de cendres.

Dans le village abandonné

Les maisons étaient étonnamment préservées, de deux ou trois étages et ornées de fresques colorées retraçant des événements sociaux, religieux ou militaires. Les plus belles d'entre elles déclinent le thème de la pêche, avec des hommes nus exhibant des poissons pris au filet – peut-être un hommage à un chef ou au dieu de la mer. Il faut aussi mentionner la salle de l'Antilope, où figurent des dessins d'animaux d'un style et d'une finesse identiques aux découvertes faites dans les plus beaux palais crétois. La chambre des Dames et la chambre des Lis constituent d'autres superbes exemples.

En coulant du plâtre dans les cendres recouvrant les sols, des traces de pieds de tables et de lits purent être révélées.

Le sous-sol contenait encore des jarres. Mais nul signe de ceux qui y avaient vécu. De toute évidence, les habitants d'Akrotiri avaient compris l'imminence de l'éruption et avaient évacué le village à temps. Personne ne saura jamais s'ils ont réussi à accoster, mais, si tel n'est pas le cas, ils auront connu une fin cruelle. La violence de l'éruption fut telle que bien peu d'êtres vivants y ont survécu sur l'île.

Pour Spiridon Maritanos, l'ironie du sort était que sa découverte réduisait à néant sa théorie d'une fin apocalyptique des Minoens. Les fragments de poterie retrouvés à Akrotiri n'ont rien à voir avec d'autres récipients retrouvés sous terre en Crète, et datés, eux, de cette grande éruption. De toute évidence, la ville d'Akrotiri a été abandonnée vingt ou trente ans avant la disparition des Minoens. Mais l'île appelée dans la haute antiquité « la très belle », témoigne de l'étonnante civilisation cycladique.

Les habitants avaient pressenti que l'éruption était imminente.

vers 1450 av. J.-C.	vers 1400 av. J.-C.	vers 1400 av. J.-C.	vers 1350 av. J.-C.	vers 1300 av. J.-C.	vers 1285 av. J.-C.	vers 1140 av. J.-C.	vers 800 av. J.-C.
Rédaction des premiers *Védas*, en Inde.	Le cheval devient un moyen de transport en Asie centrale.	Les Hittites et les Égyptiens se disputent la place de premier empire du Moyen-Orient.	En Égypte, fondation d'une nouvelle religion qui repose sur le culte du soleil.	Le désert du Sahara s'étend rapidement en Afrique du Nord. Les nomades doivent quitter la région.	Sous la conduite de Ramsès II, les Égyptiens évitent de peu la défaite face aux Hittites.	Fondation d'Utique, premier village phénicien en Afrique.	Après la chute de la culture mycénienne, la Grèce atteint le fond d'une période sombre.

CHAPITRE 5

L'EMPIRE ROMAIN

À gauche *Le temple de Jupiter à Héliopolis (aujourd'hui Baalbek), au Liban, Ier siècle av. J.-C. L'architecture romaine apporta une grâce nouvelle à cette cité ancienne.*

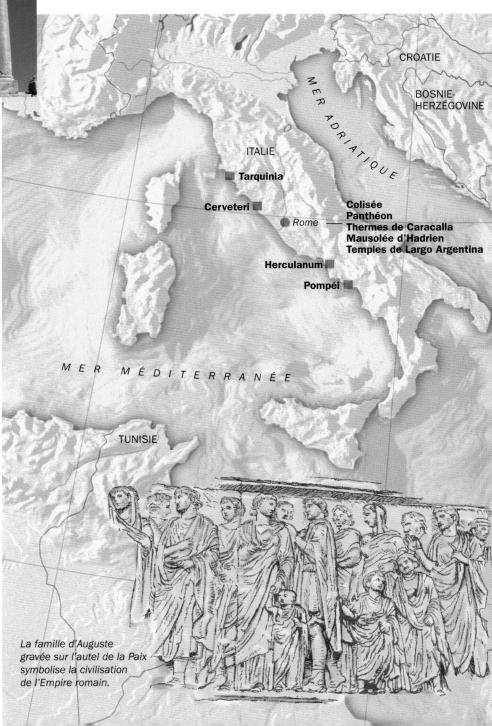

La famille d'Auguste gravée sur l'autel de la Paix symbolise la civilisation de l'Empire romain.

La règle d'or de l'histoire veut qu'un empire dont l'autorité repose sur la seule force militaire soit appelé à disparaître. Les invasions et la répression brutale peuvent fonctionner à court terme, mais l'unification des peuples et des cultures ne peut se faire qu'à travers une alliance, pas à travers une agression.

Les Romains, première puissance militaire de leur époque, le savaient mieux que quiconque. Leur armée avait triomphé sur tous les terrains, des collines glaciales du nord de la Bretagne (aujourd'hui la Grande-Bretagne) aux zones semi-désertiques d'Afrique du Nord, en passant par les monts macédoniens et les étendues infinies de l'Asie occidentale. Bien qu'ils aient régné sur un immense empire dès 130 av. J.-C. – parfois en se rendant coupables d'actes de barbarie –, ils avaient compris que cet espace ne resterait romain que si les terres conquises adoptaient leur propre mode de vie. C'est pourquoi les villes créées étaient rapidement dotées des structures régissant la société romaine : temples, lieux de pèlerinage, aqueducs, thermes, théâtres, amphithéâtres, bibliothèques, collèges, écoles, palais de justice, salles de réunions, ainsi que d'innombrables statues et arcs de triomphe. Il n'est donc guère surprenant que, au Moyen Âge encore, bien des peuples d'Europe se considéraient romains.

Ce chapitre aborde certains des plus importants sites archéologiques de l'Empire romain, ses traditions, rites religieux et progrès techniques. Deux sections supplémentaires sont consacrées aux Étrusques, une civilisation très antérieure à laquelle les Romains doivent une grande partie de leur mode de pensée, mais dont la langue et le mode de vie restent méconnus. Ce sont ces deux grandes cultures qui ont posé les fondations de l'Europe occidentale d'aujourd'hui.

À droite *Ce fragment d'une statue géante de l'empereur Constantin exprime une certaine autorité.*

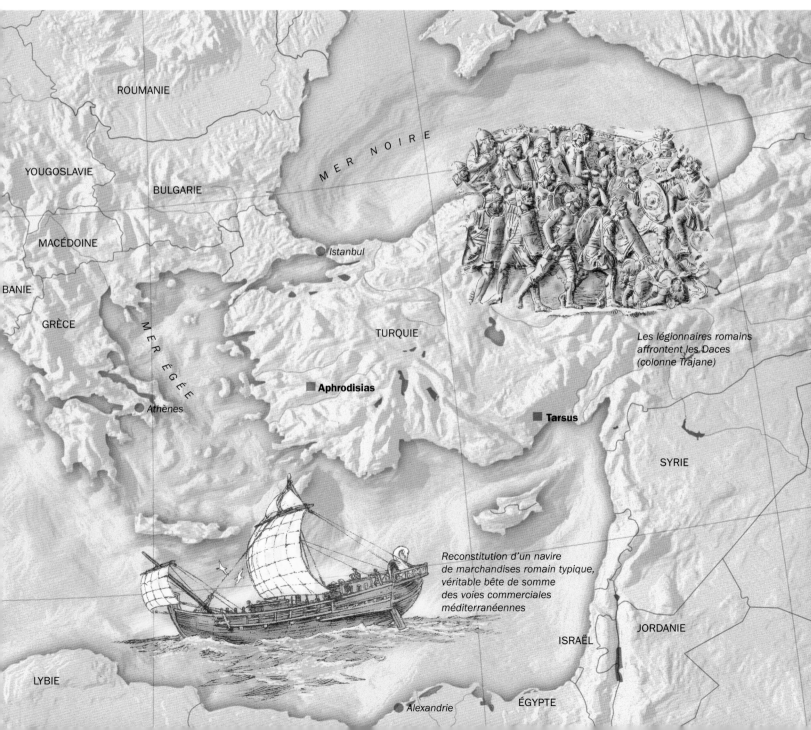

Les légionnaires romains affrontent les Daces (colonne Trajane)

Reconstitution d'un navire de marchandises romain typique, véritable bête de somme des voies commerciales méditerranéennes

ROUMANIE

MER NOIRE

YOUGOSLAVIE

BULGARIE

MACÉDOINE

BANIE

GRÈCE

MER ÉGÉE

Athènes

Istanbul

TURQUIE

Aphrodisias

Tarsus

SYRIE

JORDANIE

ISRAËL

LYBIE

ÉGYPTE

Alexandrie

LES MERVEILLES DE ROME
Une architecture grandiose et parfois extravagante

Les Romains vivaient pour leurs cités, mais il ne faut pas en conclure que la campagne ne comptait pas. Les plus riches d'entre eux, admettant qu'il fallait pouvoir se fournir en aliments et en vins de qualité, ne refusaient pas d'aller s'y reposer, loin de l'agitation de la ville. Mais, au regard de leur génie d'urbanistes et de leurs réussites architecturales, les Romains n'ont manifesté qu'un intérêt limité pour le développement de l'agriculture ou la gestion de leurs domaines. Vers la fin de l'empire, l'idée selon laquelle la vie urbaine était idyllique et la vie à la campagne associée au dur labeur était perçue par presque toutes les classes sociales – et cela entraîna d'ailleurs une

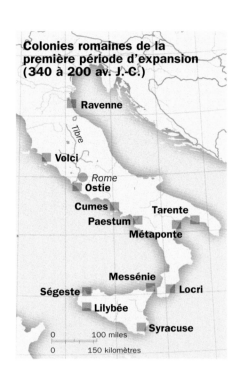

Colonies romaines de la première période d'expansion (340 à 200 av. J.-C.)

Ravenne
Tibre
Volci
Rome
Ostie
Cumes
Paestum
Tarente
Métaponte
Messénie
Ségeste
Locri
Lilybée
Syracuse

0   100 miles
0   150 kilomètres

Ci-dessus *L'arc de Constantin, financé par les citoyens et le sénat de Rome. Derrière, le Palatin et les palais impériaux.*

À droite *La colonne Trajane ; la statue qui la dominait a été remplacée en 1587 par celle de saint Pierre.*

753 av. J.-C.	**510 av. J.-C.**	**218 av. J.-C.**	**206 av. J.-C.**	**149 av. J.-C.**
Fondation de Rome.	Fondation de la République romaine.	Hannibal de Carthage envahit l'Italie.	Rome prend le contrôle de l'Espagne.	Rome détruit Carthage.

Les monuments dépendaient de la générosité des citoyens les plus riches.

À gauche *Détail du bas-relief de la colonne Trajane montrant la bataille de Dacie. Ce monument a été érigé en 113 apr. J.-C.*

migration massive vers les villes. La crise du logement, qui frappait les pauvres, n'en fut que plus aiguë, et certains en furent réduits à s'entasser dans de sordides dortoirs tenus par des propriétaires sans scrupules.

Le prestige de Rome reposait sur le Forum, place ouverte en plein air et dominée par les sept collines. La salle de réunion du Comitium et le Sénat se trouvaient là, ainsi que de nombreuses statues commémoratives et l'immense colonne Trajane. Des rues bordées de commerces, d'arcs de triomphe, de monuments et de grands bâtiments publics tels que le Panthéon, le Colisée et les thermes de Caracalla, étaient disposés tout autour. Les frais engendrés par ces chantiers étaient couverts par un système de taxes publiques ou par des donations de citoyens aisés et d'hommes politiques. Cette forme de parrainage encourageait les projets archi-tecturaux les plus spectaculaires.

La colonne Trajane en est un exemple. Elle fut édifiée entre 106 et 113 apr. J.-C. pour commémorer les victoires de l'empereur Trajan en Dacie (aujourd'hui en Roumanie), au début du siècle.

Provinces romaines vers 100 av. J.-C.

Gaule cisalpine
Gaule narbonnaise
Illyrie
Hispanie citérieure
Italie
Sardaigne
Hispanie ultérieure
Macédoine
Asie
Sicile
Achaïe
Cilicie
Afrique

44 av. J.-C.	vers 80 apr. J.-C.	de 106 à 113 apr. J.-C. env.	117 apr. J.-C.	de 118 à 128 apr. J.-C.	165 apr. J.-C.	400 apr. J.-C.	410 apr. J.-C.
Assassinat de Jules César.	Construction du Colisée, pouvant accueillir 55 000 spectateurs.	Construction de la colonne Trajane.	Apogée de l'Empire romain.	Construction du Panthéon.	Épidémie de variole dans l'Empire romain.	L'Empire romain se convertit au christianisme.	Envahi, l'Empire romain s'effondre.

L'URBANISME DE LA CITÉ
La première métropole du monde

Ci-dessus *D'après la légende, une louve allaita Romulus (fondateur de Rome) et son frère Remus.*

Ci-dessous
Le mausolée d'Hadrien tel qu'il était érigé.

Ci-dessus Le château Saint-Ange, ancien mausolée d'Hadrien, a également servi de citadelle fortifiée.

À droite Détail du mur du forum d'Auguste, vu depuis la voie Impériale qui traverse aujourd'hui les forums de Nerva, d'Auguste et de Trajan et couvre presque complètement le forum de Jules César.

Ci-dessous Le Forum romain quand on regarde vers l'est depuis la passerelle du Capitole. Au centre, le temple d'Antonin et Faustine, et, à droite, le Colisée.

Mausolée d'Hadrien
(château Saint-Ange)

Pont d'Aelius

Pont
de Néron

Odéon de
Domitien

JANICULE

Pont d'Agrippa

Pont d'Aurélien

Porte Septimiane

AQUA ALSIETINA

Porte Portuense

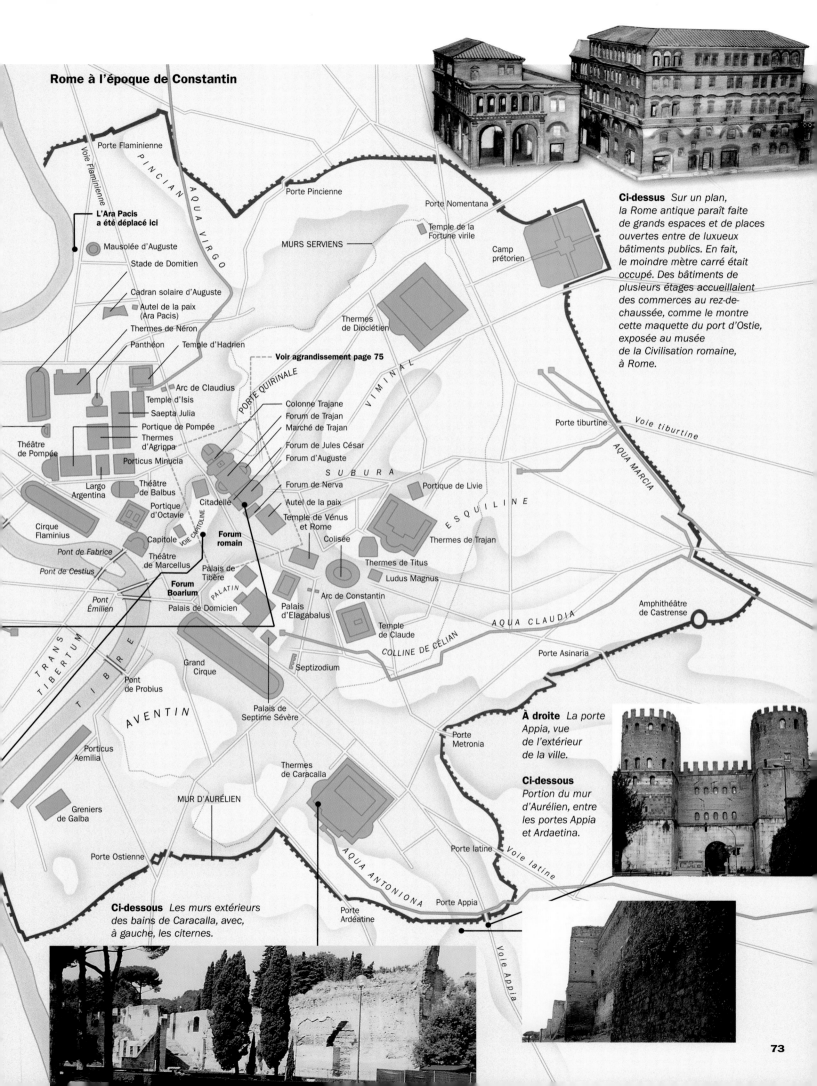

Rome à l'époque de Constantin

Porte Flaminienne
Voie Flaminienne
Porte Pincienne
Porte Nomentana
PINCIAN
AQUA VIRGO
MURS SERVIENS
Temple de la Fortune virile
Camp prétorien

L'Ara Pacis a été déplacé ici
Mausolée d'Auguste
Stade de Domitien
Cadran solaire d'Auguste
Autel de la paix (Ara Pacis)
Thermes de Néron
Panthéon
Temple d'Hadrien
Arc de Claudius
Temple d'Isis
Saepta Julia
Portique de Pompée
Thermes d'Agrippa
Porticus Minucia
Théâtre de Pompée
Largo Argentina
Théâtre de Balbus
Portique d'Octavie
Capitole
Théâtre de Marcellus
Cirque Flaminius
Pont de Fabrice
Pont de Cestius
Pont Émilien

Thermes de Dioclétien
VIMINAL
PORTE QUIRINALE
Voir agrandissement page 75
Colonne Trajane
Forum de Trajan
Marché de Trajan
Forum de Jules César
Forum d'Auguste
SUBURA
Forum de Nerva
Citadelle
Autel de la paix
Temple de Vénus et Rome
VOIE CAPITOLINE
Forum romain
Forum Boarium
Palais de Tibère
PALATIN
Palais de Domicien
Palais d'Elagabalus
Colisée
Arc de Constantin

Portique de Livie
ESQUILINE
Thermes de Trajan
Thermes de Titus
Ludus Magnus
Temple de Claude
COLLINE DE CÉLIAN
AQUA CLAUDIA
AQUA MARCIA
Porte tiburtine
Voie tiburtine
Amphithéâtre de Castrense
Porte Asinaria

Porte Metronia

TRANS TIBERTUM
TIBRE
Pont de Probius
AVENTIN
Porticus Aemilia
Greniers de Galba
MUR D'AURÉLIEN
Grand Cirque
Palais de Septime Sévère
Septizodium
Thermes de Caracalla
Porte Ostienne
AQUA ANTONIONA
Porte Ardéatine
Porte Appia
Porte latine
Voie latine
Voie Appia

Ci-dessus *Sur un plan, la Rome antique paraît faite de grands espaces et de places ouvertes entre de luxueux bâtiments publics. En fait, le moindre mètre carré était occupé. Des bâtiments de plusieurs étages accueillaient des commerces au rez-de-chaussée, comme le montre cette maquette du port d'Ostie, exposée au musée de la Civilisation romaine, à Rome.*

À droite *La porte Appia, vue de l'extérieur de la ville.*

Ci-dessous *Portion du mur d'Aurélien, entre les portes Appia et Ardaetina.*

Ci-dessous *Les murs extérieurs des bains de Caracalla, avec, à gauche, les citernes.*

Trajan avait utilisé le butin pour financer un nouveau forum et le Sénat décida que les citoyens devaient saluer sa générosité par l'édification d'un bâtiment en son honneur. La colonne, haute de 125 m, fut bâtie au nord du Forum ; elle comprend 29 colonnes de marbre de Carrare et était jadis couronnée d'une statue en bronze de 5 m de haut, à l'effigie de Trajan en uniforme militaire.

Une prodigieuse architecture

À l'intérieur de cette colonne s'élevait un escalier en spirale, taillé dans la masse et éclairé par quarante fenêtres. Les visiteurs pouvaient gravir la tour jusqu'à une terrasse perchée à 36 m. Comme si cela ne suffisait pas, l'ensemble était complété par une frise en spirale de 200 m de long et qui, en 155 scènes et avec quelque 2 600 personnages, retraçait l'histoire des conquêtes de Trajan en Dacie. Cette version illustrée du journal *Dacica* (jamais retrouvé) de Trajan entoure la façade extérieure ; elle a pu être ajoutée au monument pour commémorer la mort de Trajan, vers 117 apr. J.-C.

Le Colisée avait, lui, été élevé par l'empereur Vespasien trente ans avant la colonne Trajane. Sans être le premier amphithéâtre de la cité, il était de loin le

Ci-dessus *Le Colisée, scène d'innombrables combats de gladiateurs. Au centre, une structure complexe soutenait le plancher de l'amphithéâtre.*

Ci-dessous *Les buttes de terre et les palais impériaux du Palatin (au milieu à droite) sont tout ce qui reste du Grand Cirque (à gauche). Au fond, l'arc de Constantin.*

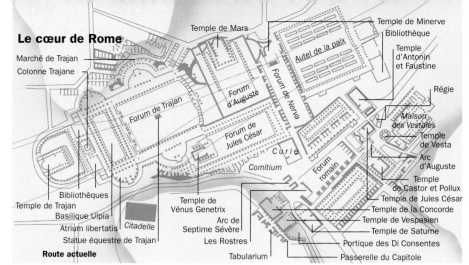

Temple de Mars
Temple de Minerve
Bibliothèque
Marché de Trajan
Colonne Trajane
Autel de la paix
Temple d'Antonin et Faustine
Forum d'Auguste
Forum de Nerva
Régie
Forum de Trajan
Maison des Vestales
Forum de Jules César
Temple de Vesta
Curie
Arc d'Auguste
Comitium
Forum romain
Temple de Castor et Pollux
Bibliothèques
Temple de Jules César
Temple de Trajan
Temple de Vénus Genetrix
Temple de la Concorde
Basilique Ulpia
Temple de Vespasien
Atrium libertatis
Citadelle
Arc de Septime Sévère
Temple de Saturne
Statue équestre de Trajan
Les Rostres
Portique des Di Consentes
Route actuelle
Tabularium
Passerelle du Capitole

Ci-dessus *Le dôme du Panthéon.*

À droite *La façade extérieure où l'on voit le bâtiment cylindrique couronné d'un dôme hémisphérique.*

Ci-dessous à droite *Buste de Constantin.*

plus important. Des combats de gladiateurs ou d'animaux, ainsi que des courses de chars, y étaient organisés. À en croire certains documents historiques, il pouvait accueillir près de 100 000 spectateurs – comme les plus grands stades modernes, mais des calculs récents réduisent ce nombre à 50 000. Quand Titus, fils et successeur de Vespasien, inaugura le Colisée en 80 apr. J.-C., la partie supérieure était encore en bois. Elle fut démontée et remplacée par des éléments en pierre vers 223.

De tous les bâtiments, le mieux préservé est le Panthéon, qui a été élevé entre 118 et 128 apr. J.-C. par l'empereur Hadrien. Dédié aux dieux romains dans leur ensemble – ce qui explique sa conception à la fois riche et innovante –, il figure parmi les monuments les plus importants de toute l'histoire de l'architecture. Il est posé sur un cylindre couronné d'un dôme semi-sphérique de 43 m. Une simple coupole au sommet suffit à l'éclairer.

Le rapport des Romains avec la religion n'a rien à voir avec ce que nous connaissons actuellement. Ils ne s'en servaient pas pour renforcer la morale sociale – il existait pour cela des lois et des contrôles en abondance. Leur religion n'était pas celle d'une foi mais plutôt celle d'un rite, et les dieux tels que Jupiter, Mars, Minerve, Janus et Cérès étaient adorés en fonction de besoins et de buts spécifiques – qu'il s'agisse d'une protection au combat ou d'une protection de son foyer.

LE VÉSUVE ET LA DESTRUCTION DE POMPÉI
À la recherche des proies du volcan

Aujourd'hui encore, l'éruption volcanique qui engloutit les cités romaines de Pompéi et Herculanum en 79 apr. J.-C. fascine et terrorise. La puissance du cataclysme fut si fulgurante que la plupart des habitants n'eurent pas le temps de prendre la fuite. À Pompéi, ils furent deux mille à périr figés en plein mouvement, intoxiqués par les fumées – les silhouettes de leurs corps ayant été préservées dans un moule de cendres noires. Ces images sont autant de témoignages de destins individuels : certains habitants tentèrent de se cacher dans d'inutiles refuges, d'autres étaient recroquevillés, la tête au ras du sol, dans l'espoir d'échapper aux vapeurs suffocantes. Plus atroce encore : les gladiateurs qu'on avait enchaînés pour les empêcher de s'enfuir ou de se suicider.

Pompéi était une colonie romaine depuis 80 av. J.-C. Au début de notre ère, la ville comptait quelque 20 000 habitants, dont un certain nombre de citoyens enrichis possédaient une villa de campagne. En 62 apr. J.-C. un tremblement de terre avait déjà causé des dégâts, mais la ville était redevenue un lieu de villégiature au moment de l'éruption. Les premières fouilles, qui ont débuté en

À droite *Une rue de Pompéi en bon état. Les chercheurs y ont même trouvé des panneaux annonçant les prochains combats de gladiateurs.*

1748 sous la direction de l'archéologue allemand Johann Winckelmann, ont livré un résumé incomparable de la vie quotidienne d'alors. En plus des bâtiments publics (théâtres, thermes, boutiques et temples), d'éclatantes peintures murales ont été retrouvées à Pompéi, comme celles de la villa des Mystères. Tout en rendant hommage au dieu grec Dionysos – dont l'adoration était surtout prétexte à participer à des orgies et à boire –, elles semblent retracer la cérémonie d'initiation d'une femme.

Parmi les autres découvertes fascinantes de Pompéi se trouve une rue voisine de la Strada dell'Abbondanza, où les maisons sont dotées d'un balcon de 6 x 1,5 m et sont ornées de superbes mosaïques et fresques, et même d'affiches annonçant les prochains combats de gladiateurs dans l'amphithéâtre local.

Pétrifiés dans la mort

Une technique a été développée pour couler dans le plâtre les corps des victimes de l'éruption. Les chercheurs se sont aperçus que la couche de cendres avait très vite été humidifiée par la pluie et qu'elle s'était alors durcie autour des corps. Alors que les cadavres s'étaient depuis longtemps décomposés, ces moulages étaient intacts, et il ne restait qu'à y couler du plâtre pour obtenir une statue des défunts.

Les chercheurs ont rencontré des problèmes différents à Herculanum, la ville ayant été recouverte d'une couche de 15 m de boue, et non de cendres. Ce

80 av. J.-C.	1 apr. J.-C.	62 apr. J.-C.	64 apr. J.-C.	79 apr. J.-C.	vers 80 apr. J.-C.	1706 apr. J.-C.	1738 apr. J.-C.
Fondation de la colonie romaine de Pompéi.	Pompéi compte 20 000 habitants.	La ville est endommagée par un tremblement de terre.	L'empereur Néron fait rénover Rome après un incendie catastrophique.	L'éruption du Vésuve engloutit Pompéi et Herculanum.	L'Empire romain s'étend jusqu'en Écosse.	Découverte des ruines d'Herculanum.	Début des fouilles à Herculanum.

Les gladiateurs enchaînés ont péri étouffés sous une pluie de cendres.

site a été découvert en 1706 par le prince d'Elbeuf, qui avait acheté le terrain pour vérifier si les vieux marbres qu'on y avait déterrés étaient l'indice d'un trésor plus conséquent. Il mit rapidement au jour le théâtre de la ville, mais il fallut attendre 1738 pour que des fouilles approfondies commencent, sous le contrôle du Royaume des Deux-Siciles.

La technique consistait cette fois à creuser des tunnels dans la boue, jusqu'à ce que l'on bute contre un mur. Il suffisait alors de le percer pour accéder aux pièces se trouvant derrière. Visiter Herculanum

Herculanum a été couverte de boue volcanique et Pompéi de cendres.

Rome

Herculanum

Pompéi

Zone touchée par les cendres du mont Vésuve après l'éruption qui a commencé le 24 août de l'an 79, tuant 2 000 personnes et déposant une couche de 15 m de cendres et de boue dans certaines rues.

1748 apr. J.-C.
Début des fouilles à Pompéi.

à partir de 1750 apr. J.-C.
Premiers touristes à Pompéi.

devint très vite une excursion à la mode pour les Européens de passage à Naples.

L'architecte écossais Robert Adam, qui s'y rendit en 1755, fait partie des naïfs qui crurent assister à une découverte majeure quand il ne s'agissait en vérité que d'une mise en scène. Il se souvint : « En nous éclairant avec des torches, nous avons traversé un amphithéâtre, emprunté des couloirs de palais, franchi des portiques et des portes, passé des murs, marché sur des mosaïques. Nous avons vu des vases de terre et, pendant notre visite, des sols en marbre ont été découverts sous nos yeux ; on nous a montré des pieds de table en marbre,

Ci-dessus *Le cimetière se trouve hors les murs, comme le voulait la loi romaine. En arrière-plan, on devine le mont Vésuve.*

déterrés la veille même de notre passage. Cette ville méditerranéenne, jadis rutilante de temples, colonnades, palais et autres ornements d'un goût exquis, ressemble aujourd'hui à une mine de charbon exploitée par des esclaves. »

Ci-dessous *Le hammam des hommes, aux thermes d'Herculanum. Il était enterré sous 15 m de boue.*

À gauche *Moulage d'une victime de l'éruption – un garçonnet mort couché.*

LES THERMES DE CARACALLA
Monument à l'hédonisme romain

Les thermes de Caracalla sont un extraordinaire monument tout à la gloire de l'hédonisme romain. Ils étaient conçus pour accueillir 1 600 personnes à la fois, ce qui en fait les plus grands thermes de tous les temps. Leurs frais de fonctionnement pesèrent lourdement sur le budget de la cité, alors même que l'Empire romain commençait à s'affaiblir.

Caracalla était un empereur guerrier sans scrupules. De son vrai nom Marcus Aurelius Antonius Bassianus (le « caracalla » était un manteau gaulois qu'il mit à la mode), il partagea d'abord le pouvoir avec son frère Geta, à partir de 211 apr. J.-C. L'année suivante, il le fit assassiner ainsi que plusieurs milliers d'adversaires, puis débuta son règne par une réforme importante qui accordait la citoyenneté romaine à tous les sujets libres de l'Empire. Mais, après une volonté affichée de renforcer l'unité des provinces, il ne manifesta plus guère de tolérance. Son règne reste marqué par ses extravagances, ses mensonges, et ses persécutions envers ceux qu'il croyait être ses ennemis. Réalisant peut-être soudain la rapidité du temps, il a pu espérer que des thermes l'aideraient à restaurer son prestige et son autorité. Si tel est le cas, son plan échoua : en 217, il fut assassiné en Mésopotamie par le préfet Macrin, qui lui succéda. Il aura surtout marqué son règne par des réformes, outre ses victoires sur les Germains et les Parthes.

Les tout premiers thermes romains ont probablement été édifiés à Pompéi, au IIe siècle av. J.-C. Au temps de Caracalla, ils avaient le statut d'institution publique et représentaient un lieu de vie sociale, de relaxation et de jeux, ainsi que d'exercice physique. Ils étaient entourés de commerces, salles publiques, gymnases, jardins ombragés et bibliothèques – l'essentiel pour passer quelques heures agréables en famille ou entre amis.

L'équipement et les services

En général, les thermes entouraient une cour centrale et comportaient un *apodyterium* (vestiaire), un *caldarium* (bain chaud), un *laconicum* (jets d'eau sous pression), un *tepidarium* (bain chaud) et un *frigidarium* (bain froid). Le sol et les murs étaient couverts de mosaïques délicates et chauffés par un système de ventilation relié à des foyers. L'eau venait parfois de fort loin grâce à un système d'aqueducs très sophistiqué. En plus du gigantesque ensemble de Caracalla, il y avait au moins quatre autres thermes à Rome, dont deux sont encore visibles, mais en ruine : les thermes de Titus et de Dioclétien.

Se rendre aux thermes – qu'ils soient privés (*balnea*) ou publics (*thermae*) – n'allait pas sans un certain rite. Les riches, en particulier, étaient accompagnés de plusieurs esclaves qui veillaient sur leurs vêtements, leur faisaient des massages

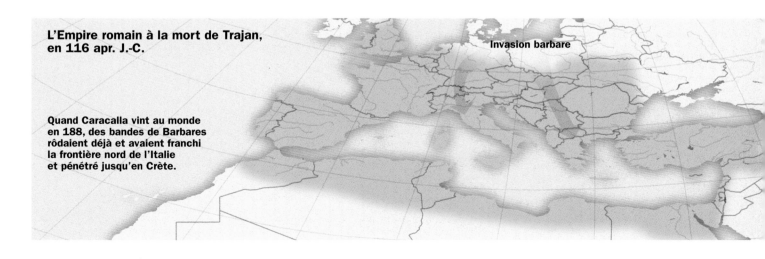

L'Empire romain à la mort de Trajan, en 116 apr. J.-C.

Invasion barbare

Quand Caracalla vint au monde en 188, des bandes de Barbares rôdaient déjà et avaient franchi la frontière nord de l'Italie et pénétré jusqu'en Crète.

vers 80 apr. J.-C.	117 apr. J.-C.	vers 120 apr. J.-C.	vers 200 apr. J.-C.	211 apr. J.-C.	212 apr. J.-C.	vers 215 apr. J.-C.	217 apr. J.-C.
Construction du Colisée, pouvant accueillir 55 000 spectateurs.	Apogée de l'Empire romain.	L'empereur Trajan fait rénover le réseau routier de toute l'Italie.	La richesse de l'empire permet à de nombreux Romains de vivre dans le luxe.	Marcus Aurelius Antonius (Caracalla) et son frère Geta partagent le titre d'empereur.	Caracalla fait assassiner son frère.	Début de la construction des thermes de Caracalla.	Assassinat de Caracalla.

Les esclaves essuyaient
l'huile et la sueur
sur le corps de leur maître.

et autres soins, et plus généralement exécutaient leur moindre désir. Leur rôle allait parfois jusqu'à passer de l'huile sur le corps de leur maître à l'aide d'un *strigil* (sorte de râpe métallique), à les laver avec des barres de sel, ou à les frictionner après le sport avec des huiles aromatiques. Si les femmes disposaient de locaux particuliers – ou au moins d'heures réservées –, la tendance évolua à la fin de l'empire vers la mixité

Ci-dessus *Les aqueducs alimentaient le centre de Rome en eau (reconstitution).*

des bains. Cela aboutit à une promiscuité sexuelle ouverte. Espace de vie intense, les thermes étaient le lieu de prédilection des Romains.

Les aqueducs romains

Les aqueducs, dont certains sont encore en service, témoignent du génie technique des Romains. À la fin du Ier siècle apr. J.-C., Rome était alimentée en eau par dix aqueducs différents qui lui fournissaient 145 000 m³ d'eau par an. Les sénateurs avaient compris que, en l'absence d'un tel système, la santé publique serait touchée – sans même parler de la menace qui pèserait alors sur les thermes, qu'ils appréciaient tant. Le premier aqueduc, Aqua Appia, fut édifié vers 310 av. J.-C., sous l'administration d'Appius Claudius Caecus. Il parcourait environ 16 km sous terre. L'Aqua Marcia, de 90 km de long et comprenant une section surélevée de plus de 16 km, fut le premier à amener l'eau au-dessus du sol. Certains des plus beaux exemples ont été bâtis dans les provinces. Ainsi, l'impressionnant Pont du Gard livrait quelque 400 litres d'eau à chaque citoyen de Nîmes. Long de 273 m et haut de 49 m, il est accolé depuis le XVIIIe siècle à un pont routier.

À gauche et ci-dessus *Les murs et les sols en mosaïque mettaient en valeur la grandeur des thermes, dont on voit, en cartouche, un bâtiment reconstitué.*

410 apr. J.-C.	vers 500 apr. J.-C.	vers 1400 apr. J.-C.
Envahi, l'Empire romain s'effondre. Début d'une période sombre.	Teotihuacán, au Mexique, est la plus grande ville du monde.	L'Europe reprend sa place de région du monde la plus développée.

LES AVANT-POSTES STRATÉGIQUES
Alexandrie et Aphrodisias

La ville d'Aphrodisias, érigée au bord d'un bras secondaire du Méandre, dans le sud de l'actuelle Turquie, était une cité classique de l'Empire byzantin. Elle faisait partie des provinces d'Asie, rattachées à l'Empire romain lors de l'irrésistible période d'expansion des IIIe et IIe siècles av. J.-C. C'est aussi à cette époque que la Macédoine, divisée en plusieurs royaumes instables après la mort d'Alexandre le Grand, fut conquise.

Les fouilles menées sur les 500 ha que couvre cette ville ont permis de beaucoup apprendre sur la vie des citoyens de l'est de l'empire – en particulier grâce aux recueils gravés de correspondance avec

Ci-dessous *La construction du théâtre romain d'Aphrodisias fut financée en partie par un esclave affranchi.*

divers souverains. Les familiers de l'empereur romain jouissaient d'un statut particulier parmi les Aphrodisiens, qui les nommaient les « dieux augustes ». Dans un temple élevé en leur honneur, des pierres gravées vantant leurs exploits ont été retrouvées. Elles datent principalement de la période séparant le premier empereur, Auguste (qui régna de 27 av. J.-C. à 4 apr. J.-C.), du cinquième, Néron (de 54 à 68 apr. J.-C.). L'une d'elles représente Auguste auprès d'un trophée de la déesse grecque de la victoire ; Claudius quant à lui, triomphe devant une carte de l'actuelle Grande-Bretagne, en hommage au succès de son invasion de 43 apr. J.-C.

Comme dans d'autres cités romaines, l'édification des bâtiments les plus prestigieux d'Aphrodisias est due à la générosité de quelques riches citoyens. Il semble qu'un esclave affranchi, Caïus Julius Zoilos, ait financé au moins en partie la construction du théâtre et du temple d'Aphrodite. Des bustes brisés trouvés dans son mausolée le montrent vêtu d'un costume à la fois grec et romain, et il est fait mention de la « dignité » et de l'« énergie » qui marquèrent sa vie.

Les bienfaiteurs faisaient parfois des donations pour financer des jeux ou des rencontres musicales. Les compétitions sportives avaient lieu au stade et certains sièges, situés sous un abri ombragé, étaient apparemment réservés à des corporations de jardiniers ou d'orfèvres pour les remercier d'avoir pris à leur charge une partie des frais de construction.

Antoine et Cléopâtre

La ville d'Alexandrie, sur la côte nord de l'Égypte, fut fondée par Alexandre le Grand en 331 av. J.-C. Les Romains en prirent le contrôle en 47 av. J.-C., après que Jules César eut apporté son soutien à Cléopâtre, en conflit avec son frère. Cléopâtre, dernière des Ptolémée – dynastie macédonienne qui succéda aux pharaons – fut proclamée reine par César, de qui elle devint la maîtresse et qu'elle suivit à Rome après la mise en place du gouvernement.

Après l'assassinat de César en 44 av. J.-C., Cléopâtre rentra en Égypte.

331 av. J.-C.	47 av. J.-C.	44 av. J.-C.	40 av. J.-C.	36 av. J.-C.	32 av. J.-C.	31 av. J.-C.	30 av. J.-C.
Fondation d'Alexandrie, en Égypte, par Alexandre le Grand de Macédoine.	Les Romains s'emparent d'Alexandrie ; Cléopâtre devient la maîtresse de César.	Assassinat de Jules César. Cléopâtre retourne en Égypte, où elle séduit le général Marc Antoine.	Antoine retourne à Rome pour épouser Octavie.	Antoine et Cléopâtre renouent leurs liens.	Début de leur combat commun contre Rome.	Les forces armées d'Antoine et Cléopâtre sont vaincues à Actium.	Suicide d'Antoine, puis de Cléopâtre. Rome reprend possession d'Alexandrie.

Quand on lui annonça – à tort – que Cléopâtre s'était suicidée, Antoine se donna la mort d'un coup d'épée.

À Tarsus, en Cicilie (aujourd'hui en Turquie), elle séduisit le général romain Antoine (ou Marc Antoine), qui lui reprochait pourtant de ne pas avoir rejoint le parti des insurgés dressés contre les assassins de César. Il s'installa avec elle en Égypte, mais dut retourner à Rome en 40 av. J.-C. pour y épouser Octavie, sœur du futur empereur romain Auguste.

Antoine rejoignit Cléopâtre en 36 av. J.-C. et, en 32 av. J.-C., le couple entraîna l'Égypte dans une guerre contre Rome, revendiquant les pleins pouvoirs sur les territoires orientaux de l'Empire. Leurs troupes échouèrent à la bataille d'Actium en 31 av. J.-C., et Antoine fut pris dans le siège d'Alexandrie. L'année suivante, lorsqu'on lui annonça – à tort – que Cléopâtre s'était suicidée, il se donna la mort d'un coup d'épée. Peu après, Cléopâtre se tua elle aussi – d'une morsure de serpent, d'après la légende, mais plus vraisemblablement par empoisonnement. L'une des plus grandes histoires d'amour prit ainsi fin avec l'annexion d'Alexandrie par les Romains.

La vieille ville d'Alexandrie fut détruite par une tempête en 335 apr. J.-C., mais une grande partie de ses richesses archéologiques – dont tout le quartier royal – sont restées intactes, immergées non loin de la côte. En octobre 1998, une équipe de plongeurs menée par Franck Goddio a remonté une série d'objets fascinants, parmi lesquels une statue du grand prêtre d'Isis et un sphinx, probablement à l'effigie du père de Cléopâtre, Ptolémée XII. Un navire englouti datant du 1er siècle av. J.-C. a également été retrouvé. Pour certains historiens, il pourrait s'agir du vaisseau à bord duquel Cléopâtre avait séduit Antoine et qui fut ensuite mentionné par l'historien grec Plutarque et par Shakespeare.

Ci-dessus à gauche *Les ruines d'Aphrodisias, où la famille de l'empereur romain était adulée.*
Ci-dessous *Le stade d'Aphrodisias. Certains sièges étaient réservés aux jardiniers et aux orfèvres.*

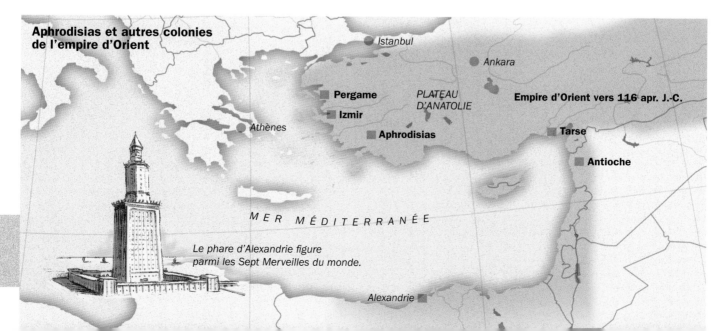

Aphrodisias et autres colonies de l'empire d'Orient

Istanbul

Ankara

Pergame

Izmir

PLATEAU D'ANATOLIE

Empire d'Orient vers 116 apr. J.-C.

Athènes

Aphrodisias

Tarse

Antioche

MER MÉDITERRANÉE

Le phare d'Alexandrie figure parmi les Sept Merveilles du monde.

Alexandrie

CE QUE L'ON SAIT DES ÉTRUSQUES
Seuls les morts ont survécu à leurs fragiles cités

Les Étrusques ont toujours déconcerté les historiens. Leur influence politique, leur culture, la puissance de leurs forces navales ont été étudiées en profondeur par des écrivains grecs et romains, et le raffinement de leurs créations artistiques et artisanales n'est plus à démontrer. Hélas ! il ne reste rien des temples et des palais qu'ils édifiaient en briques et en bois. Leur langue même, proche du grec, résiste obstinément aux tentatives de traduction, malgré quelques progrès récents.

Les chercheurs d'autrefois ont beaucoup débattu des circonstances de l'arrivée des Étrusques dans les belles et fertiles vallées de Toscane. D'après l'historien grec Hérodote, ils venaient de Lydie, un pays d'Asie occidentale. Toutefois, son compatriote Denys d'Halicarnasse soutenait que les Étrusques étaient des autochtones – point de vue aujourd'hui partagé par une majorité d'historiens. La seule affirmation possible est qu'ils vivaient dans la région marécageuse des côtes de Toscane et qu'ils édifièrent leurs premières villes autour de Tarquinia, à la fin du IXe siècle av. J.-C.

La connaissance des Étrusques doit beaucoup à l'étude de leurs cimetières et chambres funéraires, et surtout de leurs superbes peintures murales (sur pierre) et fresques (sur plâtre). Certaines des plus belles ont été découvertes à Tarquinia : la tombe des Léopards

(Ve siècle av. J.-C. env.) affiche sur ses murs un banquet sur fond de danse, tandis que la tombe des Augures montre deux hommes au combat. Cette dernière œuvre exprime peut-être l'idée que les hommes, dans l'au-delà, se livrent à des jeux athlétiques. Les personnages s'affrontent devant un arbitre, non loin d'une pile d'assiettes métalliques – probablement le prix destiné au vainqueur.

Le repos des morts

Certains tombeaux expriment le goût de la belle vie des Étrusques, qui s'efforçaient de fournir à leurs morts des « meubles » en pierre. Dans la tombe des Reliefs de la nécropole de Cerveteri (IIIe siècle av. J.-C. env.), en guise de chambre, la pierre massive a ainsi été taillée directement autour des défunts allongés. À Caere, le tombeau de l'alcôve

Ci-dessus *Bel exemple de sculpture étrusque du Ve siècle av. J.-C. Cette chimère, créature de la mythologie grecque, a une tête de lion, un corps de chèvre et une queue de dragon.*

vers 900 av. J.-C.	814 av. J.-C.	753 av. J.-C.	609 av. J.-C.	581 av. J.-C.	539 av. J.-C.	517 av. J.-C.	509 av. J.-C.
Les hommes s'installent à Tarquinia ; début de la civilisation étrusque.	Fondation de la ville de Carthage.	Fondation de Rome.	Fin de l'Empire assyrien.	Jérusalem est rasée par Nabuchodonosor II.	Victoire des Grecs sur Carthage.	Réalisation du canal entre le Nil et la mer Rouge.	Fondation de la République romaine.

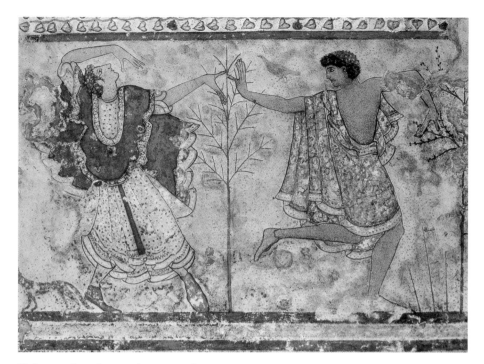

Ci-dessus *Cette fresque étrusque typique conjugue les détails et le mouvement.*

À droite *Ce cheval ailé du IVe siècle av. J.-C. offre un exemple de la maîtrise des techniques artistiques.*

rassemble plusieurs éléments de l'architecture domestique des Étrusques : plafond à chevrons, piliers cannelés et lit en alcôve, garni d'un « oreiller » de pierre. En revanche, le tombeau d'Inghirami, aménagé beaucoup plus tard à Volterra, n'est ni peint ni sculpté : c'est une simple pièce circulaire, où les tombes sont disposées sur une série d'étagères.

Les cimetières étrusques sont riches en poteries et en sculptures, qui étaient destinées à accompagner le mort dans l'au-delà. Aux XVIIIe et XIXe siècles, ces objets furent soudain très prisés des

collectionneurs. Des chasseurs de trésors s'empressèrent d'aller fouiller la région pour en rapporter des centaines d'artefacts, qui enrichirent ensuite des collections publiques ou privées. Cette mode fut avivée par certains écrivains voyageurs, tels que l'Anglais George Dennis, qui décrit ainsi sa première visite à la nécropole de Norchia dans son

ouvrage *The Cities and Cemeteries of Etruria* : « Nous avons fait un virage dans la vallée et soudain, ô merveille ! toute une série de monuments a paru devant nous. Il y avait là une rangée de tombeaux – adossés contre la falaise marquant la frontière nord de la vallée, environ deux cents pieds au-dessus du ruisseau – un amphithéâtre de tombeaux. »

Les messages des dieux

Les croyances religieuses des Étrusques restent difficiles à établir car fort peu de documents ont survécu. Il semble toutefois que leur code moral, l'*Etrusca disciplina*, reposait sur une série de livres, et qu'ils employaient des méthodes de prédiction assez sophistiquées. Outre les viscères d'animaux sacrifiés, ils interprétaient le vol des oiseaux et les éclairs du ciel. Le nom de leurs dieux sont inconnus, mais les historiens romains ont avancé l'hypothèse de trois principales divinités : Tinis, Uni et Menrva, proches des Jupiter, Junon et Minerve des Romains. Peu à peu absorbée par l'Empire romain, l'Étrurie perdit son indépendance en 283 av. J.-C. Les États-cités étrusques s'allièrent à Rome, dont elles adoptèrent les lois et les structures sociales, avant d'accepter enfin la pleine citoyenneté de l'Empire romain au Ier siècle apr. J.-C.

Les Étrusques lisaient l'avenir dans les viscères d'animaux sacrifiés.

509 av. J.-C.	vers 500 av. J.-C.	490 av. J.-C.	vers 400 av. J.-C.	vers 300 av. J.-C.	283 av. J.-C.	Ier siècle apr. J.-C.	117 apr. J.-C.
Chute de l'étrusque Tarquin le Superbe, dernier roi de Rome.	Construction de la tombe des Augures à Tarquinia.	Premier bâtiment en marbre chez les Grecs : le temple d'Athéna.	Construction de la tombe des Léopards à Cerveteri.	Construction de la tombe des Reliefs à Cerveteri.	Les étrusques perdent leur indépendance et sont rattachés à Rome.	Les Étrusques deviennent citoyens romains.	Apogée de l'Empire romain.

LES CITÉS ÉTRUSQUES
La sobriété de Pérouse et de Marzabotto

Bien que les cités étrusques ne soient pas en mesure de rivaliser avec la richesse des tombeaux et des cimetières romains, elles ont livré de fascinantes informations sur la vie et les rites de leurs occupants. Deux des sites les plus importants sont ceux de Pérouse, près de Cerveteri, au nord de Rome, et de Marzabotto, au sud de Bologne. Ce dernier est particulièrement fascinant : il semble qu'il ait été conçu en se basant à la fois sur une interprétation des interventions divines et sur des calculs mathématiques rigoureux.

À en croire certains écrivains romains, les grands sites étrusques étaient fondés à partir d'une cérémonie au cours de laquelle un *augur* (sorte de devin) appliquait sa méthode de prédiction préférée pour s'assurer que le lieu et l'endroit convenaient bien. Il traçait ensuite, en angle droit, les grands axes de la cité, nommés *cardo* et *decumanus*, puis définissait un réseau de rues entrecroisées. À chaque coin devait se trouver un *insula*, ensemble de logements comparable aux immeubles d'aujourd'hui.

Le problème de cette théorie est qu'elle n'est guère applicable dans la pratique. Les urbanistes étrusques choisissaient en effet toujours des sites bien abrités, en altitude ou au bord d'un cours d'eau, et qui, de fait, se prêtaient mal au respect de tels principes géométriques.

Les fouilles menées à Marzabotto ont permis de résoudre cette contradiction. Les archéologues y ont trouvé une cité dont les rues, les logements et les caniveaux étaient disposés suivant un schéma géométrique bien défini, ainsi qu'une acropole dont les cinq temples respectaient eux aussi cet alignement. L'axe principal nord-sud (*cardo*) y croise trois voies principales est-ouest (*decumani*). Et Marzabotto n'est pas un exemple isolé. La cité de Pian di Misano, sur le plateau dominant la vallée du Pô, a été édifiée selon le même schéma d'urbanisation à la fin du VIe siècle, quand les Étrusques gagnaient les basses terres.

On peut en conclure que les Étrusques responsables de ces projets étaient avant tout pragmatiques. Le relief de leur terre d'origine, la Toscane, était trop accidenté

Ci-dessus *L'entrée d'une nécropole étrusque.*
Ci-contre à droite *Uni jusque dans la mort, ce couple sculpté orne un sarcophage.*

Cités étrusques datant du Ier millénaire av. J.-C.

● **Centre de l'Étrurie**

Les bronzes, les bijoux et les œuvres d'art étrusques étaient réputés pour leur qualité dans tout le monde antique. Néanmoins, les Étrusques les plus riches se plaisaient à importer des trésors, qu'ils emportaient dans leurs tombeaux.

vers 1300 av. J.-C.	vers 1140 av. J.-C.	vers 1000 av. J.-C.	vers 612 av. J.-C.	vers 539 av. J.-C.
Les Égyptiens perfectionnent la technique du char à roues.	Fondation d'Utique, premier village phénicien en Afrique.	La cité phénicienne de Tyr devient un centre important.	Une coalition envahit Ninive, capitale des Assyriens.	Victoire des Grecs sur Carthage.

Au bon moment et au bon endroit, tel était le crédo des urbanistes étrusques.

pour permettre de respecter au pied de la lettre leurs principes d'aménagement. En revanche, les zones plus plates s'y prêtaient bien. Cette tendance a également été constatée chez les Romains, qui appliquaient chaque fois que possible des principes de symétrie à leurs villes nouvelles. Et pourtant, au bord du Tibre, leur capitale adorée a grandi en tous sens, au point de devenir un dédale de ruelles et d'allées, qui a mécontenté plusieurs générations de citoyens !

Les découvertes faites en 1964 à Pyrgi, l'un des deux ports qui desservaient la

cité étrusque de Cerveteri, sont importantes pour différentes raisons. Une équipe de l'université de Rome y a trouvé, dans les ruines de deux temples datant du IVe siècle av. J.-C., des sculptures et des inscriptions hors du commun, dont un mur en terre cuite peinte qui montre la déesse Athéna livrant combat aux géants – preuve de l'influence du monde grec sur la culture étrusque.

Entre ces deux temples, les archéologues ont également exhumé trois assiettes en or gravées, dédiées à la déesse Uni et signées d'un certain Thefarie Valianas. Ces louanges étaient rédigées en étrusque et en phénicien, ce qui a permis cette fois de comprendre la langue de ce peuple si difficile à cerner.

Ci-dessous à droite *Cette fresque bien conservée montre des chasseurs et des guerriers. Flèches et javelots ont été trouvés en nombre dans les tombeaux étrusques.*

Le commerce méditerranéen

Par leur maîtrise de la navigation, les Étrusques ont pu tisser un réseau commercial à l'échelle européenne. Leurs premiers clients étaient les Phéniciens (arrivés au VIIIe siècle av. J.-C.), qui troquaient des bijoux de grande finesse et des objets en métal contre des matériaux bruts : métaux, cuir et bois. Les Syriens et les Égyptiens apportaient eux aussi leurs œuvres artisanales, qu'ils ont pu échanger contre des gravures sur pierre et des bronzes. Les Étrusques aimaient beaucoup le bronze, qu'ils importaient et exportaient à la fois. Leurs outils en bronze étaient très appréciés des Grecs, alors que les vases corinthiens se vendaient au prix fort sur les marchés étrusques du VIIe siècle av. J.-C.

Pise

Cimetière étrusque
Clusium (Chiusi)

Tarquinia

Cerveteri
ou Caere

Véies

Rome

Cité et nécropole d'Orvieto

Bronzes
d'Asie mineure

Faïence
d'Égypte

Ivoire de Syrie

Or et argent
de Phénicie

vers 408 av. J.-C.	vers 400 av. J.-C.	vers 390 av. J.-C.
Fin des travaux de l'acropole d'Athènes.	Déclin des Étrusques sous l'expansion de l'Empire romain.	Les Étrusques résistent aux Gaulois. Victoire des Grecs sur Carthage.

CHAPITRE 6

L'EUROPE OCCIDENTALE

Il y a quelque chose de très déconcertant dans la partie celte de l'Europe occidentale : l'impression d'une fusion entre le folklore et la réalité des faits. Les légendes de Merlin l'Enchanteur (édifiant le site de Stonehenge) et du saint patron de Carnac (transformant les soldats romains en pierres) sont évidemment absurdes. De même, les contes évoquant des êtres venus d'ailleurs cachés dans des tumulus, comme ceux de Newgrange, de Maes Howe ou de Sutton Hoo, relèvent des histoires fantastiques racontées lors des veillées.

Pourtant, quelques bribes d'une ancienne connaissance orale ont réussi à traverser les siècles par la parole. Les Vikings avaient un faible pour elle, et ils préféraient graver leurs lois et leurs sagas dans la mémoire plutôt que de les écrire. Balayer d'un coup les légendes d'autrefois risque d'éliminer aussi une bonne partie du savoir. Les Celtes n'aimaient guère les documents matériels – toute leur culture était fondée sur le chant et les contes – et il serait présomptueux de croire qu'un héritage oral a moins de valeur que des écrits. L'un et l'autre peuvent contribuer au progrès de l'archéologie.

Les dernières pages de ce chapitre illustrent bien cette notion, avec l'exemple de la « pierre d'Arthur », découverte en 1998 au château de Tintagel, en Cornouailles. Depuis longtemps, les historiens refusaient de prendre au sérieux la rumeur locale selon laquelle une statue du roi Arthur y avait été édifiée au VIe siècle. La découverte de cette pierre a pourtant démontré qu'un noble haut placé, dénommé Arthnou, avait édifié un grand bâtiment à Tintagel. Certes, les mots n'ont pas valeur de preuve, mais peut-être les vieilles légendes n'étaient-elles pas si loin de la vérité !

Les alignements de menhirs de Carnac.

PORTUGAL

Skara Brae

*Pendentifs néolithiques
de Skara Brae*

OCÉAN ATLANTIQUE

ÉCOSSE

IRLANDE DU NORD

Vindolanda

*L'empereur Hadrien fit édifier
le mur qui traverse de part
et d'autre le nord de l'Angleterre.*

Newgrange

IRLANDE

MER DU NORD

PAYS DE
GALLES

ANGLETERRE

Avebury et Silbury Hill

Stonehenge

Sutton Hoo

Château de Tintagel

Bush Marrow

PAYS-BAS

MANCHE

BELGIQUE

*Monument rituel de l'âge
de pierre, à Stonehenge*

Carnac

ALLEMAGNE

*Sculpture de bison
datant de la période glaciaire*

GOLFE DE GASCOGNE

Lascaux

SUISSE

FRANCE

ITALIE

Altamira **Castille**

ESPAGNE

Grotte Chauvet

STONEHENGE
Le mégalithe sous toutes ses formes

Ce mémorial construit par Merlin est un site de cérémonies druidiques, un lieu de rassemblement des résistants aux Romains, un appareil d'astronomie, un temple romain, danois, égyptien, phénicien ou grec, un point de concentration de l'énergie terrestre ou, encore, l'un des premiers édifices laissés par les Martiens… À vous de choisir. Quand on se penche sur Stonehenge, les faits empruntent la route des belles histoires. À dire vrai, tout n'est pas faux dans ces mythes : le site a bel et bien exercé une fonction d'observatoire astronomique et, quoi qu'en disent certains universitaires, il est presque certain qu'une religion ancêtre du druidisme y a été pratiquée.

Ci-dessous *Après plus de 5 000 ans, le sanctuaire de Stonehenge est toujours aussi impressionnant.*

La difficulté à démontrer ou réfuter la myriade de théories prétendant expliquer Stonehenge tient à ce que le site est unique, et donc incomparable. Aujourd'hui encore, quelque 5 000 ans après le début des travaux, les pierres se dressent au-dessus de l'autoroute de Wiltshire, majestueuses et sereines, insensibles aux outrages du temps. Peut-être les théoriciens les plus fous devraient-ils être pardonnés !

Mais que sait-on vraiment ? Tout d'abord, Stonehenge appartient à une riche et complexe collection de monuments rituels, édifiés dans toute la Grande-Bretagne au néolithique et à l'âge du bronze. Au moins 900 cercles de ce type ont existé, dont le plus ancien remonte à environ 3300 av. J.-C. et le plus récent à 1500 av. J.-C. La plupart ont été aménagés après 2500 av. J.-C., et la première phase des travaux de

Stonehenge aurait commencé vers 2800 av. J.-C. Après avoir monté un remblai circulaire entouré d'un fossé, les hommes ont mis en place les premières pierres (probablement pour observer le lever du soleil le jour du solstice d'été), puis creusé une série de trous d'un mètre carré qui furent immédiatement comblés – apparemment au cours d'un rite religieux.

L'assemblage du cercle de pierre

Les travaux reprirent vers 2100 av. J.-C. et 82 pierres bleues – des dolérites – furent importées des collines de Prescelly, au pays de Galles. La façon dont cette opération a été menée reste incertaine, mais il semble que les pierres aient été transportées sur des embarcations, d'abord en mer, puis sur l'Avon, et enfin tirées à la main jusqu'à Stonehenge. La roue, tout

vers 3300 av. J.-C.	vers 3000 av. J.-C.	vers 3000 av. J.-C.	vers 2800 av. J.-C.	vers 2700 av. J.-C.	vers 2650 av. J.-C.	vers 2500 av. J.-C.	vers 2100 av. J.-C.
Érection des premiers cercles de pierre.	Édification du site de Carnac.	Les Égyptiens savent dresser un relevé aérien.	Début de la première phase de travaux à Stonehenge.	Construction du cercle de pierres d'Avebury.	Début de l'âge des pyramides en Égypte.	Grande période de construction de sites en pierre en Europe.	Transport de pierres venues du pays de Galles vers Stonehenge.

Les pierres ont inspiré bien des spéculations sur certaines forces de résistance et des sacrifices humains.

comme la poulie, on pu être inventées à cette occasion, mais la tâche a certainement occupé des centaines d'hommes pendant des années.

Le site aurait donc été ainsi garni, peu à peu, de quatre rangées concentriques de pierres. Le cercle extérieur, d'un diamètre de 33 m, est en mégalithes de granite de 4 m de haut, couronnés de linteaux. Un cercle plus petit fut ensuite monté, à son tour garni de pierres bleues de 6,50 m de haut, disposées en fer à cheval. Au centre, enfin, se trouve un mégalithe de granite surnommé « la pierre d'autel ». Un chemin de procession – « l'avenue » – parcourt quelque 3 km en partant du cercle extérieur.

L'allure générale du site a évolué plusieurs fois. À l'origine, il a pu accueillir un édifice en bois, comme le suggère le mode d'assemblage sophistiqué des

pierres, avec rainure et languette, d'une part, tenon et mortaise, d'autre part. Les générations qui ont succédé ont combiné les aménagements, car certaines pierres bleues ont été démontées et déplacées. Pour une raison mal expliquée, les Romains ont profané le site entre 55 av. J.-C. et 410 apr. J.-C., chose étonnante compte tenu de leur tolérance habituelle envers les rites des peuples natifs de leurs colonies. Cela a engendré bien des spéculations à propos de forces de résistance à l'envahisseur et de sacrifices humains – acte religieux combattu par les Romains. Quoi qu'il en soit, à la fin de l'âge du bronze, Stonehenge avait perdu son statut de lieu de culte tribal.

Avebury et Silbury Hill

Les deux autres grands sites païens du sud de l'Angleterre sont le cercle d'Avebury et la butte de Silbury, à une trentaine de kilomètres au nord de Stonehenge. Avebury est une sorte de cromlech d'une grande complexité, édifié vers 2700 av. J.-C. Au XVIIe siècle encore, une rumeur voulait que des cérémonies païennes y soient pratiquées, bien qu'il se soit probablement agi de « rites » d'une autre nature consistant à déflorer des jeunes filles plutôt qu'à aduler d'anciennes divinités. Le tertre de Silbury Hill, le plus haut d'Europe avec ses 40 m d'altitude, reste un mystère pour les chercheurs. Il servait peut-être de lieu de sépulture, mais cela n'est pas prouvé.

Principaux sites mégalithiques du Royaume-Uni

Stenhenge, Avebury, Silbury Hill

vers 2000 av. J.-C.	vers 1900 av. J.-C.	vers 1500 av. J.-C.	vers 1500 av. J.-C.	vers 900 av. J.-C.	43 apr. J.-C.	Ier siècle apr. J.-C.	vers l'an 1000
Construction de villages au bord des lacs des Alpes.	En Égypte, début de la construction des temples de Karnak.	Au Mexique, les Olmèques construisent des villes complexes.	Construction des derniers monuments en pierre d'Europe.	Construction des édifices de Chavin, au Pérou.	Les Romains envahissent l'actuelle Grande-Bretagne.	Les Romains profanent Stonehenge, pour des raisons inconnues.	Les Amérindiens de la culture d'Adéna élèvent des tumulus.

LE MYSTÈRE DE CARNAC
Les pierres alignées de l'Europe préhistorique

Les sites rituels les plus rares et les plus étranges de l'Europe préhistorique sont les alignements de pierre. Il n'en existe que quatre exemples, sous des formes et des tailles différentes : dans le nord de l'Écosse, à Exmoor et Dartmoor dans le sud-ouest de l'Angleterre, et en Bretagne. Aucun n'a été trouvé en Cornouailles, au pays de Galles ou dans le nord de l'Angleterre, alors même que ces régions offrent quantité de monuments de l'ère néolithique et de l'âge du bronze.

De tous les alignements identifiés, le complexe de Carnac est de loin le plus grand et le plus impressionnant, avec plus de 3 000 mégalithes et des dizaines de dolmens – pierres dressées, couronnées d'une pierre transversale en guise de toit. L'écrivain écossais James Miln fait partie des visiteurs qui ont été subjugués par les alignements de Carnac et leur survie à l'occupation romaine : « Au-delà de l'émotion que suscite la vue de tels bataillons de pierres grises dispersés sur toute une plaine, leur présence éveille l'imagination et force à réfléchir aux événements qui ont eu lieu depuis leur érection. On est tenté de se demander comment les Romains, alors maîtres du monde, ont pu venir et disparaître, alors que des édifices laissés par quelques bâtisseurs rudimentaires sont toujours en place. »

Comme Stonehenge, Carnac baigne dans une aura de mystère. Pour certains, ces mégalithes sont des légionnaires romains transformés en pierres par le saint patron local, saint Cornély. D'autres légendes les associent à des rites d'adoration du feu ou du soleil, hypothèse soutenue par la présence de restes carbonisés au pied de nombreux alignements.

Souvent, les rangées de pierres sont alignées en parallèle avec le sommet des collines lointaines, comme s'il s'agissait de repères d'observation astronomique.

Toutefois, les études rigoureuses menées en 1970 et 1974 par l'archéologue écossais Alexander Thom et de son fils Archie ont démontré qu'une telle explication ne saurait s'appliquer à tout le site. Les découvertes des Thom ont mis à mal l'idée selon laquelle Carnac était un lieu d'ingénierie civile, dressé d'après des calculs de précision. Aux yeux des promeneurs, bien des rangées de pierres semblent parallèles ; mais une analyse approfondie montre qu'elles ne le sont pas.

Des pierres dressées à l'âge du bronze

Les pierres de Carnac sont espacées de façon irrégulière, tournées ou orientées sans règle visible, et de taille et hauteur variables. Cela n'est pas uniquement dû à 5 000 ans de solifluxion (glissement de terrain), mais plus probablement au fait que les rangées de pierre ont été édifiées au fil des ans, enrichies peu à peu par des hommes qui se souciaient moins de précision géométrique que d'un effet général de grandeur et d'infini.

À gauche *Coucher de soleil à Carnac. Faut-il voir dans ces pierres un hommage rendu à l'astre solaire ?*

vers 3000 av. J.-C.	vers 2800 av. J.-C.
Édification du site de Newgrange, en Irlande.	Début de la première phase de travaux à Stonehenge.

De nombreuses lignes semblent parallèles, mais une analyse approfondie montre qu'il n'en est rien.

Carnac n'a pas eu la même signification pour tous les peuples.

Les Thom se sont penchés sur quatre grands sites mégalithiques – Le Ménec, Kermario, Kerlescan et Le Petit-Ménec – et ont étudié des centaines d'autres lieux grâce à une équipe d'assistants équipés d'une vaste gamme d'outils de théodolites, de chaînes d'arpenteur et de barres d'alignement. Leurs travaux ont été compliqués par la disparition ou la destruction de nombreuses pierres et, dans le cas de Saint-Pierre-Quiberon (où les monolithes sont disposés en éventail), par la montée du niveau de la mer. Malgré tout, les Thom ont pu dresser des diagrammes et des cartes, et démontrer ainsi que ces sites ont été aménagés de façon plus ou moins désordonnée. Au Ménec ouest, où les lignes passent au plus près du village, douze rangées de pierres semblent converger vers un édifice massif de 960 m de long, divisé en plusieurs pièces. Pourtant, si l'on prolongeait ces alignements, ils passeraient à côté du bâtiment ! La conclusion s'impose : des pierres ont été disposées çà et là pendant des siècles, s'ajoutant à un premier plan très simple.

Pour Carnac, étant donné le grand nombre de tertres disposés tout autour, l'explication la plus probable est qu'il se soit agi d'un site religieux de première importance, consacré à la mort et au culte des ancêtres. Au fil du temps, Carnac a pu évoluer et devenir un centre adonné à certains rituels et sacrifices, peut-être pour honorer le soleil et le passage des saisons. Considérant la taille de certains des bâtiments, entre 10 000 et 200 000 personnes vivaient sur le site au début de l'âge du bronze.

Quoi qu'il en soit, Carnac illustre bien les risques encourus à vouloir attribuer une seule et unique fonction à un site archéologique. Il est probable que ces pierres étranges et obsédantes ont eu, pour différents peuples, des significations différentes, au fil du temps.

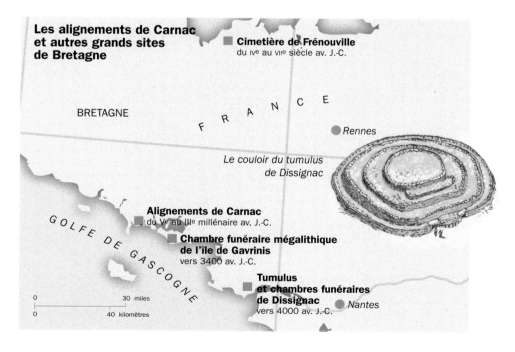

Les alignements de Carnac et autres grands sites de Bretagne

BRETAGNE

FRANCE

■ **Cimetière de Frénouville** du IVe au VIIe siècle av. J.-C.

● Rennes

Le couloir du tumulus de Dissignac

■ **Alignements de Carnac** du Ve au IIIe millénaire av. J.-C.

■ **Chambre funéraire mégalithique de l'île de Gavrinis** vers 3400 av. J.-C.

■ **Tumulus et chambres funéraires de Dissignac** vers 4000 av. J.-C. ● Nantes

GOLFE DE GASCOGNE

0   30 miles
0   40 kilomètres

vers 2000 av. J.-C.	vers 1900 av. J.-C.	vers 1840 av. J.-C.	vers 1750 av. J.-C.	vers 1200 av. J.-C.	vers 1100 av. J.-C.	vers 1120 av. J.-C.	753 av. J.-C.
Les Inuits s'installent dans les régions arctiques.	En Mésopotamie, l'irrigation permet d'approvisionnement en eau la population.	Les Égyptiens annexent la Basse-Nubie.	Hammourabi fonde l'empire de Babylone.	Les Grecs détruisent Troie.	Création de l'écriture alphabétique par les Phéniciens.	Fin de la civilisation mycénienne.	Fondation de Rome.

LES ARTS VENUS DU FROID, EN FRANCE ET EN ESPAGNE

Un pionnier discrédité, puis reconnu

À la fin du XIXe siècle, les archéologues étaient un brin sceptiques à l'idée que des artistes du paléolithique aient pu peindre sur les murs de leurs grottes des scènes aussi magistrales et évocatrices. Quelques peintures rupestres avaient certes été identifiées en France, mais leur datation restant problématique, elles étaient considérées comme relativement récentes. L'idée qu'elles aient pu être réalisées il y a 15 000 ans s'accordait mal avec les théories de l'évolution qui faisaient alors école.

Quand le collectionneur d'antiquités espagnol Marcelino de Sautuola découvrit par hasard une étonnante collection de peintures de bisons dans une grotte d'Altamira, près de Santander au nord de l'Espagne, il fut donc reçu tièdement. De Sautuola expliqua qu'il était à la recherche d'outils et de pierres ornementales préhistoriques quand sa fille, Maria, aperçut un bison dessiné sur le plafond. Ces peintures, réalisées avec une pâte huileuse, étaient comparables aux objets du paléolithique que le collectionneur espagnol avait vus en 1878 à l'Exposition universelle de Paris. À l'époque, les œuvres d'art transportables étaient considérées comme de simples objets décoratifs, sans valeur spirituelle ou culturelle.

Marcelino de Sautuola fit état de sa découverte au Congrès international d'anthropologie et d'archéologie préhistorique, à Lisbonne, en 1880. Mais, loin d'être acclamé, il fut traité avec dérision. La réaction de rejet fut menée avec véhémence par Émile Cartailhac, paléontologue français persuadé que tout cela n'était qu'un complot des jésuites espagnols pour discréditer la théorie de l'évolution. Les archéologues se rallièrent à cette thèse et Sautuola, frustré et découragé, fut discrédité. Il mourut huit ans plus tard – quelques années à peine avant que ses intuitions ne soient finalement confirmées par d'autres découvertes.

La plus frappante fut celle, en 1895, de la grotte de la Mouthe, en Dordogne. En grattant un mur couvert d'une couche de sédiments, qu'ils savaient datés du paléolithique, des chercheurs mirent au jour une galerie de dessins assurément très anciens. En 1901, d'autres missions dans les grottes des Combarelles et de Font-de-Gaume donnèrent des résultats comparables et, en 1902, Émile Cartailhac et ses soutiens durent revoir leur position. Leur malaise ne provenait pas de leur scepticisme – après tout, la science exige d'examiner à froid toute nouvelle hypothèse –, mais plutôt de la façon dont ils avaient accusé Marcelino de Sautuola de poursuivre un but politique. Le paléontologue français publia un *mea culpa* dans lequel, tout en reconnaissant son erreur, il s'efforça de justifier son attitude. Dès lors, il devint possible de mener de plus vastes recherches sur l'art rupestre.

À gauche *La théorie de la « magie de la chasse » repose sur des motifs animaliers tels que celui-ci.*

vers 100 000 av. J.-C.	de 70 000 à 30 000 av. J.-C.	vers 50 000 av. J.-C.	vers 30 000 av. J.-C.	vers 30 000 av. J.-C.	de 25 000 à 10 000 av. J.-C.	vers 12 000 av. J.-C.	vers 10 000 av. J.-C.
Apparition de l'*Homo sapiens*, issu d'espèces humaines antérieures.	Chute des températures sur tout le globe terrestre.	Premières œuvres rupestres en Australie.	Disparition de l'homme de Neandertal, lentement remplacé par l'*Homo sapiens*.	La plupart des régions habitables du globe sont occupées.	Grande époque de l'art rupestre en Europe.	La poterie est pratiquée dans presque toutes les régions du monde.	Fin de la dernière période glaciaire ; extinction du mammouth et du bison en Europe.

On a émis l'hypothèse
que ces peintures
étaient des symboles sexuels.

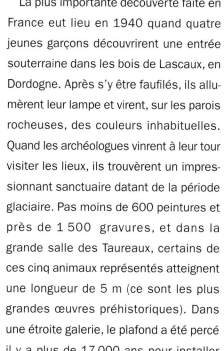

À droite *L'un des « chevaux chinois »
de Lascaux, en Dordogne.*

Ci-dessus *« Vénus » à la corne. Des sculptures
de la même période glaciaire ont été
retrouvées un peu partout en Europe centrale.*

Un sceptique éclairé
sur le terrain

Émile Cartailhac fit équipe avec un jeune
abbé, Henri Breuil, dont les études sur
l'art paléolithique font toujours autorité.
Ensemble, ils étudièrent plusieurs sites,
dont ceux de la Mouthe et d'Altamira.
Entre 1906 et 1923, plusieurs découvertes de première importance eurent
lieu : Pech-Merle, célèbre pour ses
chevaux à pois ; Montespan, qui révéla
des statues d'animaux en argile ; et Le
Tuc-d'Audoubert, où fut trouvé un bison
en glaise. D'autres grottes furent découvertes à Niaux et aux Trois-Frères, et au
nord de l'Espagne, comme El Castillo,
Covalanas et Pindal – tous trois étudiés

par Hermilio Alcadel del Rio, expert en art
préhistorique.

La plus importante découverte faite en
France eut lieu en 1940 quand quatre
jeunes garçons découvrirent une entrée
souterraine dans les bois de Lascaux, en
Dordogne. Après s'y être faufilés, ils allu-
mèrent leur lampe et virent, sur les parois
rocheuses, des couleurs inhabituelles.
Quand les archéologues vinrent à leur tour
visiter les lieux, ils trouvèrent un impressionnant sanctuaire datant de la période
glaciaire. Pas moins de 600 peintures et
près de 1 500 gravures, et dans la
grande salle des Taureaux, certains de
ces cinq animaux représentés atteignent
une longueur de 5 m (ce sont les plus
grandes œuvres préhistoriques). Dans
une étroite galerie, le plafond a été percé
il y a plus de 17 000 ans pour installer
une sorte d'échafaudage permettant aux

peintres d'accéder sans peine aux
surfaces les plus hautes.

Au gré des recherches, les théories se
multiplièrent. Le concept de « l'art pour
l'art » ne s'imposa pas immédiatement,
on préférait évoquer une symbolique
magique de la chasse en prétendant que
les tribus préhistoriques frappaient leurs
dessins de coups de poignard, comme
pour garantir un succès sur le terrain.
L'anthropologue André Leroi-Gourhan
avança ensuite l'hypothèse que certains
dessins étaient des symboles sexuels et
que de nombreuses grottes avaient été
décorées d'une même façon.

La théorie actuelle définit l'art rupestre
comme une discipline complexe, avec des
racines religieuses ou mythologiques, et
considère que de nombreux dessins ont
été retouchés ou remplacés des milliers
d'années durant.

de 9 000 à 8 000 av. J.-C. env.	vers 8 000 av. J.-C.
Apparition des premières civilisations.	Les chasseurs européens inventent le tir à l'arc.

Sites d'art rupestre datant de 40 000 à 13 000 av. J.-C. dans le sud de la France et dans le nord de l'Espagne

0   50 miles
0   80 kilomètres

GOLFE DE GASCOGNE

Bordeaux

La Mouthe Découverte capitale pour l'étude de la préhistoire

Lascaux Le plus spectaculaire de tous les sites de l'ère glaciaire

FRANCE

Altamira
Grotte connue pour ses bisons peints

El Castillo Grotte ornée de 155 dessins d'animaux et de 50 mains au pochoir

Bilbao

Duruthy Abri de chasse où des objets d'art en pierre ont été retrouvés

Toulouse

Grotte Chauvet
Nombreux dessins de rhinocéros et de grands félins

ESPAGNE

Points à plus de 1 800 m d'altitude

PYRÉNÉES

Niaux

LES FOSSOYEURS DE L'OUEST
Structures néolithiques des îles Britanniques

Ci-dessus *L'intérieur d'une des maisons de Maes Howe. Certains de ces mégalythes pèsent trois tonnes.*

Par un clair matin, peu après que le soleil se soit levé sur le jour le plus court de l'année, les rayons de lumière traversent la lucarne de la galerie qui mène à la chambre funéraire de Newgrange, en Irlande. Cette clarté soudaine envahit la grande salle et illumine quelques minutes durant la petite chambre du fond, où règne alors une atmosphère magique d'ombre et de lumière. Pour les hommes l'ayant édifié à la fin du néolithique, ce tombeau symbolisait la relation entre le soleil, la mort et le retour à la vie ; le solstice d'hiver marque le début de la lente ascension du soleil vers les cieux. Le reste de l'année, un bloc de cristal de roche, importé spécialement, bloquait la lumière au-dehors.

Newgrange, tout comme Knowth et Dowth, autres chambres funéraires de la vallée du Boyne, a probablement subi l'influence des bâtisseurs de sépultures de la péninsule Ibérique. Ces deux régions étaient liées par des contrats commerciaux ; pour preuves les objets ibères bien reconnaissables – cuves de pierre décorées et pointes caractéristiques en os – qui ont été retrouvés dans des sites à l'est de l'Irlande. Quelle que fut l'inspiration des bâtisseurs préhistoriques, leurs tombeaux expriment la sophistication profonde des sociétés néolithiques britanniques. À Knowth, les restes de quelque dix-sept tombes annexes ont été retrouvés dans le tumulus principal, qui mesure lui-même 90 m de diamètre et 11 m de haut. Dans la vallée du Boyne, toutes les tombes sont reconnaissables à un travail de la pierre très particulier :

spirales, figures géométriques et fers à cheval concentriques.

Deux sites s'inspirent de celui de Newgrange : l'un se trouve dans le nord du pays de Galles, et l'autre, plus remarquable encore, à Maes Howe, sur l'archipel des Orcades, au nord de l'Écosse. D'une hauteur de 7 m, celui-ci est probablement un peu plus récent (vers 2750 av. J.-C.), mais il reprend de nombreux motifs de son modèle irlandais et, surtout, témoigne de l'hommage rendu au solstice d'hiver à travers un alignement permettant aux rayons du soleil couchant d'illuminer un couloir.

Les Vikings profanateurs

Maes Howe est souvent considéré – à juste titre – comme le plus beau monument préhistorique au nord des Alpes. Il est constitué de mégalithes de grès finement taillés (dont certains pèsent trois tonnes), qui, posés sur des socles de pierre, s'élèvent vers une voûte de 4,5 m. Les blocs ont été soulevés à grand-peine et maintenus en place à l'aide de minuscules éclats. Un tel travail a certainement induit une coopération entre plusieurs tribus, qui ont pu par la suite partager la structure finie pour leurs cérémonies funéraires. Ces cérémonies impliquaient une soigneuse séparation du crâne et des grands os des défunts, le bris de vases en céramique, la présentation d'offrandes aux dieux, et l'entretien de feux. De

vers 3500 av. J.-C.	vers 3100 av. J.-C.	vers 3000 av. J.-C.	vers 3000 av. J.-C.	vers 3000 av. J.-C.	vers 2800 av. J.-C.	vers 2750 av. J.-C.	vers 2685 av. J.-C.
Construction des premiers tombeaux et cercles mégalithiques.	Début du chantier de Skara Brae.	Édification des premiers temples en pierre, à Malte.	Édification du site de Carnac.	Construction de Newgrange.	Début de la première phase de travaux à Stonehenge.	Construction de Maes Howe, sur l'archipel des Orcades.	Début de l'édification des pyramides d'Égypte.

À l'âge de pierre,
les endeuillés retiraient les os
des tombes pour les disperser ailleurs.

Ci-dessus *L'entrée de la chambre funéraire de Newgrange.*

récentes études laissent entendre que ceux qui étaient endeuillés retiraient des os des tombes pour les disperser ailleurs.

Maes Howe suscita chez les Vikings un intérêt proche de l'obsession. À leurs yeux, les tumulus étaient surtout des cachettes pleines de trésors – pour peu que les guerriers fussent assez courageux pour repousser les trolls et autres

fantômes qui y rôdaient. Au XIIe siècle, un groupe de Vikings chrétiens s'introduisit dans les lieux et y laissa des graffitis runiques, où ils se félicitaient de s'être emparés d'un trésor et commentaient de manière libidineuse la beauté d'une veuve nommée Ingibiorg. Ces Vikings ont peut-être emporté quelques œuvres d'art (le tombeau était vide lorsqu'il fut exploré par des antiquaires au XIXe siècle), mais il est peu probable qu'ils y aient trouvé des objets de valeur. Les sites ultérieurs

de l'âge du bronze étaient beaucoup plus riches, et en particulier celui de Bush Barrow, dans le comté du Wessex, où le tombeau d'un chef de tribu entouré d'objets en or et d'armes datant de 1800 av. J.-C fut retrouvé.

Skara Brae

Skara Brae, sur l'archipel des Orcades, est le monument préhistorique le mieux conservé de toute l'Europe du Nord. En partie enterré, il a été édifié entre 3100 et 2500 av. J.-C. par le même peuple que Maes Howe. Il est constitué de six maisons reliées par des arcades. L'intérieur – tout en pierre, car l'île est sujette aux tempêtes et les arbres y sont rares – est meublé de lits clos, de placards à vêtements et de rangement en alcôve, et comprend d'étranges fosses rectangulaires, qui ont pu servir à faire tremper et conserver les appâts pour la pêche. Le site fut abandonné vers 2000 av. J.-C. probablement à cause de son exposition aux éléments, et ne fut découvert qu'en 1850, quand un éboulement mit au jour des éléments de maçonnerie extérieure.

Les grandes tombes irlandaises à couloir, de la vallée du Boyne, ont inspiré celles de Maes Howe, des Orcades et de Barclodiad-y-Gawres, au nord du pays de Galles.

Maes Howe

Skara Brae
Village néolithique

Stenness
Menhir

Maes Howe
Tumulus

Cercle de Brogar
Cercle de pierres

Orcades

ÉCOSSE

John O'Groats

Tombeau mégalithique

0 miles 20
0 kilomètres 30

Clava

Newgrange, Knowth et Dowth
Les plus célèbres tombes à couloir d'Irlande

Boyne

Dublin

Barclodiad

Dyffryn Ardudwy

Tinkinswood

Tumulus de Wayland's Smithy
West Kennet
Maison de Kits Coty

Trethevy Quoit

Lanyon Quoit

0 100 miles
0 160 kilomètres

LE MUR D'HADRIEN ET VINDOLANDA
Le mur et la garnison romaine

La limite nord de l'Empire romain était matérialisée par le mur d'Hadrien, barrière frontalière de 117 km de long entre le golfe de Solway et l'embouchure de la Tyne, au nord de la Grande-Bretagne. Ce mur était destiné tout à la fois à repousser les assauts des Pictes, à matérialiser la limite de la juridiction romaine et à contrôler le commerce par voie terrestre. Les travaux, qui commencèrent vers 122 apr. J.-C. sur ordre de l'empereur Hadrien, étaient toujours en cours à sa mort, en 138.

Dans sa forme finale, le mur faisait 3 m d'épaisseur et environ 4 m de hauteur, et possédait tous les 1 714 m des fortins, entre lesquels se trouvaient deux tours d'observation. Un fossé longeait le versant nord du mur, sauf quand le relief naturel offrait une protection suffisante ; et le versant sud était pourvu de forts imposants pouvant accueillir des troupes de plusieurs milliers d'hommes. Une voie

Ci-dessus *Le mur d'Hadrien vu de Cuddy's Crag, dans le Northumberland.*

militaire, qui reçut plus tard le nom de Stanegate, permettait aux commandants romains de déployer des troupes de renfort en cas d'offensive contre les parties les moins bien protégées de cet ouvrage militaire, destiné à protéger la Bretagne romaine.

Même si le mur d'Hadrien en dit long sur les méthodes défensives des Romains, la connaissance actuelle du mode de vie des soldats provient du site de la garnison de Vindolanda (aujourd'hui Chesterholm). Ce grand campement de civils paraît s'être développé autour d'un fort, probablement édifié pour servir de palais provincial pour Hadrien.

Le quotidien sous l'occupation romaine

L'archéologue Robin Birley y a découvert des objets quotidiens assez étonnants. Plus de 1 500 tablettes de bois gravées et de grossiers feuillets de papier écrits

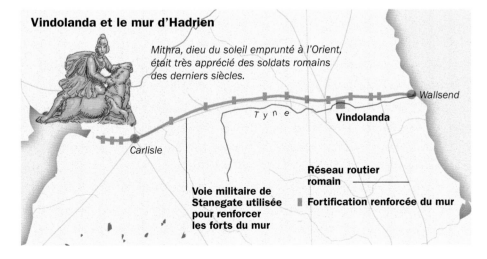

Vindolanda et le mur d'Hadrien

Mithra, dieu du soleil emprunté à l'Orient, était très apprécié des soldats romains des derniers siècles.

Wallsend

Tyne Vindolanda

Carlisle

Voie militaire de Stanegate utilisée pour renforcer les forts du mur

Réseau routier romain ———

■ **Fortification renforcée du mur**

43 apr. J.-C.	51 apr. J.-C.	vers 117 apr. J.-C.	vers 122 apr. J.-C.	vers 138 apr. J.-C.	vers 140 apr. J.-C.	185 apr. J.-C.	211 apr. J.-C.
Les Romains envahissent l'actuelle Grande-Bretagne.	Caractacus, meneur de la résistance britannique, est capturé.	Apogée de l'Empire romain.	Début de l'édification du mur d'Hadrien.	Mort de l'empereur Hadrien.	Début de l'édification du mur d'Antonin, au nord.	Abandon du mur d'Antonin.	Mort de l'empereur Septime Sévère, en campagne contre les Calédoniens.

Ci-dessus *Vindolanda dans la perspective du mur d'Hadrien.*

Un soldat romain se réjouit d'avoir reçu en cadeau une culotte en laine.

à l'encre livrent ainsi des détails sur l'organisation de l'intendance, du commerce, des chaînes de ravitaillement, sur la vie privée, et même la santé des soldats. L'un de ces documents révèle que la Première cohorte des Tongrois comptait 752 hommes, dont six centurions. Parmi ces soldats, 456 avaient été détachés vers Corbridge – importante base militaire du temps d'Agricola –, et, parmi ceux restés à Vindolanda, beaucoup se plaignaient d'une « inflammation des yeux ».

D'autres documents laissent à penser que les femmes et les enfants des officiers supérieurs logeaient sur place. Ainsi, pour son anniversaire, Claudia Severa, épouse du commandant Aelius Brocchus, invita Sulpicia Lepidna, dont le mari, Flavius Cerialis, dirigeait la Neuvième cohorte des Bataves à Vindolanda. Sur l'invitation, elle annonçait : « Le 11 septembre... jour de mon anniversaire, je vous invite chaleureusement à vous joindre, si vous le pouvez, à nous et à rendre ce jour plus agréable par votre présence. »

D'autres correspondances expriment une certaine frustration chez les Romains qui devaient affronter la rudesse de la vie

Ci-dessous *Les thermes de Vindolanda.*

au cœur de la Bretagne païenne. Un certain Octavius, chargé d'aller chercher des céréales et du bétail pour son frère Candidus, écrivit ainsi : « J'y serais déjà allé si je n'avais craint que les animaux ne se blessent sur les routes mal tenues. » Dans un autre fragment de correspondance retrouvé, l'auteur remerciait un proche de lui avoir fourni des chaussettes de laine, des sandales et deux culottes.

La guerre du mur

Vers 140 apr. J.-C., l'activité des Pictes au nord du mur d'Hadrien inquiétèrent les Romains, à tel point que l'empereur Antonin le Pieux fit édifier une seconde ligne de fortification entre l'estuaire de Forth et l'estuaire de Clyde, pour décourager les offensives des tribus calédoniennes. Le mur d'Antonin n'est pas aussi sophistiqué que les fortifications se trouvant au sud et il repose en grande partie sur une barricade de tourbe d'environ 58 km et comportant 19 fortins. À peine achevé, il fut abandonné et, en 185 apr. J.-C., les Romains reculèrent pour renforcer le mur d'Hadrien. Les livres d'histoire traditionnels soutiennent que le mur d'Antonin a subi deux offensives, mais les preuves archéologiques des dates avancées – 197 et 296 apr. J.-C. – restent fragiles.

SUTTON HOO
Le vaisseau fantôme

Sutton Hoo est un lieu sauvage balayé par les vents. Cet ancien cimetière anglo-saxon, qui a conservé pendant des siècles une aura de mythe et de mystère, est situé en bordure d'un escarpement, au-dessus de la rivière Deben, dans le Suffolk. John Dee, magicien de la reine Élisabeth, y ouvrit un tumulus, les serviteurs d'Henry VIII y organisèrent des chasses au trésor, et une légende prétend même qu'une couronne en or de 1,5 kg y fut trouvée en 1690.

C'est durant l'été 1939, alors que l'ombre de la guerre s'étendait au-dessus de l'Europe, que la plus grande découverte archéologique de Grande-Bretagne eut lieu à Sutton Hoo. Les archéologues trouvèrent les vestiges d'un élégant navire de 27 m de long, chargé d'objets d'art dont la finesse démontrait qu'ils étaient, de toute évidence, destinés à « accompagner » un roi du haut Moyen Âge.

Il y avait là un heaume, une épée sertie d'or et de grenat, un sceptre, une hache de guerre, un bouclier orné d'un dragon et d'un oiseau, des bols en bronze et en argent, une lyre, un socle en fer de 1,60 m (peut-être un piédestal), des pièces de monnaie, et dix-neuf bijoux sans comparaison avec les autres bijoux contemporains de cette époque retrouvés au Royaume-Uni. Une boucle de ceinture en or massif de 450 g, ornée de motifs entrelacés d'oiseaux et d'animaux, et une bourse de mailles d'or, ornée de grenats

et de verre finement travaillée, faisaient partie de ce trésor. Cela venait contredire radicalement la théorie selon laquelle les premiers Anglo-Saxons n'étaient que des guerriers primitifs. On avait là, en effet, une preuve indéniable que les Saxons avaient acquis un certain raffinement et qu'ils entretenaient d'importantes relations commerciales – certains des objets trouvés provenant de Scandinavie, d'Égypte et d'Asie occidentale.

Ces témoignages ne suffirent pas, et dès la fin des recherches sur le terrain, l'été 1939, le navire de Sutton Hoo fut l'objet d'une vive controverse. Tout d'abord, il n'y avait pas de navire à proprement parler, mais seulement une empreinte fantomatique creusée dans la terre sableuse, quelques rangées de clous, et des objets funéraires en métal. La forte acidité du sol avait dissous tout le reste, et les spécialistes admirent qu'elle aurait fort bien pu dissoudre un corps. On ne pouvait pas non plus exclure la possibilité que le navire ait été un cénotaphe (tombeau élevé à la mémoire d'un mort, mais sans sépulture) consacré à quelque grand chef perdu en mer.

Roi Redwald ou Edmond ?

En 1975, après des années d'intenses recherches en laboratoire, le British Museum admit qu'un corps avait bel et

Ci-dessus *Le casque de Sutton Hoo – probablement la plus précieuse découverte archéologique de Grande-Bretagne.*

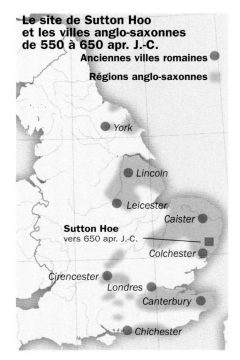

Le site de Sutton Hoo et les villes anglo-saxonnes de 550 à 650 apr. J.-C.
- Anciennes villes romaines
- Régions anglo-saxonnes

York
Lincoln
Leicester
Caister
Sutton Hoe vers 650 apr. J.-C.
Colchester
Cirencester
Londres
Canterbury
Chichester

410 apr. J.-C.	418 apr. J.-C.	439 apr. J.-C.	451 apr. J.-C.	vers 500 apr. J.-C.	vers 550 apr. J.-C.	vers 600 apr. J.-C.	vers 625 apr. J.-C.
Les Romains quittent la Grande-Bretagne, qui retombe dans le tribalisme.	Fondation d'un État barbare visigoth dans l'Empire romain décimé.	Les Vandales prennent la cité romaine de Carthage.	Les Romains, alliés aux Barbares, battent les Huns.	Les Huns attaquent la Perse et l'Inde.	Les Angles, Jutes, Saxons, Pictes et Scots envahissent l'Angleterre celte.	Saint Augustin convertit le sud-est de l'Angleterre au christianisme.	Enterrement d'un chef saxon à Sutton Hoo.

D'après certains historiens, le tombeau serait celui du roi-martyr Edmund.

bien reposé au centre du bateau, non loin de l'épée et des bijoux. Mais une expertise médico-légale du Guy's Hospital démontra l'exact contraire, en insistant sur le fait qu'il n'y avait pas trace de restes humains sur les lieux, sous forme de cendres ou autre. Cette hypothèse fut confirmée par les indices archéologiques : l'emplacement des objets dans le tombeau n'était pas compatible avec la présence d'un corps. De plus, aucun objet personnel n'avait été trouvé : bague ou anneau, pendentif, broche, débris de vêtements, boucles de chaussures ou fil d'or, qui auraient pourtant certainement accompagné un mort dans l'au-delà.

Toutefois, en 1979, une étude approfondie des notes des archéologues apporta de nouvelles révélations. L'équipe de 1939 avait noté la présence d'une série complète d'accessoires funéraires en fer – fait qui avait été ensuite totalement ignoré. Les restes de ces métaux traçaient le contour d'un cercueil en bois – décomposé depuis –, où se seraient donc trouvés tous les objets découverts au centre du tombeau. La présence d'un cercueil sur un site ne suffit certes pas à prouver qu'un corps y ait été déposé, mais au final, si l'on en juge d'après les dates des pièces de monnaie, il semble bel et bien qu'un noble saxon ait été enterré dans un navire – entre 620 et 650 apr. J.-C.

Quant à savoir son nom… L'hypothèse la plus probable est qu'il s'agissait d'un noble, à la tête d'une dynastie royale d'East Anglia, dont le berceau se trouvait dans les vallées du Deben et de l'Alde. D'après les experts du British Museum, il pourrait s'agir de Redwald, roi opportuniste qui avait fini par adopter le dogme chrétien sans pour autant abandonner ses rites païens. D'autres historiens plus imaginatifs pensent que ce tombeau fut la sépulture provisoire du roi-martyr Edmund, le dernier de cette même lignée, tué pendant les guerres contre les Vikings.

À gauche *Il ne restait presque rien du bateau ; on voit ici le sable décoloré par un long séjour sous les bois de l'étrave.*

LE CHÂTEAU DE TINTAGEL ET LA PIERRE D'ARTHUR

Une inscription qui ébranle un mythe

Qui a visité les ruines du château de Tintagel et assisté, juste en dessous, à la colère de l'océan Atlantique dans la grotte de Merlin, comprend mieux pourquoi des milliers de gens venus du monde entier se passionnent pour ce site. Sur les falaises abruptes du nord des Cornouailles s'élève un poste d'observation celte dont l'agencement est sans équivalent. Au fil du temps, il servit de comptoir commercial aux Ibères, de forteresse aux Britanniques, de monastère et de château fort aux Normands (les restes sont encore visibles). Mais ce qui fait de loin la réputation de Tintagel est l'affirmation controversée selon laquelle le roi Arthur y serait né.

Mentionner Arthur suffit à faire grimacer les historiens. Son lieu de naissance, son royaume et sa tombe se trouveraient aussi bien en Cornouailles, dans le Wiltshire, dans le Berkshire qu'en Bretagne, pour ne citer qu'une poignée des sites envisagés, et de nombreuses recherches pseudo-historiques ont été menées dans le seul but de confirmer des hypothèses douteuses sur le « véritable » roi Arthur.

Ci-dessus *Sur la crête de la falaise, ce chemin mène au château de Tintagel, en Cornouailles.*

Geoffrey de Monmouth est à l'origine du mouvement, avec son *Histoire des rois de Bretagne* (non exempt de certaines erreurs de traduction). L'Église a ensuite tout fait pour assimiler Arthur à un chrétien – procédé critiquable mais efficace. À l'époque victorienne, les passionnés d'histoire, poètes et écrivains en mal de sensations fortes sont venus ajouter leur grain de sel à la légende arthurienne, au point qu'il est désormais impossible d'avancer la moindre hypothèse sur ce sujet sans être aussitôt contredit. Les données les plus sérieuses proviennent d'un groupe de recherche l'*English*

Heritage, soutenu par le gouvernement britannique, et pour lequel Arthur fut un brillant soldat ayant combattu au VIe siècle dans tout le pays.

Le 4 juillet 1998, le débat prit une nouvelle tournure avec la découverte de la « pierre d'Arthur » au sommet d'une falaise auparavant déjà explorée, non loin du château de Tintagel. L'équipe du professeur Chris Morris, de l'université de Glasgow, y trouva un fragment d'ardoise où figure le nom d'Artognov, graphie latine du nom britannique « Arthnou », elle-même racine de la forme moderne « Arthur ». L'inscription complète est « Pater Coliavificit Artognov », traduite par « Arthnou, père d'un descendant de Coll, a fait édifier ce lieu. »

Évaluer la pierre d'Arthur

Cette ardoise de 30 x 20 cm était enfouie sous quelques centimètres de terre et semblait provenir d'une plaque plus importante ayant été brisée pour boucher la conduite d'eau d'un quelconque bâtiment. L'étude de l'écriture et l'analyse de la terre alentour viennent éliminer toute hypothèse de mystification, et le professeur Morris déclara : « Cet objet est unique, car il s'agit d'une inscription. Aucun document écrit n'a jamais été découvert sur un site profane. Pour l'instant, il est unique. C'est une découverte prodigieuse. »

Les chercheurs admirent cette découverte, tout en restant cependant critiques.

Invasion irlandaise des IVe et Ve siècles

Tintagel
Château médiéval occupé durant le haut Moyen Âge.

EXMOOR
Branstaple

OCÉAN ATLANTIQUE

BODMIN MOOR

DARTMOOR

Plymouth

Penzance

Le château de Tintagel, en Cornouailles – la forteresse ancienne la plus énigmatique de Grande-Bretagne

Importation de poterie de l'est méditerranéen

vers 450 apr. J.-C.

Les Angles, Saxons et Jutes commencent à envahir l'actuelle Angleterre.

vers 480 apr. J.-C.

Les Saxons prennent la côte sud de l'Angleterre et repoussent les Bretons vers l'ouest.

C'est l'un des grands héros britanniques, un meneur d'hommes, coriace et rude.

N'oublions pas que les noms commençant par « Arth » étaient courants en Grande-Bretagne au haut Moyen Âge, et que cette pierre ne prouve pas nécessairement qu'il existe un lien entre le roi Arthur et Tintagel. Toutefois, la découverte est troublante.

Elle a permis de démontrer que, longtemps après le départ des Romains, un souverain était entouré de courtisans et de représentants lettrés, maîtrisant toujours le latin écrit. Geoffrey Wainwright, archéologue en chef du groupe *English Heritage*, a d'ailleurs souligné : « C'est la découverte d'une vie.

La chose remarquable est qu'une pierre gravée du nom d'Arthnou ait été retrouvée à Tintagel, un lieu depuis longtemps associé au mythique roi Arthur. Il faut résister à la tentation facile d'établir un lien entre cette pierre et ce personnage légendaire et répéter qu'aucune preuve ne permet une telle affirmation, poursuit-il. Néanmoins, on a désormais la preuve que ce nom existait bien à cette époque et que cette pierre appartenait à un homme haut placé. J'espère que tout cela pourra un jour donner corps à un personnage historique. C'est l'un des grands héros britanniques, un meneur d'hommes, coriace et rude. »

Ci-dessus *Le littoral non loin de la grotte de Merlin. Il fut un temps où le site du château était un comptoir commercial international.*

Ci-dessous *Les ruines du site fortifié de Tintagel sont en grande partie normandes, mais la « pierre d'Arthur » suggère que les lieux étaient occupés bien avant.*

vers 500 apr. J.-C.	vers 500 apr. J.-C.	507 apr. J.-C.	vers 550 apr. J.-C.	vers 597 apr. J.-C.	vers 625 apr. J.-C.	632 apr. J.-C.	vers 650 apr. J.-C.
Les Huns hephtalites attaquent la Perse sassanide.	Teotihuacán, au Mexique, est la plus grande ville du monde (200 000 habitants).	Clovis fonde le royaume de France.	Les Saxons (aujourd'hui Anglo-Saxons) repoussent encore les Bretons vers l'ouest.	Saint Augustin arrive en Grande-Bretagne pour convertir la population au christianisme.	Enterrement d'un chef saxon à Sutton Hoo, en East Anglia, en Angleterre.	Mort de Mahomet, fondateur de l'islam.	En Chine, la dynastie des Tang est la plus puissante de tous les temps.

CHAPITRE 7

L'EUROPE CENTRALE ET DU NORD

Les sociétés occidentales ont une relation complexe avec la mort. L'idée même de vieillir et de s'affaiblir s'accorde mal avec une culture qui prône la jeunesse, la beauté, l'ambition et la réussite matérielle. L'obsession de prolonger la vie est si puissante que nous y pensons presque toujours, que ce soit au sujet de l'alimentation ou du niveau de stress enduré au travail. Si le choix s'offrait, combien de gens opteraient pour l'immortalité ?

La plupart des peuples anciens étaient loin de nourrir de telles préoccupations, principalement parce que la mort était nettement plus proche. L'espérance de vie atteignait une petite quarantaine d'années et, compte tenu des dangers quotidiens de la chasse et des combats tribaux, des effets dévastateurs du froid et de la faim, ainsi que des risques permanents de maladie, l'incertitude quotidienne était telle que l'on se tournait pleinement vers la perspective d'une vie après la mort. Dans ces sociétés encore éloignées du savoir scientifique, il était beaucoup plus facile d'adorer des divinités. La mort était une conséquence normale de la vie, et la nature montrait partout des symboles de renaissance. Tout comme le soleil « s'élevait » dans le ciel après le solstice d'hiver, les morts quittaient leur tombe pour pénétrer le monde des esprits.

Les signes de telles croyances sont évidents dans presque toutes les civilisations anciennes, mais l'Europe antique offre un éventail particulièrement large de traditions et de rites funéraires. Nous verrons dans ce chapitre les étonnants temples en pierre néolithiques et les hypogées de Malte, les étranges sacrifices rituels des tourbières danoises, les tombeaux « ruisselant d'or » de Varna, le mystérieux tombeau de Hochdorf (en Allemagne), et les navires funéraires des Vikings de Scandinavie. D'autres thèmes sont aussi proposés, comme la fascinante histoire d'Ötzi, l'homme préhistorique entièrement préservé le plus ancien au monde, et la découverte des sites lacustres des Alpes – qui illustre bien la façon dont les archéologues créent des mythes ou les détruisent.

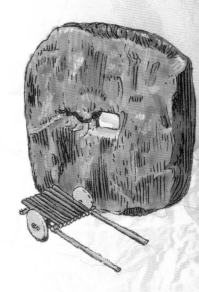

À gauche *La culture nordique faisait souvent appel à des images terrifiantes destinées à l'adoration ou à l'intimidation. Ce visage, gravé sur le flanc du chariot d'Osberg, date d'environ 850 apr. J.-C.*

NORVÈGE

■ **Navires de Gokstad et Oseberg**

*Figure de proue
du navire d'Oseberg*

FÉDÉRATION
DE RUSSIE

SUÈDE

MER DU NORD

DANEMARK
■ **Homme de Tollund**

MER BALTIQUE

BIÉLORUSSIE

Chaudron d'argent
de Gundestrup,
au Danemark

POLOGNE

RÉPUBLIQUE TCHÈQUE

FRANCE

■ **Hochdorf**
ALLEMAGNE

SLOVAQUIE

AUTRICHE

■ **Peuples lacustres**

■ **Hallstatt**

HONGRIE

■ L'homme des glaces
du Tyrol

À gauche *La plus ancienne
roue trouvée en Europe, réalisée
par les peuples lacustres vers
3200 av. J.-C., a été découverte
à Zurich. À côté, une reconstitution
d'une voiture à bras de la même
époque.*

ITALIE

ROUMANIE

*Animal en or
de Varna*

Varna ■

BULGARIE

Temple de Tarxien, à Malte

Temples de Malte
■

LE PRINCE DE HOCHDORF
Un tombeau caché

Dans le sud de l'Allemagne, la région montagneuse qui entoure Hohenasperg, près de Stuttgart, était vers 500 av. J.-C. le centre d'une communauté celte florissante. Ce peuple de l'âge du fer exploitait des mines d'or, de bronze et de fer, avait accès à des voies commerciales majeures, disposait d'une économie prospère et jouissait d'une certaine sécurité, qu'il devait à un régime apparemment stable. Mais quelle était la structure sociale de ces Celtes, membres d'une ethnie mal connue dispersée dans toute l'Europe centrale et occidentale ? Étaient-ils soumis à un monarque ou avaient-ils adopté une existence moins structurée, peut-être sous la houlette d'un chef religieux ? Au cours des XIXᵉ et XXᵉ siècles, la découverte d'une série de tombeaux aurait peut-être pu répondre à ces ques-

tions si seulement les archéologues y étaient entrés avant les pillards. Hélas ! ces tumulus avaient été visités et vidés. Tous, sauf un qui avait été si bien nivelé par les labours et l'érosion que personne n'avait remarqué son existence.

Personne… jusqu'à ce qu'un archéologue amateur, Renate Liebfried, entre-

Ci-dessus *Les tumulus de pierre de l'Europe centrale ont attiré les pillards, mais celui de Pitten, en Autriche, leur a échappé.*

prît de minitieux travaux. En 1977, il annonça aux autorités concernées du Bade-Wurtemberg qu'il avait découvert un « tombeau perdu », à 10 km à l'ouest

Peuples celtes d'Europe à l'âge du bronze et du fer

OCÉAN ATLANTIQUE

MER DU NORD

BALTES

FINNO-OUGRIENS

Limite ouest des explorations des Celtes

CELTES D'ISLANDE

GERMANS

Le tombeau de Hochdorf est sans équivalent dans le monde celte.

Biskupie

SLAVES

Les mines de sel de Hallstatt se trouvaient au croisement des voies commerciales transeuropéennes de l'âge du fer. Les noms des peuples sont mentionnés ici selon les données transmises par les historiens grecs et romains.

Rhin

Preist

Hochdorf

Libenice

CELTES

Manching

SCYTHES

Lyon

Rhône

Pô

Hallstatt

ITALIOTES

Danube

MER NOIRE

Douro

Enserune

LIGURES

ILLYRIE

AQUITAINS

IBÈRES

Limite sud des explorations des Celtes

THRACES

HITTITES

MER MÉDITERRANÉE

GALATES

LUVITES

GRECS

Le corps reposait
sur un lit de repos en bronze,
sans équivalent dans le monde celte.

de Hohenasperg et, l'année suivante, une fouille systématique fut entreprise afin de préserver le site – qui atteignait à l'origine une hauteur de 6 m – à l'abri de tout dommage. Dès l'instant où ils y pénétrèrent, les membres de l'équipe de recherche surent que le tombeau était exceptionnel. Les objets y étaient littéralement amassés, à tel point qu'il fallut prélever des pans entiers de terre pour les étudier minutieusement en laboratoire.

La fouille

Les travaux durèrent deux étés, pour un coût de 440 000 Deutsche Marks (environ 224 968,43 euros). Ils permirent de mettre au jour un sanctuaire de 120 m² et d'environ 2,5 m de profondeur – lequel abritait deux structures en bois : une première boîte extérieure, en chêne, d'une surface de 7,50 m ; et une seconde boîte intérieure de 4,70 m sur 1 m de profondeur. Elles étaient séparées par une couche de pierres, dont certaines contenaient des résidus minéraux provenant d'ateliers tout proches. Le toit était recouvert de 50 tonnes de pierre, ce qui avait entraîné un effondrement sur le cadavre avant même que celui-ci se soit décomposé. De toute évidence, les bâtisseurs avaient fait le maximum pour décourager les voleurs.

Le contenu du tombeau était en parfait état. Le corps reposait sur un lit de repos en bronze sans équivalent dans le monde celte, posé sur huit pieds figurant huit femmes en bronze les bras tendus. Sur les flancs et à l'arrière, des attelages et des danseurs étaient gravés, le tout ayant ensuite été enroulé dans de la fourrure et de la toile, pour assurer le confort du défunt. Celui-ci, un homme de 1,80 m, reposait allongé. Il portait un chapeau conique en écorce de bouleau et un collier en or, et avait été vêtu d'habits réhaussés de parements et de motifs en or martelé. Sur sa poitrine, un sac contenait un peigne en bois, un rasoir en fer, une poignée de perles et trois hameçons. Il était entouré des accessoires quotidiens de la noblesse : un bassin en bronze de style grec, un petit bol en or, neuf cornes à boire et, surtout, un char de 4,5 m de long, équipé d'un harnais et de quatre énormes roues à dix rayons. Les chars étaient si prisés des princes celtes qu'ils étaient souvent enterrés avec. Mais celui-ci, entièrement plaqué de fer, était pour le moins spectaculaire.

Malgré tout, ce tombeau reste énigmatique. Il nous apprend simplement que les Celtes révéraient certains individus, au point d'emplir leur tombe des plus beaux trésors produits par leurs artisans. Mais, à ce jour, aucune preuve n'a jamais pu être apportée pour assurer que Hohenasperg ait pu être la nécropole d'un quelconque royaume celte.

Les mines de sel de Hallstatt

À la même époque que le « prince de Hochdorf », au début de l'âge du fer, une autre communauté s'épanouissait à Hallstatt, dans les Alpes autrichiennes, près de Salzburg. L'économie locale dépendait principalement des mines de sel, et des débris d'outillage ancien y ont été retrouvés dans des galeries souterraines et des tunnels soutenus par des étais en bois : pics, marteaux, pelles, et même quelques sacs de cuir. En 1734, des mineurs ont découvert le corps d'un travailleur de l'âge du fer, parfaitement conservé dans le sel, reposant là où il avait péri sous un éboulement, et qui fut remis en terre sans être étudié.

Les objets retrouvés dans les 2 000 tombes de Hallstatt résument bien la richesse qui y régnait jadis. Outre les objets importés de la Méditerranée et de la Baltique, se trouvaient des épées en fer et en bronze, des poignards, des haches et des casques venus d'Europe, ainsi que des bols, des tasses et des chaudrons en bronze. Ce développement économique favorisa l'établissement des premières véritables villes d'Europe, vers 500 av. J.-C.

539 av. J.-C.	510 av. J.-C.	505 av. J.-C.	vers 500 av. J.-C.	vers 500 av. J.-C.	vers 500 av. J.-C.	vers 500 av. J.-C.	vers 500 av. J.-C.
Cyrus le Grand fonde l'Empire perse.	Fondation de la République romaine.	La démocratie est établie à Athènes, qui sera le centre de la vie grecque de l'« âge d'or ».	Fondation des premières villes européennes.	En Inde, établissement du système des castes et début de la riziculture.	Premiers codes législatifs en Chine.	Début de la culture Nok, au nord du Nigeria. Premières utilisations du fer en Afrique.	Au Pérou, la civilisation de Paracas s'épanouit.

LES VILLAGES LACUSTRES DES ALPES

Les logements innovateurs du néolithique

L'une des images les plus intrigantes et romantiques que les archéologues du XIXᵉ siècle ont popularisées est celle du village lacustre. On pensait alors que des maisons en bois sur pilotis avaient été érigées dans les eaux des lacs alpins d'Allemagne, Suisse, Autriche, Slovénie, France et Italie. Cette idée captivait l'imagination du public et, pour un certain temps, les peintres, les romanciers et les compositeurs exaltèrent l'étrange beauté de ces « îles flottantes » sur fond de paysage montagneux.

La mode fut lancée par une découverte du long et sec hiver 1853-1854. Le niveau de l'eau baissa tant, durant ces quelques mois, que de nombreux lacs de la région de Zurich reculèrent d'une trentaine de centimètres, révélant alors la pointe d'étranges poteaux plantés dans la vase. À Obermeilen, Johannes Aeppli, un instituteur, mena sa petite enquête et découvrit une incroyable quantité de débris dispersés parmi ces pilotis – principalement des ustensiles en pierre, en argile et en bois, ainsi que des outils en corne. Le tout, bien conservé dans ces eaux froides, provenait de toute évidence d'un village de taille importante.

Johannes Aeppli fit part de sa découverte à Ferdinand Keller, président de la Société des antiquaires de Zurich, qui organisa aussitôt une mission de recherche plus étoffée. D'après lui, les poteaux pouvaient avoir rempli deux rôles : il s'agissait soit des fondations de maisons édifiées sur la berge, soit des pilotis de soutien sur lesquels reposaient des planchers, répartis sur une partie de la surface du lac et eux-mêmes porteurs d'édifices. Il penchait pour cette seconde option, peut-être après avoir appris l'existence de tels villages en Malaisie occidentale et aux Indes orientales, mais aussi à cause d'un récit de l'historien grec Hérodote, décrivant une ville sur l'eau en Macédoine.

Ci-dessous *Ce tableau de W. Kranz offre une vue imaginaire d'un village lacustre de l'âge de pierre, dans la région de Zurich. Aujourd'hui, les archéologues n'adhèrent plus à la théorie des maisons sur pilotis.*

vers 2000 av. J.-C.	vers 2000 av. J.-C.	vers 2000 av. J.-C.	vers 2000 av. J.-C.	vers 1900 av. J.-C.	vers 1840 av. J.-C.	vers 1800 av. J.-C.	vers 1850 av. J.-C.
Villages lacustres des Alpes.	Premier travail du métal au Pérou.	Marine marchande en mer Égée. Les Minoens produisent de la poterie peinte.	Les Inuites vivent en Arctique.	Progrès des techniques d'irrigation et expansion de la population en Mésopotamie.	La Basse-Nubie est annexée par l'Égypte.	Fondation de l'État d'Assyrie par Shamshi-Adad Iᵉʳ.	Hammourabi fonde l'empire de Babylone.

La baisse du niveau de l'eau fit apparaître de curieux piquets, plantés dans le fond boueux des lacs.

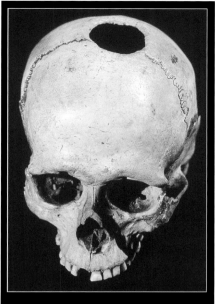

Quand le doute plane

Le problème de la théorie de Keller est qu'elle sous-entend un chantier très délicat. Pourquoi un peuple de l'âge de pierre se serait-il donné la peine d'enterrer des poteaux au fond d'un lac, quand il est nettement plus facile de le faire sur la berge ? On pouvait supposer que les villages lacustres sont plus faciles à défendre. Mais le chantier paraît démesuré par rapport à l'avantage offert et, dans les années cinquante, presque tous les spécialistes de l'histoire régionale alpine réfutèrent l'hypothèse de Keller en concluant que les maisons avaient été édifiées sur la berge. Cela ne réduit pas pour autant l'importance des travaux de l'antiquaire suisse, qui ont livré des informations très détaillées sur les anciens peuples agricoles d'Europe centrale.

Les premiers villages lacustres datent de la fin du néolithique, vers 2000 av. J.-C., et ils étaient encore habités bien après le début de l'âge du bronze. Les maisons, rectangulaires, étaient équipées d'un âtre en argile, mais l'incertitude demeure quant à savoir si les sols étaient surélevés ou si les habitants se contentaient de poser des planchers en bois sur la terre battue. Quoi qu'il en soit, le rôle premier des tas de rondins était probablement d'assurer la stabilité du sol. Les habitants faisaient apparemment peu de cas de l'emplacement de leurs ordures : des dizaines de milliers de débris en tout genre, ainsi que des objets en os en bon état et des cruches rondes munies d'anses, ont été retrouvés sur place. Les anses avaient une importance première, car elles permettaient de suspendre les réserves d'aliments au mur ou au plafond, à l'abri de l'humidité et des prédateurs.

D'autres trouvailles incluent des manches de haches (et non simplement la lame comme c'est souvent le cas sur les sites néolithiques), des restes de tissu et de la ficelle. Les indices sur l'alimentation des hommes préhistoriques sont tout aussi importants. Outre les os d'animaux sauvages ou d'élevage, les lieux étaient riches en brisures de blé, d'orge, de pois secs, de fruits sauvages et de noisettes, et en semences.

Un trou dans la tête

Dès 4000 av. J.-C., presque toutes les cultures européennes pratiquaient la trépanation pour libérer les démons enfermés dans le crâne des malades. Cette opération consistait à percer un cercle bien propre dans le crâne du malade avec des outils en silex taillé. De nombreux crânes portant la trace de ce traitement primitif de la folie ont été retrouvés. Le patient était anesthésié avec une préparation à base de plantes. Le silex taillé servait aussi aux amputations, probablement plus douloureuses.

Les fouilles qui ont lieu aujourd'hui dans les villages récemment découverts se poursuivent ; elles devraient permettre une meilleure compréhension de l'Europe du néolithique.

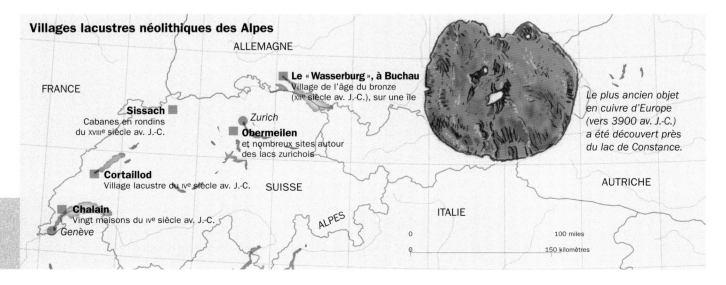

Villages lacustres néolithiques des Alpes

ALLEMAGNE

FRANCE

Le « Wasserburg », à Buchau
Village de l'âge du bronze
(XIIe siècle av. J.-C.), sur une île

Sissach
Cabanes en rondins
du XVIIIe siècle av. J.-C.

Zurich

Obermeilen
et nombreux sites autour
des lacs zurichois

Cortaillod
Village lacustre du IVe siècle av. J.-C.

SUISSE

Chalain
Vingt maisons du IVe siècle av. J.-C.
Genève

ALPES

ITALIE

Le plus ancien objet
en cuivre d'Europe
(vers 3900 av. J.-C.)
a été découvert près
du lac de Constance.

AUTRICHE

0   100 miles

0   150 kilomètres

L'OR DE VARNA
Trésors de l'âge du bronze

Les archéologues n'ont rien trouvé de comparable aux ors de Varna. Cette nécropole de 6 000 ans, sur la côte bulgare de la mer Noire, nous a livré le plus grand nombre d'objets préhistoriques en or et nous a révélé ainsi que les peuples d'Europe de l'Est disposaient, à la fin de l'âge du bronze, de richesses prodigieuses. L'or était un symbole de prestige et de pouvoir, mais le peuple de Varna en avait fait également une clé essentielle de ses rites religieux. Certains morts portaient un masque d'argile plaqué d'or ; d'autres des feuilles d'or par-dessus leurs vêtements, et d'autres encore étaient parés d'objets en or protégeant leurs parties génitales. La symbolique reste assez obscure, mais de toute évidence, la richesse était aussi importante dans la mort que dans la vie.

À droite *Cet objet en marbre du IVe ou IIIe millénaire av. J.-C. est incrusté d'or. Il a été trouvé dans la nécropole de Varna et pourrait représenter une idole féminine.*

Le hasard d'une découverte

Cette nécropole a été découverte par hasard, en 1972, lors des travaux d'enfouissement d'un câble le long de la rive nord d'un lac – ayant fait un jour partie de la mer Noire – non loin de la ville de Varna. Durant les quinze années suivantes, les fouilles ont mis au jour 281 tombes de l'âge du bronze sur une surface de 7 500 m², soit les trois quarts du site complet estimé. Une tombe sur cinq était un cénotaphe, c'est-à-dire un tombeau sans sépulture, garni d'objets précieux malgré l'absence évidente de restes humains. Seules vingt-trois tombes étaient vides de tout objet d'art. Six sur dix contenaient entre un et dix objets, les autres étant encore plus richement garnies : certaines abritaient jusqu'à un millier d'objets. L'or se trouvait en majeure partie dans les cénotaphes.

Le rite funéraire était toujours le même. Après le creusement d'une tranchée rectangulaire d'une profondeur de 30 cm à 2,50 m, le corps y était déposé – si corps il y avait. En général, le défunt était étendu, puis les objets funéraires étaient déposés sur lui ou à ses côtés. Mais il arrivait parfois qu'un mort soit enterré dans la position du fœtus : les genoux pliés et relevés, la tête penchée vers le bas. L'étude approfondie des différentes positions n'a pas permis de les associer

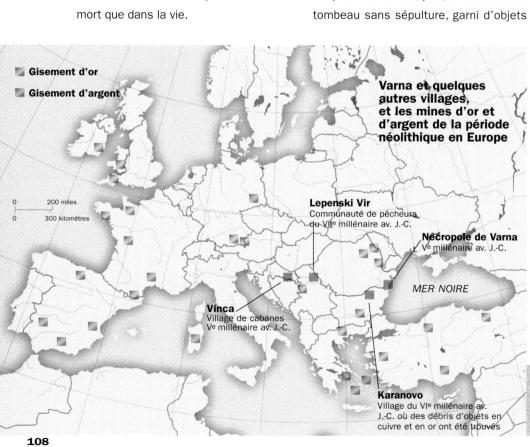

Gisement d'or

Gisement d'argent

Varna et quelques autres villages, et les mines d'or et d'argent de la période néolithique en Europe

0 — 200 miles
0 — 300 kilomètres

Lepenski Vir
Communauté de pêcheurs du VIIe millénaire av. J.-C.

Nécropole de Varna
Ve millénaire av. J.-C.

MER NOIRE

Vinca
Village de cabanes
Ve millénaire av. J.-C.

Karanovo
Village du VIe millénaire av. J.-C. où des débris d'objets en cuivre et en or ont été trouvés

4236 av. J.-C.	vers 4000 av. J.-C.
Date la plus ancienne des calendriers égyptiens.	Premiers agriculteurs en Grande-Bretagne.

Le trésor de Varna a été fabriqué à l'époque où les forgerons de la préhistoire expérimentaient des fourneaux à haute température.

à un type précis d'artefacts et seules des hypothèses peuvent donc être avancées.

Les cénotaphes individuels numéros 1, 4 et 36 étaient particulièrement riches en objets en or. Le n° 1 en contenait 216, pour un poids total de 1,1 kg. Le n° 4 était garni de 339 objets pesant 1,518 kg, et le n° 36 en livra 857, pour 789 g. D'autre part, les cénotaphes 2, 3 et 15 abritaient des masques d'homme en argile, sur lesquels des traces de décoration à l'or étaient encore visibles. Ces masques étaient sûrement une matérialisation de l'âme des défunts.

Parmi tous les tombeaux, le n° 43 s'imposait comme le plus extraordinaire. Il contenait le squelette d'un homme d'environ 45 ans, mesurant 1,75 m, entouré et couvert de près de mille objets en or.

Son « sceptre royal », en bois plaqué or, était surmonté d'une tête de massue en pierre. De lourds bracelets d'or enserraient ses bras, et il était entouré d'autres objets moins précieux en terre, en pierre, en cuivre et en coquillages. Les objets en cuivre (marteaux, haches, fibules, bagues et ornements) nous ont beaucoup appris. Des analyses ont défini ces pièces comme les plus anciennes d'Europe, datant du temps où quelques communautés préhistoriques s'efforçaient de maîtriser le travail à très haute température exigé par l'art du cuivre.

Pour mener leurs expériences, les hommes de Varna disposaient certainement de métal en abondance. Il y avait d'importants gisements de minerai de fer au nord-ouest et au sud-ouest du site,

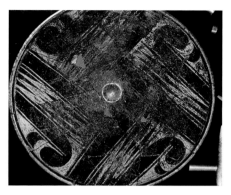

Ci-dessus *Vue générale d'un magnifique plateau. Les objets en or découverts à Varna ont 1 500 ans de plus que ceux de Troie.*

et des débris en cuivre et en or datant du VIᵉ millénaire av. J.-C. ont été retrouvés dans le village de Karanovo, à moins de 100 km. Toutefois, rien n'indique que cette aisance économique ait entraîné la création immédiate d'une société de classes ou a simplement constitué un pas vers une société plus hiérarchisée.

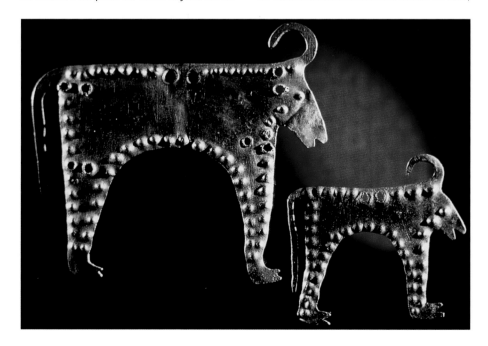

À gauche *À Varna, certaines tombes contenaient des masques en argile réhaussés d'or, peut-être à l'effigie d'une déesse de la vie et de la mort.*

ÖTZI, L'HOMME DES GLACES
Enterré dans la glace

La scène se déroule sur un flanc de montagne, en altitude, dans les Alpes autrichiennes. Titubant le long d'un glacier, un voyageur solitaire lutte contre une tempête de neige et s'épuise un peu plus à chaque pas. Incapable de poursuivre, il finit par s'effondrer dans la neige. Quelques heures suffisent à congeler son corps, qui est plus tard séché par les vents doux de l'automne, puis englouti dans les glaces de l'immense massif cristallin de l'Ötztal, dans le sud du Tyrol.

Cette fin est peut-être celle commune à de nombreux hommes de l'âge de pierre. Pourtant, en dépit de son triste sort, le corps du malheureux homme n'a

pas été perdu. Plus de 5 000 ans plus tard, dans le désert du Sahara, une tempête de sable souleva un gros nuage de poussière qui alla se déposer en partie sur le glacier de Similaun. Cette couche de sable absorba les rayons du soleil et la neige superficielle se mit à fondre. Le 19 septembre 1991, un groupe d'alpinistes allemands trouva un sujet de photo-souvenir très inattendu : le corps intact d'un homme préhistorique.

Parce qu'il se trouvait à 3 200 m d'altitude, il fallut attendre quatre jours avant que les autorités autrichiennes ne partent à sa recherche et ramassent le cuir, le bois, l'herbe et les objets en silex qui se trouvaient alentour. Cet homme, surnommé Ötzi, fut transporté au service d'anatomie de l'université d'Innsbruck et conservé dans une chambre froide à 6 °C et 98 % d'humidité. En quelques mois, les archéologues purent reconstituer le

tableau de sa vie et de sa santé, d'une façon jusque-là réservée à la science-fiction.

Les secrets d'Ötzi

Les chercheurs purent établir qu'Ötzi était mort entre 25 et 40 ans, qu'il mesurait 1,60 m et pesait 54 kg, et ils surent, après une analyse ADN, qu'il descendait directement d'autres populations d'Europe du Nord. Ses dents étaient très abîmées, soit parce qu'il s'en servait comme d'un outil, soit parce qu'il mangeait beaucoup de céréales grossièrement écrasées. Il était chauve et imberbe, mais les centaines de fragments de cheveux bruns et bouclés trouvés près

Ci-dessous *Le corps d'Ötzi est transporté à l'université d'Innsbruck, où des études et des analyses révéleront des données très détaillées sur sa vie.*

Lieu de découverte de l'homme des glaces du Tyrol

Sommets alpins de plus de 3 900 m

ALLEMAGNE

Innsbruck

AUTRICHE

Inn

MASSIF DE L'ÖTZTAL

Wildspitze

SUISSE

La hache en cuivre d'Ötzi

Ötzi, l'homme des glaces du Tyrol, fut découvert par des alpinistes allemands près du glacier de Similaun, à 90 m de la frontière italienne.

vers 3500 av. J.-C.	3500 av. J.-C.	vers 3500 av. J.-C.	vers 3200 av. J.-C.	vers 3100 av. J.-C.	vers 3100 av. J.-C.	vers 3000 av. J.-C.	vers 3000 av. J.-C.
Construction des premiers tombeaux et cercles mégalithiques.	Fondation de la plus ancienne ville chinoise (civilisation Longshan).	Fabrication de boissons alcoolisées au Moyen-Orient.	Premières civilisations des Cyclades, en mer Égée.	Le roi Ménès unifie l'Égypte.	Invention de l'écriture pictographique à Sumer.	Établissement de villages ruraux en Amazonie.	Édification des premiers temples en pierre, à Malte.

À gauche *L'étude de son corps a permis d'établir que cet homme, qui vécut il y a plus de 5 000 ans, avait de nombreux problèmes de santé.*

de son corps et sur ses vêtements indiquent qu'il s'était coupé (ou fait couper) les cheveux peu avant sa mort. Le lobe de son oreille était marqué d'un carré imparfait – probablement laissé par un bijou en pierre – et tatoué d'étranges lignes bleues de 1 cm de long. Le creux de son dos était lui aussi strié des deux côtés, tout comme son mollet gauche et

sa cheville droite, alors que son genou était orné d'une croix.

Il pourrait s'agir de tatouages thérapeutiques et non décoratifs. Ötzi était torturé par l'arthrite, qui touchait sa hanche droite, le bas de son dos et son cou. L'analyse d'un ongle a montré qu'il avait cessé de pousser (signe de mauvaise santé) par intermittence, quatre, trois et deux mois avant la mort d'Ötzi. L'homme avait aussi enduré huit fractures des côtes, guéries ou en cours de guérison, ses poumons (exposés à de trop nombreux feux!) étaient très encrassés, et l'un de ses petits orteils était atteint d'engelures chroniques. Compte tenu de ce triste bilan de santé, c'est un miracle qu'il ait pu escalader la montagne, même si nous devons veiller à ne pas appliquer nos normes aux chasseurs de cette époque. Malgré tout, son mauvais état physique et les douleurs qu'il endurait ont très certainement été un facteur décisif dans sa triste fin.

Cinq ans plus tard, il a été établi qu'en réalité, Ötzi avait été trouvé sur le territoire italien, à 90 m de la frontière, et les autorités autrichiennes le livrèrent alors au musée de Bolzano, en Italie.

Ses tatouages pourraient être des marques de traitement de l'arthrite par acuponcture.

Les vêtements, les armes et les accessoires de survie du néolithique retrouvés près d'Ötzi témoignent d'un haut niveau de sophistication et d'habileté manuelle. Ötzi portait une hache en cuivre, un poignard en silex à manche de frêne, un étui en herbe tressée, une pierre à aiguiser, un sac à dos en mélèze et coudrier, un matelas et un sac en fibre végétale, une « sacoche-repas » en écorce de bouleau contenant une prunelle (ce qui laisse à penser une mort en automne), deux morceaux de polypores aux propriétés antibiotiques (mais qui servaient peut-être à allumer le feu), une « trousse de couture » avec un os et un fil, un manteau en fibre végétale, une jambière en peau, un bonnet de fourrure, et des chaussures en cuir – de pointure 40 – ayant subi de nombreuses réparations. Sa principale arme de chasse était un arc en if de 1,80 m, probablement assoupli à la graisse d'animal. Le carquois, en peau de cerf, contenait des flèches de 75 cm, dont deux étaient encore assez pointues pour être utilisées. Ces flèches étaient équipées d'une triple série de plumes, qui les faisait filer droit tout en tournoyant. L'homme de l'âge de pierre maîtrisait déjà, semble-t-il, des rudiments de balistique.

vers 3000 av. J.-C.	vers 2900 av. J.-C.	vers 2750 av. J.-C.	vers 2750 av. J.-C.	vers 2685 av. J.-C.
Première utilisation de la charrue en Chine.	Début de la poterie en Amérique (Équateur et Colombie).	Plusieurs civilisations se développent dans la vallée de l'Indus, en Asie.	À Babylone, rédaction de l'*Épopée de Gilgamesh*.	Fondation de l'Ancien empire d'Égypte et début de l'édification des pyramides.

SACRIFICE OU EXÉCUTION ?
L'homme de Tollund

De même que la glace a préservé Ötzi, la tourbe acide du nord de l'Europe a empêché des corps humains de se décomposer. Au fil du temps, plusieurs centaines de corps ont été découverts, le plus souvent par des tourbiers. Dans bien des cas, il s'agissait d'hommes tués lors d'un rite, que ce soit un sacrifice ou une condamnation. Ils sont morts, pour la plupart, entre le IIIe siècle av. J.-C. et le IVe apr. J.-C. – la crémation était alors couramment pratiquée –, l'emplacement des corps dans la tourbe ayant certainement une signification religieuse. Comme les lacs et les cours d'eau, la tourbe était censée abriter les dieux, et des armes et des objets en métal y étaient déposés en guise d'offrandes.

L'un des plus remarquables est un superbe chaudron en argent de type celte, trouvé à Gundestrup, au Danemark, non loin de trois cimetières de tourbe. Il est orné de treize motifs en relief, chacun représentant un dieu celte entouré d'animaux, réels ou mythiques, et de scènes de sacrifice. Il daterait de 200 av. J.-C. environ et proviendrait du sud-est de l'Europe.

Le corps le plus célèbre est celui de l'« homme de Tollund ». Il fut découvert le 8 mai 1950 par deux tourbiers de Tollund Fen, au Danemark, qui firent venir la police, croyant voir là un homme mort depuis peu. Sa peau et ses traits étaient en parfait état, à tel point que tous ses rides et ses poils de barbe étaient

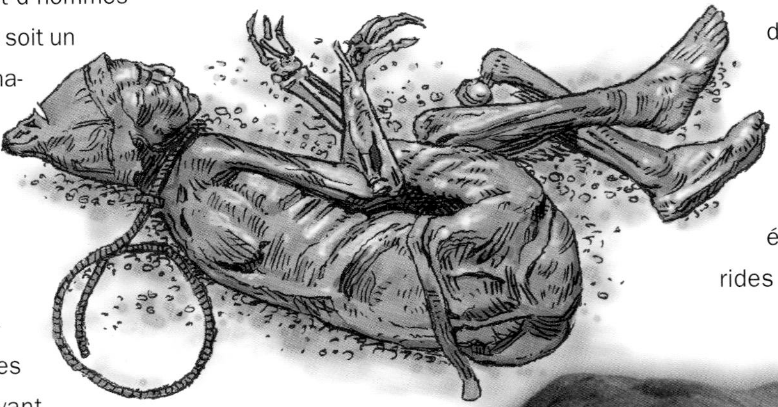

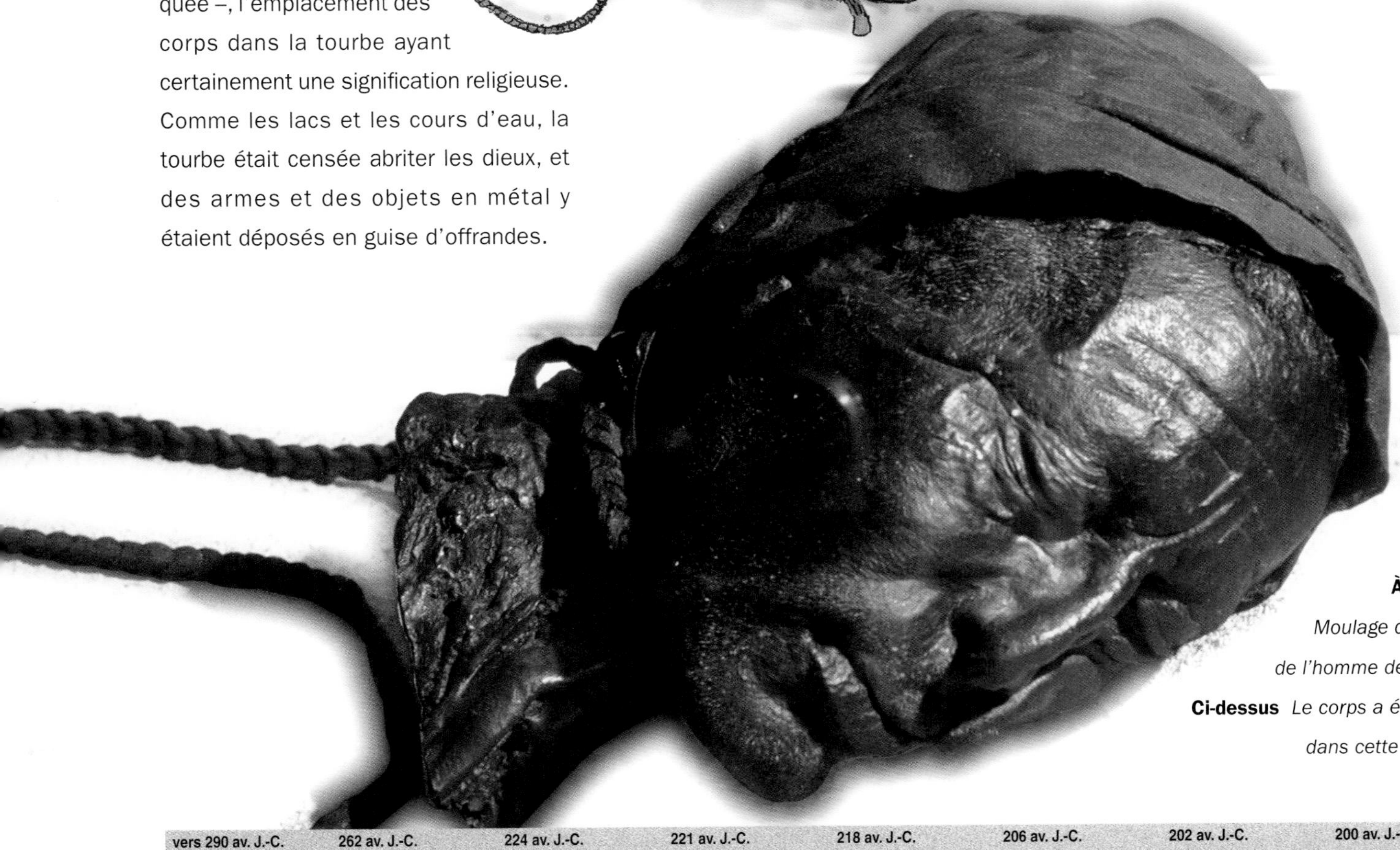

À gauche

Moulage de la tête de l'homme de Tollund.

Ci-dessus *Le corps a été trouvé dans cette position.*

vers 290 av. J.-C.	262 av. J.-C.	224 av. J.-C.	221 av. J.-C.	218 av. J.-C.	206 av. J.-C.	202 av. J.-C.	200 av. J.-C.
Fondation de la bibliothèque d'Alexandrie.	Ashoka, roi indien de la dynastie des Maurya, se convertit au bouddhisme.	Le colosse de Rhodes, l'une des Sept Merveilles du monde, est détruit par un séisme.	Fondation de la Chine féodale par Shi Huangdi, roi de la dynastie Qin.	Hannibal de Carthage envahit l'Italie.	Rome prend le contrôle de l'Espagne.	La dynastie des Han réunifie la Chine.	L'Étrurie tombe sous le contrôle des Romains.

Sinistre découverte dans les tourbières danoises.
S'agit-il d'un sacrifice rituel ou d'un meurtre ?

nettement visibles. Les seules traces du temps passé sous terre étaient son allure squelettique et sa couleur sombre. L'archéologue Peter Glob rassura aussitôt les policiers : les éventuels témoins des faits avaient disparu depuis deux mille ans.

L'homme de Tollund était couché nu, paré seulement d'un bonnet en cuir et d'une ceinture. Il avait les yeux fermés et les lèvres pincées, comme s'il méditait sur son sort. La lanière en cuir ayant servi à le pendre était toujours enroulée autour de son cou et ses genoux étaient remontés contre son estomac, dans la position du fœtus. Une autopsie a montré que ses viscères étaient intacts et qu'il avait eu pour dernier repas une bouillie à l'orge

et aux céréales sauvages de fin d'hiver ou du printemps – ce qui indique la saison à laquelle l'homme avait été tué. Parmi les hommes trouvés dans ces tourbières, d'autres avaient eux aussi mangé les mêmes aliments ; et certains archéologues en déduisent qu'il pouvait s'agir d'un repas rituel avant une mise à mort.

Une fin cruelle... et inexpliquée

Ces hommes étaient-ils des criminels, des sacrifiés, ou les deux à la fois ? Le mystère reste entier. Certains d'entre eux ont subi une mise à mort violente et douloureuse. Au Danemark, l'homme de Grauballe (vers 310 apr. J.-C.) a eu la gorge tranchée d'une oreille à l'autre. La femme d'Huldremose (vers 100 apr. J.-C.), elle aussi découverte au Danemark, a été cruellement tailladée et son bras droit coupé. La fille de Yde, en Hollande (Ier siècle apr. J.-C.) a été étranglée. L'homme de Lindow (IIe siècle apr. J.-C.), dans le comté de Chester, en Angleterre, a été frappé à la tête, garrotté et égorgé. Ces exécutions sordides étaient monnaie courante. Une tombe anglo-saxonne où une femme avait été enterrée vivante a été trouvée à Sewerby, dans le Yorkshire (loin des tourbières). Après qu'elle a été jetée dans le tombeau d'une jeune fille – qu'elle avait peut-être tuée ? –, son dos avait été écrasé par une grosse pierre.

Elle avait tout le corps arc-bouté et les poings serrés, témoignant de ses tentatives désespérées pour échapper à l'inévitable.

D'après certains historiens, dont Tacite, les peuples d'Europe du Nord enterraient dans la tourbe ceux qui étaient coupables de « crimes » tels que l'homosexualité, la lâcheté ou la désertion. Il semble qu'à l'âge du fer, certains criminels étaient d'abord noyés, maintenus sous l'eau au moyen d'une branche fourchue piquée en terre, puis jetés dans un lac sacré ou dans une tourbière, en guise de sacrifice aux dieux. Cette explication convient à certaines découvertes, mais pas à toutes. Tout d'abord, ces corps étaient, dans de nombreux cas, ceux de femmes, et même de jeunes filles. La fille de Windeby, au nord de l'Allemagne (Ier siècle apr. J.-C.), avait à peine 14 ans ; elle avait les yeux bandés et le crâne rasé sur la moitié gauche. Par ailleurs, certains corps paraissent appartenir à des personnages jouissant d'une incontestable importance sociale, leurs mains, n'offrant pas la moindre marque dénotant une activité manuelle et leurs corps ayant été soigneusement parés avant la mise à mort.

On peut alors se demander si être choisi comme victime expiatoire ne correspondait pas à un honneur, et non pas simplement à un châtiment.

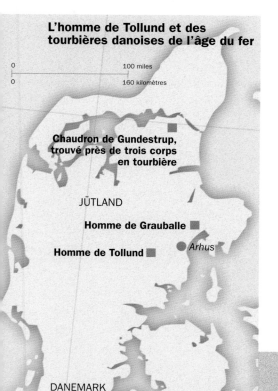

L'homme de Tollund et des tourbières danoises de l'âge du fer

0   100 miles
0   160 kilomètres

Chaudron de Gundestrup, trouvé près de trois corps en tourbière

JÜTLAND

Homme de Grauballe ■

Homme de Tollund ■ ● *Arhus*

DANEMARK

LES NAVIRES FUNÉRAIRES DES VIKINGS

Voyage vers le Walhalla

Les Vikings étaient d'étonnants navigateurs. Ils devaient leur pouvoir militaire, leur statut social, leurs richesses (acquises lors de pillages et d'expéditions vers les régions côtières), et leur goût de l'aventure et de l'exploration à leurs drakkars, vaisseaux rapides et élégants. Et ces bateaux étaient autant des symboles de renaissance après la mort que des moyens de transport dans l'au-delà. Contrairement aux prédicateurs chrétiens, qui méprisaient les biens matériels et soutenaient que la prospérité en ce monde n'était d'aucun secours aux défunts, les poètes et les conteurs de sagas vikings étaient persuadés qu'un homme riche avait besoin de tous ses biens dans l'au-delà. En général, il s'agissait d'un navire et de serviteurs, d'armes, de chariots, de chevaux, de vêtements, de bijoux, d'ustensiles divers, et même d'aliments. L'approche dénotait un certain fatalisme : un chef de clan dans cette vie le resterait dans la suivante ; et un esclave ne pouvait que s'attendre à le demeurer. Seul un guerrier tué au combat avait une chance de monter en grade et de participer au festin éternel du Walhalla.

Les Scandinaves admettaient la nature spirituelle de ce voyage vers la mort. Il n'était pas absolument nécessaire d'être enterré dans un véritable navire, car tout le monde n'en possédait pas. Ainsi, certains des corps retrouvés incinérés dans les tombes peu profondes de Lindholm Hoje, au nord de la province danoise du Jütland, avaient été brûlés ailleurs, puis ramenés sur cette terre sacrée et enfin déposés dans des trous empierrés, symbolisant des bateaux. Quand les pierres avaient rempli leur fonction symbolique – conduire les morts vers le dieu Odin et ses walkyries (ses servantes), elles étaient récupérées.

De tous les bateaux funéraires connus à ce jour, ceux de Gokstad et d'Oseberg, en Norvège, offrent la vision la plus fascinante de la vie des Vikings au IXe siècle. Celui de Gokstad, découvert sous un tumulus en 1880, est un bateau de guerre de 25 m de long, équipé à la fois de rames et de voiles. Il a été construit selon une méthode scandinave éprouvée, la coque, fine et peu profonde, étant constituée de virures ou de bordages épais calfatés avec du poil d'animal, et la quille étant profonde. Ce type d'embarcation permettait de naviguer longtemps, tout en restant facilement

Ci-dessus *Détail des gravures foisonnantes du bateau d'Oseberg (ici le coin d'un traîneau).*

manœuvrable pour pouvoir s'engager sur un fleuve ou une rivière et accoster à peu près n'importe où. Des milliers de peuples des côtes européennes ont appris à leurs dépens que les assaillants vikings pouvaient accoster par surprise, en remontant des eaux considérées comme impraticables.

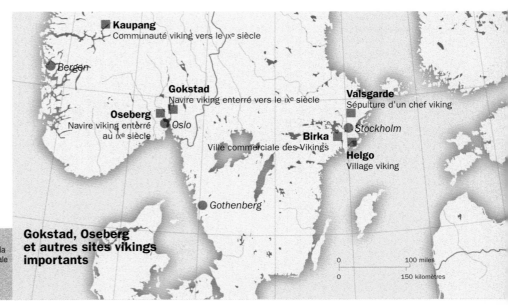

Gokstad, Oseberg et autres sites vikings importants

Kaupang
Communauté viking vers le IXe siècle

Bergen

Gokstad
Navire viking enterré vers le IXe siècle

Oseberg
Navire viking enterré au IXe siècle

Oslo

Valsgarde
Sépulture d'un chef viking

Stockholm

Birka
Ville commerciale des Vikings

Helgo
Village viking

Gothenberg

0   100 miles
0   150 kilomètres

775 apr. J.-C.	781 apr. J.-C.	794 apr. J.-C.
L'empire de Srivijaya conquiert la Malaisie.	Le christianisme s'étend jusqu'en Chine.	Tokyo devient la nouvelle capitale du Japon.

Seuls les guerriers les plus valeureux tombés au combat pouvaient espérer rejoindre le Walhalla.

Dans le bateau de Gokstad, un cercueil en bois abritait le squelette d'un homme. La plupart de ses biens avaient été volés depuis longtemps par des pillards, mais il restait douze chevaux, six chiens et, plus surprenant, un paon. Il y avait aussi un traîneau, plusieurs petits navires et un énorme chaudron. Le navire d'Oseberg, découvert 23 ans plus tard, pourrait être le tombeau d'Asa, reine viking impérieuse et manipulatrice, morte vers le IXe siècle apr. J.-C. Là aussi, des « visiteurs » avaient pillé les objets précieux, mais il restait le corps de deux femmes – une jeune et une âgée –, ainsi que des squelettes de chevaux, des couvertures, des ustensiles domestiques et un chariot. Les archéologues furent convaincus de l'importance du site quand ils découvrirent des gravures sur bois d'une qualité telle qu'elles n'avaient pu être que le fruit d'une commande royale. La nature argileuse et tourbeuse du sol a protégé cette œuvre d'art des ravages du temps.

Des gravures très élaborées

Les plus belles gravures se trouvent à la proue du navire, et ornent le chariot et les trois traîneaux. Il s'agit de longues séries de bêtes à plusieurs bras « entrelacés », serrant toutes quelque chose entre leurs pattes – elles-mêmes, le cadre ou les dessins autour ; de têtes d'animaux élaborées, disposées sur les flancs des traîneaux (probablement pour repousser les mauvais esprits) ; et de scènes de combat entre des bêtes fantastiques et mythiques. Sur l'un des motifs gravés à l'avant du chariot, un homme est aux prises avec des serpents, tandis qu'un monstre à tête de crapaud le mord sur le flanc. Ce que cela pouvait signifier dans l'au-delà reste flou, mais il semble que ce style artistique chargé et touffu n'ait duré qu'un temps. Dès le Xe siècle, les artistes vikings avaient adopté des lignes plus légères et plus fines.

Ci-dessus *Poignée d'une épée viking. Les armes raffinées servaient à la fois de moyen d'attaque et de monnaie d'échange.*

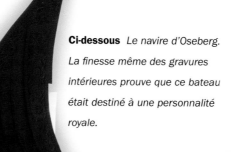

Ci-dessous *Le navire d'Oseberg. La finesse même des gravures intérieures prouve que ce bateau était destiné à une personnalité royale.*

800 apr. J.-C.	vers 800 apr. J.-C.	vers 840 apr. J.-C.	850 apr. J.-C.	863 apr. J.-C.	vers 873 apr. J.-C.	878 apr. J.-C.	930 apr. J.-C.
Charlemagne devient empereur d'Occident.	En Mésopotamie, la culture abbasside atteint son apogée.	Le monde arabe invente l'algèbre.	Fondation de la communauté yiddish en Allemagne.	Apparition de l'alphabet cyrillique en Europe de l'Est.	Les mathématiciens arabes inventent le zéro.	Les Danois sont vaincus et repoussés dans le Wessex.	En Espagne, la ville de Cordoue devient un haut lieu de commerce et de science du monde arabe.

LES TEMPLES DE L'ÎLE DE MALTE
Le raffinement de l'âge de pierre

Quand les voyageurs des XVIIIe et XIXe siècles découvrirent les temples de Malte, ils en conclurent que ceux-ci avaient été édifiés sous l'influence des Égyptiens ou des grandes civilisations de l'est de la Méditerranée. C'était une grande erreur. Nous savons aujourd'hui que ces impressionnantes structures mégalithiques ont été érigées bien avant l'arrivée des Perses, et même avant les premières pyramides. Si l'on tient à leur trouver des points communs avec d'autres sites, il faut plutôt se tourner vers l'architecture de l'âge de pierre dans les îles Britanniques (Stonehenge et Maes Howe, par exemple), édifiées à la même époque (vers 3000 av. J.-C.) par un petit groupe isolé d'hommes néolithiques qui maîtrisaient des techniques assez avancées.

De même que Stonehenge a posé à ses créateurs d'importants problèmes pour le transport des matériaux et la logistique du chantier, les bâtisseurs maltais ont dû trouver un moyen de manipuler des blocs de pierre de plus de 50 tonnes avec une main-d'œuvre limitée. Les outils en métal n'existaient pas, le langage écrit non plus, mais ils parvinrent néanmoins à élever plus de vingt temples, tout en trouvant encore du temps pour la pêche et les travaux agricoles. Le temple de Mnajdra, avec son « trilithon » monumental, où deux pierres verticales soutiennent une pierre transversale, est l'un des plus impressionnants. Une étude rapprochée de ces murs montre qu'ils sont incurvés vers l'intérieur, du bas vers le haut – ce qui laisse à penser qu'ils soutenaient peut-être un toit en encorbellement.

La « grosse dame » de Tarxien

Ces temples sont également remarquables par les statues qu'ils abritent, tout particulièrement la « grosse dame » de Tarxien. Il serait plus juste de parler des jambes de la grosse dame, car il n'en reste que la jupe et les jambes. Lorsqu'elle était entière, cette statue devait mesurer près de 3 m de haut et représentait probablement une déesse,

Ci-dessous *L'entrée de l'un des temples maltais. L'emploi de mégalithes est le signe d'une société bien organisée.*

À gauche *Les ruines de ce temple déploient leur beauté austère devant la mer.*

qu'il est difficile de déterminer. D'autres temples recèlent eux aussi de nombreuses statues de femmes, ce qui suggère un culte de la fécondité reposant sur une ou plusieurs divinités, ou une adaptation de mythes religieux étrangers. La déesse-mère de Tarxien a des cuisses et des hanches démesurées ; c'est peut-être un symbole de fertilité, ou simplement une mise en valeur de sa taille physique, et donc de son importance. Un autel décoré et un couteau en silex ayant pu servir à des meurtres sacrificiels ont été retrouvés dans ce même temple, près duquel se trouve un crématorium plus récent (datant de 1400 av. J.-C.), riche en poteries et en poignards métalliques.

Les Maltais ensevelissaient leurs morts très loin des temples. Au lieu d'aménager des cimetières proches, ils creusaient dans la roche des tombeaux souterrains – appelés hypogées – et y déposaient les cendres des morts. L'hypogée de Hal Safliéni, découvert lors des travaux de construction d'un lotissement, en est l'un des plus beaux exemples. Il s'agit d'un ensemble de vingt salles, reliées entre elles par des galeries dont beaucoup sont ornées de bas-reliefs et étagées par des poutres et des linteaux. Certains murs sont ornés de dessins de troupeaux. Il se peut que ces hypogées, uniquement accessibles par une ouverture dans le toit, aient influencé le style des temples plus tardifs. À en juger par les restes des 7 000 corps qu'il contenait, le site de Hal Safliéni est, quant à lui, resté en usage pendant des siècles.

Ci-dessous *Frise en pierre sculptée de spirales. De nombreuses cultures préhistoriques européennes appréciaient ce motif.*

Les autres sites néolithiques de Malte

Il semble qu'une civilisation néolithique innovatrice ait prospéré à la fin du IVe et au IIIe millénaire av. J.-C., à la fois à Malte et en Sicile, à plus de 150 km au nord. Des liens culturels existaient bel et bien entre les deux îles. Les centaines de tombeaux en pierre taillée de Castelluccio, en Sicile, sont fidèles aux rites funéraires maltais. En plus de Tarxien, les deux plus grands sites de Malte sont Gjantija – temple apparemment voué au culte d'une déesse de la nature – et le cercle de Brochtorff, sanctuaire qui contenait les restes de 60 personnes. Le tombeau central de Brochtorff était dédié à plusieurs idoles, incluant une tête d'homme gravée, un cochon gravé dans la pierre et une jarre en pierre.

Les temples des IIe et IVe millénaires av. J.-C. à Malte et à Gozo

GOZO — **Gjantija**
Temples mégalithiques consacrés à l'adoration des dieux de la nature

Cercle de Brochtorff
Tombeaux collectifs en pierre

MALTE

Temple de Tarxien

```
0          20 miles
0        30 kilomètres
```

Les statues de femmes obèses étaient peut-être liées au culte maltais de la déesse-mère.

3500 av. J.-C.	3114 av. J.-C.	vers 3000 av. J.-C.	vers 3000 av. J.-C.	vers 3000 av. J.-C.	vers 2950 av. J.-C.	vers 2800 av. J.-C.	vers 2700 av. J.-C.
Les agriculteurs d'Europe attellent des animaux à leurs outils.	Création du calendrier qui sera ensuite adopté par les Mayas.	Développement des hiéroglyphes en Égypte.	Le maïs devient l'aliment de base au Mexique.	Début du chantier de Carnac, en France.	Ménès devient le premier pharaon d'Égypte.	Développement de l'agriculture en Amazonie.	Les Chinois tissent de la soie.

CHAPITRE 8

LA RUSSIE ET L'ASIE CENTRALE

Si l'homme moderne est né en Afrique, il a grandi en Asie. C'est là que, pendant plus d'un million d'années, les premiers colons ont progressivement gagné le nord, à la recherche de nouveaux terrains de chasse ; seul le refroidissement du climat sur toute la planète a freiné cette avancée. L'Amérique du Nord a été découverte récemment – il n'y a que 12 000 ans – par des hommes qui avaient emprunté la voie étroite reliant alors l'Asie et l'Alaska. Cette terre avait émergé peu de temps auparavant, après le recul du niveau de la mer dû à la progression de la glace et, d'après certaines théories, la colonisation de tout le continent américain a débuté ainsi.

Ci-dessous *Autel à trépied découvert en Serbie.*

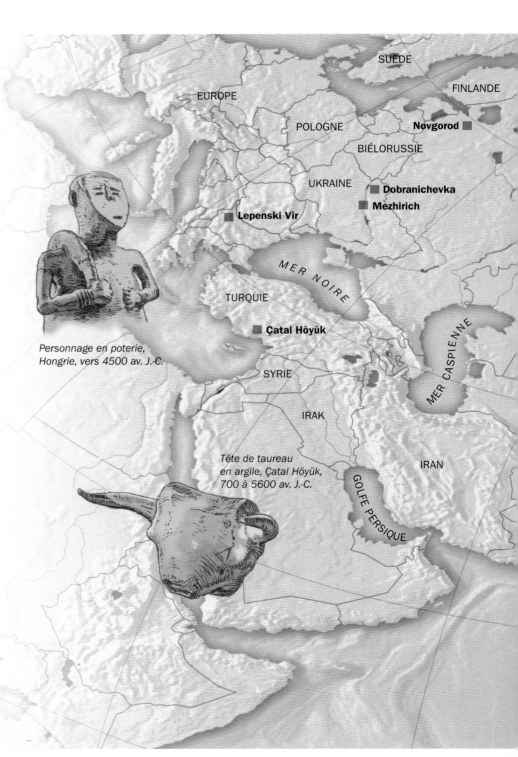

Personnage en poterie, Hongrie, vers 4500 av. J.-C.

Tête de taureau en argile, Çatal Höyük, 700 à 5600 av. J.-C.

Toutefois, l'Asie centrale offre un héritage archéologique très riche, qui ne se limite pas à cette histoire de migration. Comme l'ont révélé les os de mammouths découverts en Russie, les premiers hommes avaient trouvé les moyens de lutter contre des conditions de vie difficilement imaginables. Le village de pêcheurs de Lepenski Vir offre un vestige fascinant de cette culture des îles, où l'on s'efforçait de mener une vie traditionnelle, malgré les progrès de la production alimentaire dans les régions voisines. Malgré aussi le développement de la vie urbaine, inventée par les 6 000 habitants que comptait Çatal Höyük, florissante métropole de l'âge de pierre. Plus à l'est, l'un des plus grands et plus mystérieux peuples de l'histoire ancienne – la civilisation de l'Indus – a peu à peu dominé un immense territoire en Inde occidentale et au Pakistan.

Beaucoup plus tard, alors que l'ouest de l'Europe subissait les offensives des Vikings, les premiers princes de la Russie centrale établirent patiemment leurs petits royaumes et leurs États-cités, avec des capitales telles que la superbe ville médiévale de Novgorod avec ses rues pavées de bois et ses maisons typiques. C'est ici même que les hordes de conquérants menées par les successeurs de Gengis Khan ont été stoppées ; loin d'être intimidés par leurs ennemis, ils ont surtout abandonné, découragés par les marais et les forêts impénétrables.

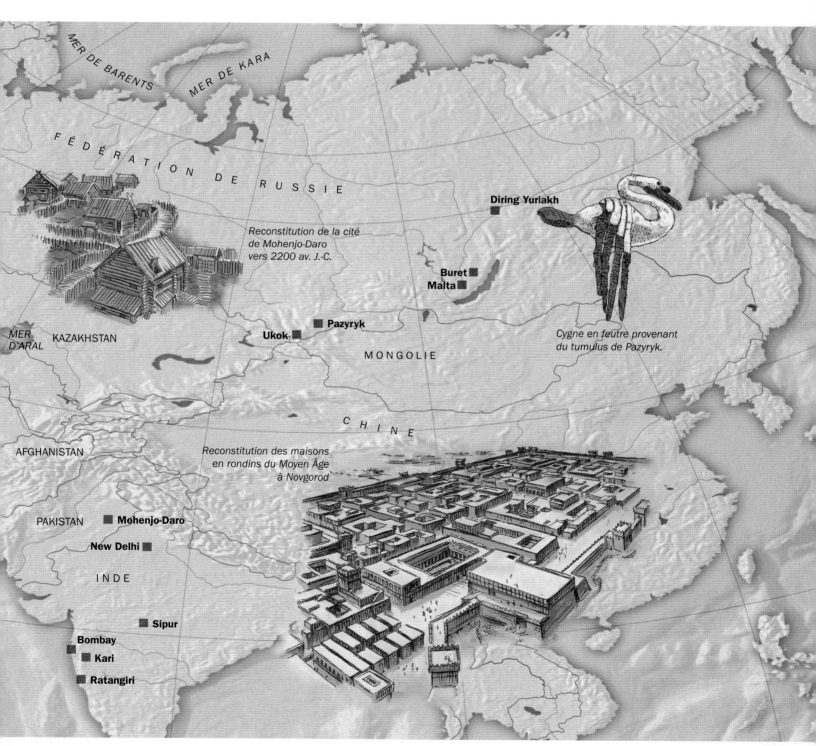

MER DE BARENTS

MER DE KARA

FÉDÉRATION DE RUSSIE

Diring Yuriakh

Reconstitution de la cité de Mohenjo-Daro vers 2200 av. J.-C.

Buret
Malta

Pazyryk

Ukok

MONGOLIE

Cygne en feutre provenant du tumulus de Pazyryk.

MER D'ARAL

KAZAKHSTAN

CHINE

AFGHANISTAN

Reconstitution des maisons en rondins du Moyen Âge à Novgorod

PAKISTAN   Mohenjo-Daro

New Delhi

INDE

Sipur

Bombay

Kari

Ratangiri

L'ARRIVÉE DE L'HOMME EN ASIE
Des hommes surgissant des glaces

Voici deux millions d'années environ, les premiers *Homo erectus* quittaient l'Afrique et gagnaient l'est afin d'explorer les régions tropicales d'Asie centrale. Un million d'années plus tard, les descendants de ces pionniers gagnaient le nord, où le climat était plus doux et tempéré ; vers 700 000 av. J.-C., ils avaient ainsi atteint 45° de latitude N (à la hauteur du sud de la France, de la mer Noire et du nord de la Chine). Toutes ces estimations ne sont toutefois *que* des estimations.

La mâchoire et les outils rudimentaires en pierre d'un *Homo erectus* ont été retrouvés à Dmanisi, dans les montagnes du Caucase méridional, en Géorgie. Ils pourraient dater de 1,5 million d'années. De plus, certains experts estiment que les couperets en pierre découverts à Diring Yuriakh, le long de la Léna, en Sibérie, datent d'un million d'années – mais ce site se trouve à une latitude de 61°, ce qui ne correspond pas à la première théorie.

Nous n'en savons guère plus sur les mouvements de population et la répartition des terres entre l'*Homo erectus* – espèce d'*Homo sapiens* au cerveau développé à laquelle nous appartenons – et l'homme de Neandertal européen. Plusieurs théories tentent d'expliquer pourquoi l'*Homo sapiens* a supplanté toutes les autres espèces humaines (voir le chapitre sur l'Afrique), mais pendant plusieurs milliers d'années, ces espèces ont coexisté dans le sud de l'Europe et en Asie. On considère que la migration vers le nord reposait sur un besoin de plus en plus affirmée de manger de la viande – ce qui nécessitait de trouver sans cesse de nouveaux territoires de chasse pour s'y installer de manière provi-

À gauche *L'Asie a su produire des œuvres très originales, comme ce tapis du Vᵉ ou IVᵉ millénaire av. J.-C., le plus ancien ayant été découvert.*

Les momies congelées

Les montagnes de l'Altaï, en Sibérie, abritent plusieurs tombeaux congelés remarquables, mais relativement récents. Deux sites en particulier – Pazyryk et Ukok – nous ont livré des détails exceptionnels sur la vie des hommes de l'âge de fer, pour qui les chevaux étaient un élément essentiel de leur vie nomade. Ces tribus d'aventuriers parcouraient de longues distances en montagne, élevaient des troupeaux de moutons et entretenaient des relations commerciales avec la Chine et la Perse, pourtant fort lointaines. La température glaciale a momifié les corps, dont certains étaient tatoués d'images d'animaux sauvages très imaginatives. Ils étaient entourés de vêtements en cuir, de tentures en feutre, d'objets décoratifs en or et en argent, de bijoux, de miroirs, et de plateaux en bois garnis de viande de cheval et de mouton. À Ukok, six chevaux morts avaient été disposés à l'entrée de l'une des tombes, chacun abattu d'un coup sur la tête.

FÉDÉRATION

Frontières politiques actuelles

● Karaganda

Pazyryk ■

Ukok ■

KAZAKHSTAN

CHINE

vers 4 000 000 av. J.-C.	vers 3 800 000 av. J.-C.	vers 2 000 000 av. J.-C.	vers 700 000 av. J.-C.	vers 250 000 av. J.-C.
Évolution des hominidés bipèdes.	Les premiers hominidés vivent en groupes de famille nucléaire.	Parti d'Afrique, l'*Homo erectus* commence à s'installer en Asie.	L'*Homo erectus* vit au nord de la latitude 45°.	Quelques *Homo erectus* montrent des signes d'évolution vers l'*Homo sapiens*.

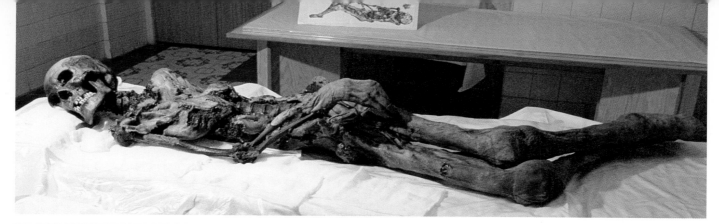

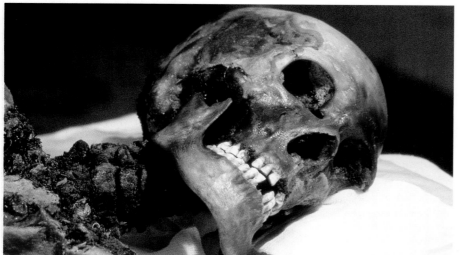

Ci-dessus et à gauche *Les os humains et les outils en pierre découverts en Géorgie et en Sibérie font l'objet d'un débat de spécialistes, certains experts estimant sa datation à 1,5 million d'années av. J.-C. Le corps et le crâne de cette jeune femme, fort bien conservés dans la glace, sont plus récents : vers 500 av. J.-C.*

soire. La rigueur des hivers les auraient forcé à changer leur mode de vie, adopter une alimentation différente, s'équiper de vêtements chauds, et maîtriser l'usage du feu. On peut supposer aussi qu'ils furent mieux organisés que leurs cousins néandertaliens, ce qui leur permit de s'adapter et de survivre.

Alors que l'Asie centrale et occidentale était habitée massivement vers 500 000 av. J.-C., la réalité était tout autre dans le Nord glacial. Les premiers hommes qui s'établirent dans les plaines centrales de l'actuelle Russie – près de Khotylevo, sur la Desna, ou dans l'Altaï, au sud de la Sibérie – étaient les descendants de néandertaliens de souche européenne. Très peu de fossiles ont été trouvés, mais la datation de leurs outils suggère qu'ils n'y ont résidé qu'à partir de 150 000 av. J.-C. Durant la période glaciaire (vers 70 000 av. J.-C.), les hommes de Neandertal auraient définitivement abandonné ces avant-postes. Et, des milliers d'années plus tard, les colons

qui les remplacèrent étaient des êtres humains modernes.

Vers les Amériques

Des archéologues russes ont fait dans le nord-est de la Sibérie une découverte essentielle pour la compréhension des migrations humaines. À 71° de latitude N, dans le cercle polaire arctique, ils ont en effet trouvé un camp de chasse estival datant de 12 000 ans ; il s'agit du vestige d'occupation humaine le plus septentrional de la période glaciaire dans le monde. C'est à partir de tels lieux que les premiers explorateurs auraient emprunté une voie terrestre (créée par le recul du niveau de la mer dû au refroidissement du pôle) pour marcher de l'Asie du nord-est vers l'Alaska, avant de progresser vers le sud et l'est pour découvrir le Nouveau Monde.

Tombeaux gelés d'Asie centrale et implantation durant la période de glaciation en Sibérie

Lensk

Pierres de Diring
Il est très difficile de dater ce site, mais certains experts lui donnent un million d'années.

SIBÉRIE

DE RUSSIE

Figurines de Buret
Vers 25 000 av. J.-C.

Chita

Figurines de Mal'ta
Vers 25 000 av. J.-C.

Angarsk

Tolgaba
Site de chasseurs-cueilleurs vers 30 000 av. J.-C.

MONGOLIE

| 0 | | 200 miles |
| 0 | | 300 kilomètres |

Voici 40 000 ans, les explorateurs traversaient une langue de terre asséchée.

vers 100 000 av. J.-C.	vers 50 000 av. J.-C.	vers 30 000 av. J.-C.	vers 30 000 av. J.-C.	vers 25 000 av. J.-C.
Le véritable *Homo sapiens* apparaît au Moyen-Orient.	Premières œuvres rupestres en Australie.	Disparition de l'homme de Neandertal, lentement remplacé par l'*Homo sapiens*.	La plupart des régions habitables du globe sont occupées.	Premières œuvres rupestres en Europe.

NOVGOROD ET LA RUSSIE MÉDIÉVALE
Les secrets d'un État-cité

Novgorod, l'une des plus anciennes villes de Russie, a été fondée vers le ve siècle apr. J.-C. sur les rives du Volkhov, près du lac Ilmen. En 862, sous le règne de Riourik, prince de Novgorod (fondateur de la monarchie russe), elle devint capitale royale. À partir de 1136, la cité, libérée de l'autorité de Kiev, se transforma en sorte de petit royaume indépendant, ou cité-État. En tant que capitale du Grand Novgorod, aux XIIIe et XIVe siècles, la ville était un centre important d'échanges commerciaux et agricoles, et devint plus tard un relais de la Hanse – association de marchands regroupant des États baltes, le nord de l'Allemagne et l'Europe centrale. À la fin du XIIIe siècle, la cité repoussa les Tatares (voir encadré), mais, en 1478, elle fut annexée par le prince de Moscou, Ivan III. Son influence ne cessa alors de décliner.

Les trésors archéologiques de Novgorod restèrent mésestimés jusqu'en 1929, quand A. Artsikhovsky entreprit les premières fouilles. Il démontra que la ville avait connu plusieurs périodes de construction, et que le sol argileux l'avait protégée et maintenu en parfait état les maisons en bois et les rues dallées de rondins. Depuis 1950, Novgorod fait partie des joyaux de l'histoire russe, et les fouilles n'y ont pratiquement pas cessé, même si la crise économique de la fin des années quatre-vingt-dix a lourdement pesé sur leur financement. Grâce à ces recherches, notre connaissance des techniques de construction médiévales n'a cessé de s'affiner ; l'analyse des troncs d'arbres dont sont faits les plus gros poteaux permet une estimation des dates à 25 ans près. Tout aussi cruciale, la découverte d'objets en cuir, d'ustensiles en bois et de jouets d'une grande finesse a montré que l'économie de la ville reposait sur ce savoir-faire artisanal, également exercé par des joailliers, cordonniers, ferronniers et verriers.

Les maisons de Novgorod étaient construites en bois suivant un plan traditionnel, certaines atteignant une hauteur de deux ou trois étages. La plupart étaient des pavillons individuels avec une arrière-cour clôturée en bois, édifiés dans des quartiers résidentiels autour du kremlin central – la citadelle du gouvernement. Toute la ville était quadrillée de rues dallées de bois : trois ou quatre longs tasseaux de faible épaisseur étaient disposées de chaque côté de la voie, puis remplis – dans le sens de la largeur – de rondins fendus. Quand le dallage se détériorait, il était recouvert d'une couche neuve. C'est ainsi qu'à un carrefour on a retrouvé vingt-huit épaisseur superposées, qui dataient de 953 à 1462.

Les manuscrits médiévaux

L'autre révélation surprenante de Novgorod est le niveau d'alphabétisation de ses habitants. Depuis 1951, plus de 700 manuscrits en écorce de bouleau ont été découverts : tous les détails de la vie locale y sont consignés, qu'il s'agisse d'inventaire des stocks, d'actes diplomatiques, de machinations politiques ou, encore, d'estimation des

À gauche *Le noyau de la ville médiévale était le kremlin (citadelle). Les premiers résultats des recherches furent les manuscrits sur écorce de bouleau du quartier de Nerevsky.*

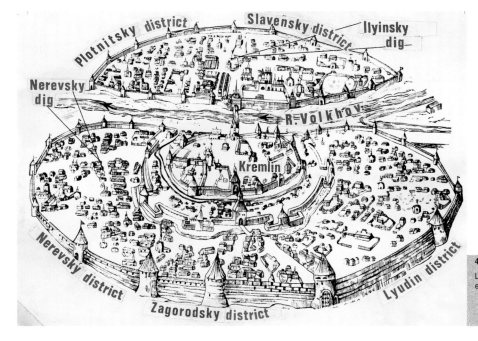

410 apr. J.-C.	vers 630 apr. J.-C.	vers l'an 1000
L'Empire romain, envahi, s'effondre.	Mahomet fonde l'islam.	Les Vikings accostent en Amérique du Nord.

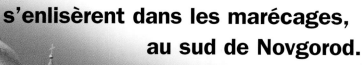

Les troupes du petit-fils de Gengis Khan s'enlisèrent dans les marécages, au sud de Novgorod.

Ci-dessus *La cathédrale Sainte-Sophie offre un contraste saisissant avec les lignes massives des murs du kremlin, à gauche.*

marchés commerciaux. Pour fabriquer les feuilles, on faisait bouillir de l'écorce de bouleau pour en supprimer la couche la plus rugueuse, puis les fines feuilles intérieures étaient séchées, pour être ensuite gravées à sec avec une pointe de métal ou d'os. Le plus ancien de ces documents, trouvé dans le quartier de Nerevsky, date de la fin du XIVe siècle ; le sol pourrait toutefois en abriter jusqu'à 20 000, certains pouvant avoir été rédigés dès le milieu du XIIe siècle. Ils constituent un atout majeur dans la connaissance de la Russie médiévale.

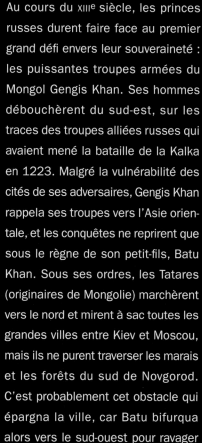

Novgorod contre Gengis Khan

Au cours du XIIIe siècle, les princes russes durent faire face au premier grand défi envers leur souveraineté : les puissantes troupes armées du Mongol Gengis Khan. Ses hommes débouchèrent du sud-est, sur les traces des troupes alliées russes qui avaient mené la bataille de la Kalka en 1223. Malgré la vulnérabilité des cités de ses adversaires, Gengis Khan rappela ses troupes vers l'Asie orientale, et les conquêtes ne reprirent que sous le règne de son petit-fils, Batu Khan. Sous ses ordres, les Tatares (originaires de Mongolie) marchèrent vers le nord et mirent à sac toutes les grandes villes entre Kiev et Moscou, mais ils ne purent traverser les marais et les forêts du sud de Novgorod. C'est probablement cet obstacle qui épargna la ville, car Batu bifurqua alors vers le sud-ouest pour ravager la Pologne et la Hongrie, consolidant ainsi l'empire de la Horde d'Or.

Ci-dessus *Fragment d'un manuscrit sur écorce de bouleau. Ces documents ont permis de mieux comprendre la vie urbaine à l'époque médiévale.*

Novgorod et autres sites prémédiévaux des pays baltes

SUÈDE

GOLFE DE BOTNIE

FINLANDE

Lac Ladoga

FÉDÉRATION RUSSE

Soukainen
Tumulus renfermant une importante collection d'armes du IVe siècle

Saint-Pétersbourg

● Helsinki

ÎLE D'ÅLAND ■ **Yliskyla**
Navire funéraire et cimetière de 600 apr. J.-C.

Toompea ■
Château médiéval du XIVe siècle construit par les Danois

Exportations
Articles en cuir, bijoux, ferronnerie, verrerie

Novgorod ➤
Cité médiévale au IXe siècle env.

ESTONIE

MER BALTIQUE

LETTONIE

| 0 | miles | 100 |
| 0 | kilomètres | 150 |

vers l'an 1000	1066 apr. J.-C.	vers 1250 apr. J.-C.
Les Polynésiens débarquent en Nouvelle-Zélande.	Les Normands de Guillaume le Conquérant envahissent l'Angleterre.	L'Empire mongol s'étend en Asie et en Europe.

LES PEUPLES DES RIVIÈRES DE LEPENSKI VIR

L'ancienne civilisation du Danube

En 1960, des membres de l'Institut d'archéologie de Belgrade, qui inspectaient des sites le long du Danube, remarquèrent quelques fragments de poterie à moitié enterrés, près du tourbillon de Lepenski Vir. En les étudiant mieux, ils découvrirent sans grand émoi qu'il s'agissait de vestiges datant de la culture de Starcevo, la plus ancienne de l'ère néolithique du bassin du Danube. Ces restes furent simplement enregistrés, puis rangés dans un dépôt poussiéreux.

Cinq ans plus tard, les autorités yougoslaves et roumaines lancèrent un projet commun de construction de centrale hydroélectrique à Djerdap, dont une conséquences serait l'engloutissement de plusieurs gorges du Danube, dans les Carpates. L'université de Belgrade entreprit d'achever en hâte ses fouilles sur les sites qui avaient été repérés et laissés en attente. Dragoslav Srejonic fut chargé de mener ces opérations, somme toute routinières, à Lepenski Vir. Les membres de son équipe se mirent au travail, sans plus de conviction. Une semaine plus tard, ils réécrivaient l'histoire…

Des découvertes spectaculaires

Ce qu'ils découvrirent était tout simplement stupéfiant. Sous une couche de banales poteries reposait une société humaine vieille de 7 000 ans, parfaite-

Ci-dessus *Masque du site de Lepenski Vir. Il s'agit peut-être d'un dieu anthropomorphe.*

ment inconnue jusqu'alors, qui avait édifié d'étranges bâtiments trapézoïdaux dont la façade la plus large était tournée vers la rivière. Ces vingt-cinq maisons, d'une surface de 5,5 m^2 à 28 m^2, étaient conçues méthodiquement (chose assez rare dans l'Europe préhistorique). Comme dans beaucoup de communautés de l'âge de pierre, les morts faisaient partie du groupe à part entière. Plusieurs sépultures furent ainsi trouvées sur le site. Chaque maison était équipée d'un foyer central, cerné de pierre et à demi enterré dans le sol en pierre calcaire. Les toits, légers, étaient en brindilles et en jeunes branches, et l'intérieur était décoré de rochers gravés, certains atteignant 60 cm de haut. Ces

Lepenski Vir et autres sites néolithiques en Europe centrale

POLOGNE

Olszanica
Village du Ve millénaire av. J.-C.

SLOVAQUIE

UKRAINE

Bodrogkeresztur
Cimetière néolithique, IVe millénaire av. J.-C.

Tiszapolgar
Cimetière de l'âge du cuivre, IVe millénaire av. J.-C.

MOLDAVIE

AUTRICHE

HONGRIE

ROUMANIE

Carpates

CROATIE

BOSNIE-HERZÉGOVINE

Danube

Vinca
Village néolithique, IVe millénaire av. J.-C.

Lepenski Vir
Communauté de pêcheurs, VIIe millénaire av. J.-C.

MER NOIRE

YOUGOSLAVIE

BULGARIE

MER ADRIATIQUE

MACÉDOINE

Istanbul

ITALIE

ALBANIE

GRÈCE

MER ÉGÉE

TURQUIE

0   100 miles
0   150 kilomètres

vers 8000 av. J.-C.
Les chasseurs européens inventent le tir à l'arc.

vers 6500 av. J.-C.
Premiers produits de métallurgie connus, au Moyen-Orient.

Ils semblent avoir vécu comme sur une île, à l'écart des autres peuples.

blocs de calcaire – parmi les plus anciens exemples de sculpture sur pierre en trois dimensions – ressemblent à des visages humains dont la bouche serait celle d'un poisson et dont le relief évoque des écailles.

Leur signification précise reste mal expliquée, mais sachant que le poisson était en bonne place au menu de ce peuple, il peut s'agir d'un symbole religieux, d'autant que ces blocs étaient placés près des foyers (le feu étant symboliquement lié à la création).

Pour certains, ces sculptures symboliseraient un dieu des rivières. Mais la seule vraie certitude est leur classement en trois catégories : les têtes de poissons, les motifs abstraits et les pierres mal identifiées, mais qui ressemblent fort à des portraits ou des figures. Toutes ces œuvres sont uniques à l'âge de pierre – et ce caractère spécifique sera reconnu en 1995, quand l'Unesco décida de financer la suite des recherches et de protéger les lieux sur le long terme.

Le site de Lepenski Vir dépendait pleinement des courants de la rivière. En effet, le tourbillon prend les algues au piège et attire les poissons, ce qui assure une pêche prolifique et facile en toute saison. Mais, à l'instar de nombreuses communautés de pêcheurs en Roumanie et en Serbie (Padina, Ikoana, Kladovska Skela et Vlasac), les habitants de Lepenski Vir passèrent lentement de la chasse et de la pêche à l'agriculture. Leur dépendance envers la rivière retarda simplement cette transition, qui n'eut lieu que deux mille ans après celle des autres peuples d'Europe. Vers 5000 av. J.-C., ils

Ci-dessus *Les Portes de Fer, succession de gorges au fil du Danube dans les Carpates.*

avaient commencé à s'installer sur les collines entourant la gorge pour y cultiver et y élever des animaux. Il est difficile d'évaluer la nature de leurs liens avec les communautés voisines. Ils semblent avoir vécu comme sur une île, à l'écart des autres peuples. Pourtant, des signes convaincants de leur influence artistique sur le village voisin de Vinca, vers le IVe millénaire av. J.-C., ont été mis au jour à travers des poteries brun sombre exceptionnelles.

À gauche *Sculpture d'une mère à l'enfant. Elle a pu représenter un culte de la fertilité.*

vers 6000 av. J.-C.	vers 6000 av. J.-C.	vers 6000 av. J.-C.	vers 5000 av. J.-C.	vers 5000 av. J.-C.	vers 5000 av. J.-C.	vers 4000 av. J.-C.	vers 4000 av. J.-C.
La ville de Çatal Höyük est florissante.	Poteries et textiles en laine les plus anciens connus (Çatal Höyük).	Début de la riziculture en Thaïlande.	Développement des techniques d'irrigation en Mésopotamie.	Apparition des premiers outils métalliques.	En Chine, la culture Yangshao produit des poteries peintes.	Invention de la charrue.	Les villages néolithiques prospèrent dans les Balkans.

ÇATAL HÖYÜK
Cité de l'âge de pierre

Entre les VIIIe et VIe millénaires av. J.-C., les progrès techniques réguliers du néolithique prirent une allure révolutionnaire. Il ne s'agissait plus seulement de faire avancer l'agriculture et la conservation des récoltes, d'élargir des liens commerciaux ou de mener des expériences en métallurgie grâce à l'invention du fourneau (sans en négliger l'importance) – les peuples néolithiques commencèrent à comprendre les avantages de la vie en communauté. Le nomadisme des chasseurs faisait bientôt partie du passé. De toutes les villes qui furent alors créées, Çatal Höyük, sur le plateau anatolien de Konya, en Turquie, est l'une des plus impressionnantes. C'est avec Jéricho le site néolithique le plus important du Proche-Orient.

Même en 4000 av. J.-C., une ville typique de l'âge de pierre ne couvrait guère plus de deux à quatre hectares, pour accueillir trois à quatre mille personnes. Jéricho, d'une grandeur pourtant inhabituelle, était minuscule par rapport à la métropole de Çatal Höyük. À son heure de gloire (entre 6250 et 5400 av. J.-C.), celle-ci couvrait vingt hectares et rassemblait une population de 6 000 personnes. Ces deux chiffres montrent aussi qu'elle était fort compacte : ni avenues, ni grandes places, mais des maisons en brique crue sur structure en bois étaient agglutinées pour former un seul quartier, avec ici ou là une petite cour. Pour ceux venant se joindre à la communauté, le choc culturel devait être grand.

Pour entrer chez vous, vous deviez emprunter une échelle et descendre par le toit. L'équipement était simple et pratique, là aussi en terre crue : plates-formes en guise de table, bancs, foyers, fours, poubelles. Mais les murs étaient plâtrés et peints, le sol était recouvert de nattes de jonc, et des objets précieux étaient disposés un peu partout. Ultime détail : les morts étaient enterrés sous la salle de séjour !

Pratiques funéraires

On l'a vu précédemment, l'homme de l'âge de pierre aimait se sentir proche de ses ancêtres. Les pratiques funéraires de Çatal Höyük impliquaient que chaque famille aménage sa crypte, qui

Ci-dessous *La grande porte du Sphinx de Çatal Höyük a été édifiée vers 1350 av. J.-C.*

Les corps étaient exposés aux vautours,
hors de la ville,
pour être dépouillés de leur chair.

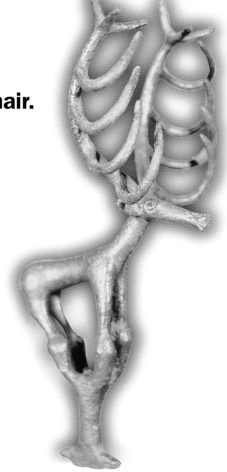

pouvait être rouverte aussi souvent que nécessaire. Parfois, la chair et les tissus étaient d'abord livrés aux vautours hors de la ville ; de nombreux corps ont été retrouvés enroulés dans une toile, couchés sur le flanc gauche. Souvent, les os étaient badigeonnés d'ocre rouge, de malachite verte ou d'azurite bleue. Les analyses ont permis de constater que de nombreux habitants étaient atteints d'anémie chronique, peut-être à cause de la malaria fréquente. La durée de vie moyenne était de 30 ans pour les femmes et de 34 ans pour les hommes ; cette différence serait due à un taux de décès élevé pendant la grossesse. Un culte était voué à la déesse-mère ; certaines figurines montrent une grosse femme, assise, en train d'accoucher.

Les tombes contenaient des objets importés : turquoise, coquillages, silex finement travaillés, ainsi que des objets en cuivre et en plomb qui figurent parmi les plus anciens exemples de métaux du Proche-Orient. Ce sont eux qui témoignent de la réussite économique de la cité. La région avait la chance de disposer d'une grande réserve d'obsidienne, roche volcanique utilisée pour fabriquer des outils très tranchants, et certains produits étaient vendus jusqu'au sud de la Palestine et à Jéricho. L'emplacement de Çatal Höyük, à la croisée des chemins, joua un rôle certain pour le développement de certains métiers et ses exportations incluaient notamment du lin orné de motifs géométriques, imprimés avec les nombreux tampons gravés retrouvés dans les fouilles. La poterie n'en était qu'à ses débuts, et les objets produits alors étaient plus utilitaires que décoratifs.

Ce cerf ornemental aurait été réalisé à Çatal Höyük vers 2000 av. J.-C.

Toutes nos connaissances concernant cette ville nous indiquent que ses habitants observaient des rites complexes et étaient très attachés à l'art symbolique. Le sens de certains tableaux muraux reste obscur – comme cet homme qui danse, la taille serrée dans une sorte de nœud papillon –, mais d'autres révèlent des formes géométriques, des paysages, des scènes de chasse, des animaux (particulièrement des léopards), des hommes et des poitrines humaines. Comme dans les sociétés préhistoriques, les taureaux étaient apparemment sacrés. Souvent, des cornes de taureau étaient plantées en bout de table ou étaient à l'occasion disposées en paire, en lignes opposées, le long des bancs.

Çatal Höyük et les sites néolithiques voisins

MER NOIRE

MER CASPIENNE

GÉORGIE

Ankara

TURQUIE

Yazilikaya
Sanctuaire des Hittites du XIIIᵉ siècle av. J.-C.

Taurus

Çayönü
Centre agricole du IXᵉ ou VIIᵉ millénaire av. J.-C.

IRAN

Çatal Höyük
« Métropole » de maisons en terre du XIᵉ millénaire av. J.-C.

Ab Hureya
Communauté agricole du VIIᵉ ou VIᵉ millénaire av. J.-C.

IRAK

MÉDITERRANÉE

SYRIE

0 — 200 miles
0 — 300 kilomètres

vers 7000 av. J.-C.	vers 6500 av. J.-C.	4236 av. J.-C.	vers 4000 av. J.-C.	vers 4000 av. J.-C.	vers 3500 av. J.-C.	vers 3500 av. J.-C.	vers 3100 av. J.-C.
Premières expériences avec le minerai de cuivre en Anatolie.	Premiers pas de l'agriculture en Grèce et en mer Égée.	Date la plus ancienne des calendriers égyptiens.	Premiers fermiers en Grande-Bretagne.	Création de cités dans la vallée de l'Euphrate, en Mésopotamie.	Construction des premiers tombeaux et cercles mégalithiques.	Fondation de la plus ancienne ville chinoise (civilisation Longshan).	Invention de l'écriture pictographique à Sumer.

LA CIVILISATION HARAPPÉENNE
Les rois-prêtres de Mohenjo-Daro

Mohenjo-Daro et Harappa sont les deux grandes villes qui définissent la civilisation de la vallée de l'Indus, qui couvrit jadis un immense territoire, du Pakistan et du nord-ouest de l'Inde. Cette civilisation de l'âge du bronze, que l'on peut comparer à celle des Minoens de Crète ou celle de l'Égypte prépharaonique, connut son heure de gloire vers 2200 av. J.-C. La ville, conçue avec rigueur et un certain raffinement, était parfaitement organisée, et même soumise à un ordre quasi militaire. Des objets similaires, parfois même identiques, ont été trouvés dans des sites distants de 1 200 km, ce qui démontre une uniformité pourtant difficile à concevoir pour des communautés vivant dans des contrées aussi différentes que la chaîne de l'Himalaya et la côte de l'océan Indien. Il n'y avait pas de traces évidentes de palais ou d'autorité royale, mais certains avancent que cette culture a pu être dominée par des rois-prêtres qui imposaient une pensée unique en s'appuyant sur des croyances religieuses plutôt que sur la force des armes.

À gauche *Statue en bronze de 2000 av. J.-C. Les bracelets qui entourent le bras gauche sont un accessoire de mode.*

Mohenjo-Daro se divise en deux zones, séparées par un espace libre : la citadelle et la ville basse. La première, centre politique et religieux, rassemblait plusieurs bâtiments publics édifiés sur une énorme digue de terre couvrant plus de 8 hectares et s'élevant à 6 m de haut pour les protéger des inondations. Il y avait là un énorme entrepôt de céréales, un bassin en briques recouvertes de bitume (peut-être affecté aux cérémonies de purification religieuse), une série de pièces nommées à tort ou à raison le quartier des prêtres, et une grande salle de réunion dont le toit était soutenu par des piliers de pierre. La ville basse couvrait, elle, une centaine d'hectares et a pu abriter jusqu'à 40 000 habitants. L'hygiène publique figurait en bonne place parmi les priorités sociales : chaque maison était en effet reliée à un réseau d'assainissement. De nombreux bâtiments, édifiés autour d'une cour commune, comptaient plusieurs étages. Les rues, dont la largeur pouvait atteindre 9 m, étaient dressées suivant un quadrillage méthodique, que les Romains ou les Étrusques auraient certainement admiré.

Harappa

Harappa présente un plan comparable. La ville était érigée sur une série de collines artificielles longeant la Ravi, à l'est du Pakistan. Là aussi, une citadelle

vers 2500 av. J.-C.	**vers 2300 av. J.-C.**	**vers 2300 av. J.-C.**	**vers 2000 av. J.-C.**	**vers 2000 av. J.-C.**	**vers 2000 av. J.-C.**	**vers 1900 av. J.-C.**	**1840 av. J.-C.**
L'agriculture est florissante dans la région de l'Indus.	Création des premières céramiques en Amérique centrale.	Le roi Sargon unifie le Sumer.	Apparition des voiles sur les navires de la mer Égée.	Les Inuits s'installent dans les régions arctiques.	Les Minoens produisent de la poterie peinte.	En Mésopotamie, l'irrigation permet d'approvisionner en eau la population.	Les Égyptiens annexent la Basse-Nubie.

Pour asseoir leur autorité, les chefs religieux contrôlaient toute la production et la distribution de nourriture.

fortifiée dominait les quartiers résidentiels, mais ce sont surtout les greniers à grain et les moulins qui étaient privilégiés. La ville régissait certainement les réseaux alimentaires, dont les chefs religieux contrôlaient la production et la distribution pour asseoir leur autorité. On connaît moins bien Harappa que Mohenjo-Daro, en grande partie parce que de nombreux bâtiments ont été démolis au XIXᵉ siècle pour fournir en ballast le chantier d'une voie de chemin de fer dans l'ouest de l'Inde. Parmi les vestiges les plus étonnants figurent des sceaux de pierre gravés en indus. Cette langue, retrouvée aussi sur des amulettes et des tablettes, n'a jamais pu être décodée, mais elle pourrait être cousine du dravidien, que les Tamouls et autres peuples du sud de l'Inde pratiquent encore aujourd'hui.

Nous devons nos connaissances des peuples de l'Indus aux travaux de sir John Marshall, directeur de l'Archeological Survey of India, dont l'équipe a permis d'immenses progrès au début des

L'art de l'Indus

La civilisation de l'Indus a donné naissance à plusieurs types d'art, et non à un seul savoir-faire dominant. On connaît ainsi des poteries, ornées d'images noires sur fond rouge, qui représentent des poissons, des animaux ou des plantes ; des statues et des jouets en céramique ; des bijoux en cornaline, et des objets en argent, en or et en bronze. Les bracelets en coquillages taillés étaient prisés, et des ateliers produisaient en quantité des couteaux et des outils en métal. Des objets provenant de cette région ont été découverts dans tout le Proche-Orient, ce qui a contraint les archéologues à revoir leur estimation de la période d'épanouissement de cette culture. Pendant longtemps, on a cru qu'elle ne remontait qu'à 1000 av. J.-C., mais certains articles trouvés en Mésopotamie ont prouvé qu'elle était bien plus ancienne.

années vingt. Depuis, des chercheurs pakistanais, indiens et occidentaux ont pu expliquer certains épisodes de l'histoire, reconstituer en partie le puzzle et

établir un lien entre plusieurs civilisations de l'âge du bronze qu'ils ont identifiées : Amri, Sothi et Gumla. Toutefois, comment les peuples de l'Indus ont mystérieusement disparu peu après 2000 av. J.-C. demeure un mystère. Il se pourrait qu'une série de changements climatiques et environnementaux les ait forcés à abandonner brutalement ces régions.

Principaux sites de la civilisation harappéenne de l'Indus et du Pakistan aux IVᵉ et IIᵉ millénaires av. J.-C.

AFGHANISTAN

PAKISTAN

IRAN

Lahore

Sohr Damb
Ancien village et son cimetière.
Outils en cuivre

Pirak
Petite ville urbaine des débuts de la riziculture

Jhukar
Nombreux objets en poterie et en métal

Mohenjo-Daro
Principale cité harappéenne avec ses murs en brique crue

Kot Diji
Village fortifié

Chanhu-Daro
Ateliers d'artisanat

Karachi

Amri
Céramiques peintes

Allahdino
Important centre agricole harappéen

MER D'ARABIE

CHAÎNE DE L'HIMALAYA

CHINE

Delhi

NÉPAL

INDE

0   miles 100
0   kilomètres 150

vers 1800 av. J.-C.	vers 1750 av. J.-C.	vers 1458 av. J.-C.
Fondation de l'État d'Assyrie par Shamshi-Adad Iᵉʳ.	Hammourabi fonde l'empire de Babylone.	Mort d'Hatshepsout, seule femme pharaon à la tête de l'Égypte.

L'HÉRITAGE DU BOUDDHA
La propagation d'une religion orientale

Les origines du bouddhisme sont floues, mais, selon la légende, cette grande religion à l'échelle mondiale est le résultat des enseignements de Siddharta Gautama – le Bouddha – né au VIᵉ siècle av. J.-C. à Kapilavastu, dans le nord-est du Népal. Fils d'un petit roi, frustré par une existence morne et sans intérêt, il renonça à 29 ans à la richesse terrestre pour se tourner vers la recherche de la beauté et de la vérité. Par des méditations intenses, il atteignit un niveau de conscience élevé et reçut l'Éveil vers 528 av. J.-C. Dès lors, il assembla ses *sangha* (disciples) et passa le reste de ses jours à prêcher et à fonder des monastères. On pense qu'il mourut vers 483 av. J.-C.

Pendant plus de deux siècles, le bouddhisme resta une secte sans influence, cantonnée dans le nord-est de l'Inde, dans l'ancien royaume de Maghada, puissant État hindou. Après une série de conflits de succession, la région se trouva sous le contrôle d'un militaire puissant, Chandragupta Maurya, qui fonda une dynastie et un empire s'étendant jusqu'en Asie du Sud. Son petit-fils Ashoka – l'un des souverains indiens les plus courageux et radicaux – permit au bouddhisme naissant de se développer. Horrifié par les crimes perpétrés lors de sa victoire sur le royaume de Kalinga, en 261 av. J.-C., il se convertit au bouddhisme en 260 av. J.-C. et adopta une politique de non-violence et de pouvoir fondé sur la force morale – et non plus militaire. Pour propager la bonne parole, il fit graver sur les murs et les façades des bâtiments des inscriptions prônant la compassion et l'ordre moral. Cette méthode fut appliquée dans tout le royaume Maurya, de la capitale Pataliputra (au nord-est) à Taxila et à la région du Gandhara (au nord-ouest).

Un melting-pot culturel

C'est à Taxila – carrefour commercial entre la Chine, l'Inde et le Moyen-Orient – que se trouvent certains des monuments bouddhiques les plus fascinants.

Ci-dessus *Buste grec d'Alexandre le Grand contemporain. Son armée avait fait halte à Taxila avant que ce site ne devienne un haut lieu bouddhiste.*

Jusqu'au début du XXᵉ siècle, très peu de choses étaient connues du passé de Taxila (ou Takshaçila), aujourd'hui au Pakistan. La ville est mentionnée dans quelques textes grecs et indiens, et les troupes d'Alexandre le Grand, en route vers l'est, y ont fait halte. Il fallut attendre 1912 et les fouilles de sir John Marshall, directeur général de l'Archeological Survey of India, pour que son importance soit pleinement reconnue. En effet, celui-ci y découvrit les restes de trois cités : Bhir Mound (communauté persane de la fin du IVᵉ siècle apr. J.-C.), Sirkap (occupée par les Indo-Grecs jusqu'au IIᵉ siècle apr. J.-C.), et un avant-poste de l'empire des Parthes (pour l'essentiel devenu l'Iran), qui s'était étendu rapidement à partir du Iᵉʳ siècle apr. J.-C. Ce mélange de cultures avait donné

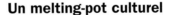

À gauche *Les ruines du temple de Jandial, à Taxila. Les restes de trois cités anciennes ont été trouvés près de ce site.*

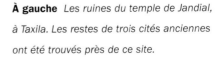

539 av. J.-C.	510 av. J.-C.	505 av. J.-C.
Cyrus le Grand fonde l'Empire perse.	Fondation de la République romaine.	La démocratie est établie à Athènes.

Horrifié par les crimes que ses troupes avaient perpétrés, Ashoka Maurya devint l'un des souverains indiens les plus courageux et radicaux.

naissance à un style extraordinairement flamboyant – l'art gréco-bouddhique – qui a ensuite gagné l'Asie centrale et débouché sur deux techniques décoratives fort différentes : le stuc (moulage de plâtre ou de ciment) et le schiste (pierre ayant une structure feuilletée).

En 1945, à Taxila et à Sirkap, sir Mortimer Wheeler découvrit de nombreux monuments dédiés à la foi bouddhique, dont l'un était décrit comme l'œuvre de la dynastie d'Ashoka Maurya. Le bouddhisme n'est pas axé sur l'adoration en groupe, et la plupart des monuments anciens de cette religion sont des monastères. Mais sir Mortimer Wheeler

trouva hors les murs de la ville plusieurs édifices destinés à accueillir de grandes congrégations. Le plus impressionnant est à Dharmajika : cet immense site regroupe des monastères, des temples et un *stûpa* – butte hémisphérique qui contenait des reliques – où se dresse un pilier central supportant trois disques. C'est là une construction fort symbolique : alors que la butte représente la montagne sacrée du Meru, le pilier constitue son axe, et les disques symbolisent le triple refuge de la foi bouddhiste : le Bouddha, sa doctrine et ses disciples.

Parmi les autres sites bouddhistes découverts après la Seconde Guerre mondiale se trouvent Ratnagiri, près de Bhubaneshwar, et la communauté de Sirpur, à l'est de Raipur. Le plan de ces deux monastères, typiques du VIIIe siècle, est similaire : un porche, une cour intérieure entourée de cellules et un reliquaire au milieu du mur du fond. Les murs monumentaux de Ratnagiri sont ornés de volutes florales et d'images des dieux, tandis que des bronzes témoignant d'une grande maîtrise technique ont été découverts à Sirpur. Autre bâtiment courant de l'époque bouddhique,

le *caitya* (ou sanctuaire), dont les plus beaux exemples sont situés à Karli, au sud-est de Bombay – tel ce caitya creusé dans une grotte, où les formations rocheuses naturelles sont sculptées en piliers ou en voûtes. Ce site du IIe siècle apr. J.-C. abrite aussi de nombreuses gravures raffinées, et un petit *stûpa*.

Le Henan, en Chine, abonde de temples qui témoignent du riche passé spirituel. Le monastère du Cheval Blanc, près de Luoyang, fut le premier lieu de célébration bouddhiste en Chine. À quelques kilomètres, creusées dans des parois de grès, se trouvent les grottes de Longueun où, sculptés dans les murailles de la porte du Dragon, ont été réalisés des milliers de bouddhas.

À gauche *Ce stûpa de 400 apr. J.-C. se trouve dans les ruines du monastère de Mohra Moradu, à Taxila.*

L'héritage bouddhiste en Inde et en Asie centrale

AFGHANISTAN
Islamabad — *Taxila*
PAKISTAN
Indus
CHINE
New Delhi
NÉPAL
OCÉAN INDIEN
INDE
Empire des Maurya sous Ashoka vers 260 av. J.-C.
Bombay
Sirpur
Karli
Ratnagiri
Cœur du royaume Magadha vers 324 av. J.-C.
Terres non conquises

vers 500 av. J.-C.	vers 500 av. J.-C.	vers 500 av. J.-C.	vers 500 av. J.-C.	vers 500 av. J.-C.
Fondation des premières villes européennes.	En Inde, établissement du système des castes.	Début de la riziculture en Inde.	Premiers codes législatifs en Chine.	Début de la culture Nok, au nord du Nigeria.

CHAPITRE 9

L'EXTRÊME-ORIENT

L'Extrême-Orient recouvre une telle superficie qu'il est difficile d'aborder son histoire archéologique sous un seul angle. D'ailleurs, l'archéologie n'est pas une discipline linéaire et chronologique. Des peuples d'une grande diversité ont évolué et se sont affirmés suivant plusieurs rythmes ; certaines cultures se sont imposées, d'autres ont été absorbées, d'autres encore ont disparu. Il serait erroné de croire que l'âge de fer ou l'âge de pierre ont eu lieu simultanément sur toute la planète. D'ailleurs, aujourd'hui même, certaines tribus de Bornéo ne vivent-elles pas encore à l'âge de pierre ! De même, les Celtes d'Asie centrale fabriquaient des bronzes magnifiques, alors même que les Chinois n'avaient aucune connaissance de cet alliage.

La culture prédominante de l'Extrême-Orient est la culture chinoise. Ses innovations dans les domaines de l'art et de l'architecture, et la richesse de sa réflexion religieuse et philosophique en font l'une des plus grandes civilisations antiques. Des sites tels que la Grande Muraille, les tombes du roi Shang d'Anyang et le mausolée du premier empereur chinois Shi Huangdi démontrent la capacité de ses chefs successifs à soumettre sans pitié des individus très nombreux à une seule autorité. Il suffit de se pencher sur les traditions artistiques de cette région, des statuettes de jade à la sculpture ou aux sompteuses décorations des tombes, pour comprendre pourquoi les premiers voyageurs ont éprouvé une telle émotion admirative et fascinée. L'influence de cet empire et la montée de l'hindouisme et du bouddhisme ont joué sur le développement du Sud-Est asiatique et permis de réaliser le plus grand chef-d'œuvre du continent : Angkor Vat, au Cambodge.

Toutefois, ce chapitre commence par l'arrivée des premiers humains en Asie orientale. Bien des mystères restent encore à élucider, et les fossiles des grottes de Zhoukoudian posent de sérieuses questions sur l'apparition du premier *Homo erectus* dans le monde.

Ci-dessous *Le bouddhisme a exercé une grande influence dans l'est de l'Asie et donné naissance à des temples splendides en Indonésie, dont le célèbre monument de Borobudur, à Java. Postées au sommet du site, les statues du Bouddha contemplent les points cardinaux parmi les lignes de stûpas.*

La Grande Muraille de Chine

MONGOLIE

La Grande Muraille de Chine

■ Hongshan

■ Tombeaux des Ming

■ Grottes de Zhoukoudian
■ Yungang

■ Monts Helan

■ Anyang

■ Luoyang
■ Longmen

■ Xian

■ Yaoshan

JAPON

CORÉE DU NORD

CORÉE DU SUD

■ Kyongju

OCÉAN
PACIFIQUE
NORD

Guerriers et chevaux d'argile
de Shi Huangdi

Chaudron en bronze
de la dynastie des Shang,
vers 1300 av. J.-C.

INDE
(ASSAM)

CHINE

BIRMANIE

■ Fresques de Zuojiang

MER DE CHINE
MÉRIDIONALE

Temple
d'Angkor Vat

LAOS

THAÏLANDE

VIÊT-NAM

MER
D'ANDAMAN

■ Angkor Vat

CAMBODGE

133

L'HOMME DE PÉKIN
Les origines de l'homme en Chine

Les grottes de Zhoukoudian, au sud-ouest de Pékin, sont une véritable caverne d'Ali Baba d'hominidés fossilisés. Le plus grand rassemblement de restes d'*Homo erectus* (« qui se tient debout ») en un seul lieu y a été trouvé, avec à ce jour pas moins de quarante hominidés. Certains datent d'un demi-million d'années, et il semble que les grottes aient été occupées sans interruption pendant 250 000 ans. Parmi la centaine de milliers d'objets qui y ont été découverts figurent les premières preuves de l'usage du feu.

Zhoukoudian a fait l'objet de toute l'attention des paléontologues dans les années vingt et trente. Le premier indice de l'importance du site a été identifié par le conseiller d'une société minière suédoise, J. Gunnar Andersson, qui déterra des dents semblables à des dents humaines alors qu'il menait des recherches en amateur. Ses trouvailles attirèrent l'attention de l'anatomiste canadien Davidson Black, qui fit une nouvelle avancée en 1927 en assemblant des dents et des fragments de crâne d'une espèce humaine jusqu'alors inconnue, qu'il baptisa *Sinanthropus pekinensis* : « homme de Pékin ».

Après la mort de Black, l'anatomiste allemand Franz Weidenreich, l'un des plus grands chercheurs sur l'évolution de l'homme, reprit les travaux. En tant que professeur associé d'anatomie de l'université de recherche médicale de Pékin, il se lança dans une étude approfondie du site de Zhoukoudian et rédigea des descriptions des fossiles d'une superbe précision, qui restent un modèle pour les étudiants en anthropologie biologique. L'attention qu'il porta au site s'avéra ensuite très importante : en 1937, lorsque l'armée impériale japonaise envahit la Chine, Franz Weidenreich entreprit de mettre les fossiles en sûreté et les chargea sur un navire à destination des États-Unis. Mais les Japonais arrêtèrent le bateau et les fossiles furent perdus à jamais. Il n'en reste donc que les moulages réalisés par Weidenreich, et les nouveaux spécimens déterrés dans les années soixante et soixante-dix.

Si la découverte de Zhoukoudian a permis d'approfondir nos connaissances de la préhistoire, elle a aussi brouillé les pistes. L'analyse des cendres, de la boue et des os ont montré que les occupants de la plus ancienne grotte disputaient leurs proies et leur abri à des animaux sauvages tels que les hyènes et les léopards. La plupart des os d'animaux qui y ont été trouvés sont d'ailleurs ceux d'autres espèces ; très peu ont été tués et cuits pour être mangés. Grâce à une datation à l'uranium (qui consiste à mesurer la radioactivité d'un objet pour en estimer l'âge), on sait que le climat local fut d'abord froid, puis qu'il devint plus doux avant de redevenir froid il y a entre 500 000 et 230 000 ans.

À gauche *Ce crâne de* Pithecanthropus erectus, *découvert à Java en 1891, est de la même époque que l'homme de Pékin.*

vers 2 000 000 av. J.-C.	vers 700 000 av. J.-C.	vers 460 000 av. J.-C.	vers 250 000 av. J.-C.	vers 100 000 av. J.-C.	de 100 000 à 30 000 av. J.-C. env.	vers 30 000 av. J.-C.	30 000 av. J.-C.
Parti d'Afrique, l'*Homo erectus* commence à s'installer en Asie.	L'*Homo erectus* vit au-delà des 45° de latitude N.	Premier usage du feu en Chine.	Quelques *Homo erectus* montrent des signes d'évolution vers l'*Homo sapiens*.	Le véritable *Homo sapiens* apparaît au Moyen-Orient.	Coexistence d'êtres modernes et de l'homme de Neandertal.	Disparition de l'homme de Neandertal, lentement remplacé par l'*Homo sapiens*.	La plupart des régions habitables du globe sont occupées.

Face à l'avancée des troupes japonaises, les fossiles de Zhoukoudian sont évacués clandestinement.

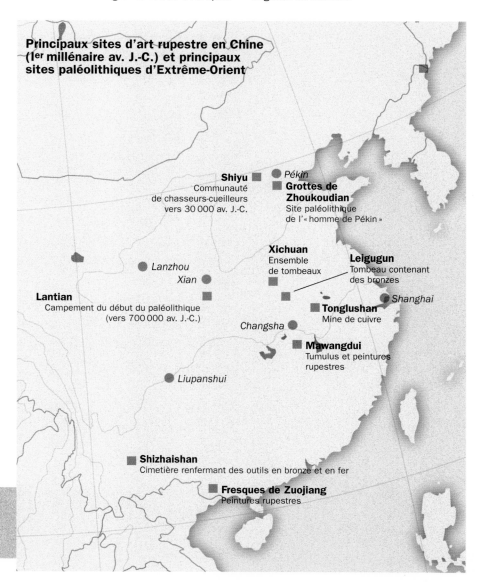

Ci-dessus *Le crâne reconstitué du Sinanthropus pekinensis (homme de Pékin), ainsi que l'a nommé Davidson Black en 1927.*

L'évolution en question

Les travaux sur l'anatomie de l'homme de Pékin ont lancé un vif débat sur les origines de l'homme. Selon l'approche classique, l'*Homo erectus* serait apparu dans l'est de l'Afrique et rendu ensuite en Asie, après avoir appris à fabriquer des outils en pierre, il y a 2 millions d'années.

Beaucoup plus tard, il y a de 200 000 à 120 000 ans, l'espèce à laquelle nous appartenons, l'*Homo sapiens*, a elle aussi quitté l'Afrique et l'Asie du sud-ouest pour se répandre en Asie, et y remplacer l'*Homo erectus*. Cette théorie est celle adoptée par les chercheurs en biologie moléculaire.

Oui, mais… Plusieurs études de génétique ont montré que la population actuelle de l'Asie partage certaines caractéristiques physiques avec l'*Homo*

La montagne fleurie

Le plus grand site de peinture rupestre du monde est celui de Hua Shan (« la montagne fleurie »), au bord de la rivière Zuojiang, non loin de la frontière entre la Chine et le Viêt-Nam. Sur une falaise de 200 x 40 m, des fresques de 4 000 ans représentent des magiciens, des chefs et des soldats. Certaines sont à plus de 120 m du sol et n'ont pu être réalisées qu'à l'aide d'échafaudages ou d'échelles, ou encore lors d'une descente en rappel avec des cordes fixées au sommet de la falaise.

erectus. En d'autres termes, l'*Homo erectus* chinois a évolué pour devenir l'*Homo sapiens* chinois, sans toutefois se croiser avec les migrants venus d'Afrique.

Si cette théorie était confirmée, cela signifierait que l'homme moderne serait apparu simultanément dans plusieurs régions du monde.

Principaux sites d'art rupestre en Chine (1er millénaire av. J.-C.) et principaux sites paléolithiques d'Extrême-Orient

Shiyu
Communauté de chasseurs-cueilleurs vers 30 000 av. J.-C.

● **Pékin**
Grottes de Zhoukoudian
Site paléolithique de l'« homme de Pékin »

Xichuan
Ensemble de tombeaux

Leigugun
Tombeau contenant des bronzes

● *Lanzhou*
Xian

● *Shanghai*

Lantian
Campement du début du paléolithique (vers 700 000 av. J.-C.)

Tonglushan
Mine de cuivre

Changsha

Mawangdui
Tumulus et peintures rupestres

● *Liupanshui*

Shizhaishan
Cimetière renfermant des outils en bronze et en fer

Fresques de Zuojiang
Peintures rupestres

LE JADE CHINOIS
Un savoir-faire qui remonte à la Haute Antiquité

En Chine, la taille du jade est une tradition qui remonte à environ 6 000 ans. Les premiers outils et bijoux datent du néolithique (de 4000 à 2000 av. J.-C. env.) et, à l'origine, il s'agissait surtout de lames destinées à une utilisation pratique ou rituelle. Les tailleurs de pierre devinrent de plus en plus habiles, et ceux des régions de Hongshan, au nord-est de Pékin, et de Liangzhu, dans le delta de Shanghai, acquérirent une grande réputation à travers leurs réalisations de grande qualité, très élaborées et techniquement sophistiquées. C'est aussi à Hongshan qu'apparurent les premières œuvres d'art en jade : oiseaux, tortues ou « dragons-cochons » superbement ciselés.

Il a pu s'agir de représentations symboliques de la colline de la Tête du Dragon, près de Niuheliang, dans la province du

Liaoning. Beaucoup ont été retrouvées dans un site funéraire de treize tombeaux indépendants, aménagé dans une colline au-dessus d'une vallée dominée au sud par ce même relief. Du côté nord de la vallée, les archéologues ont découvert un temple souterrain, dont les murs plâtrés avaient gardé des traces de sculptures monumentales – peut-être le centre rituel d'une nécropole de 80 km2.

Découvertes impressionnantes près de Shanghai

Parmi les jades les plus impressionnants de Liangzhu figurent ceux qui ont été découverts dans les cimetières de Yingpashan, Yaoshan et Sidun, au nord de Shanghai. À Sidun, des fouilles menées dans un tumulus haut de 20 m ont permis de trouver le corps d'un jeune homme entouré de plus de cent objets en jade, taillés de différentes façons : disques perforés ou cubes percés de trous circulaires. Autre réalisation intéressante découverte à Liangzhu : le « visage double » sur lequel les éléments de deux visages (cils, yeux, nez et bouche) sont superposés comme pour tromper l'observateur. On peut y voir deux visages séparés, mais aussi une seule personne dont la coiffe est ornée d'un visage. Ce

Ci-dessus Un vase (ou « zong ») taillé dans le jade entre 2500 et 1500 av. J.-C.

motif, et donc les techniques qu'il supposait, a été répandu jusqu'à la fin de la dynastie des Shang (succession de 28 ou 29 empereurs entre 1480 et 1050 av. J.-C. environ).

Les plus beaux jades Shang ont été retrouvés en 1975 au cimetière royal d'Anyang, dans le Henan. Il s'agit de plaques ornées de dragons, d'oiseaux, de visages humains ou d'animaux mythiques, et de toute une série d'animaux sauvages. Le style Shang perdura et progressa sous la dynastie des Zhou (de 1027 à 256 av. J.-C.). Les artisans inventèrent des techniques et des outils, comme la perceuse en fer, qui permettaient de réaliser des animaux plus complexes et des gravures en volutes très raffinées. Sous la dynastie des Han

À gauche *Tête de dragon en jade typique du style de Hongshan. Elle date de 3500 av. J.-C. environ.*

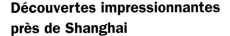

4236 av. J.-C.	vers 4000 av. J.-C.	vers 4000 av. J.-C.	vers 3700 av. J.-C.	vers 3500 av. J.-C.
Date la plus ancienne des calendriers égyptiens.	Premiers fermiers en Grande-Bretagne.	Apparition de cités dans la vallée de l'Euphrate, en Mésopotamie.	Les peintures rupestres du Sahara témoignent du dessèchement du climat.	Fabrication de boissons alcoolisées au Moyen-Orient.

L'invention de la perceuse en fer permit de réaliser des motifs encore plus riches.

(de 206 av. J.-C. à 220 apr. J.-C.), le jade perdit son statut rituel en funéraire et fut employé à des fins plus pratiques : coffrets de toilette, gobelets, objets de table décoratifs. Les pièces les plus

exceptionnelles de cette époque sont toutefois les vêtements funéraires du prince Liu Sheng (vers 113 av. J.-C.) et de son épouse. Quand ils furent découverts dans leur tombeau de Mancheng (province de Hebei), ils étaient tous deux vêtus d'un costume constitué de 2 500 plaquettes de jade reliées par des fils d'or – œuvre magistrale qui dut nécessiter une dizaine d'années.

Dans la période séparant la fin de la période Han et la fin de la dynastie Qing, en 1912 apr. J.-C., il est très difficile de dater les objets en jade qui ne font pas partie d'un contexte archéologique précis. Mais, avant tout, ils expriment la patience de leurs auteurs, surtout ceux qui ont été

À gauche *Ces lames de haches en jade datent de 2500 av. J.-C. environ, tandis que la lame de couteau,* **à droite***, a été fabriquée 500 ans plus tard.*

fabriqués au début du néolithique. Cette matière est en effet très difficile à travailler car, contrairement aux autres pierres, elle ne se fend pas, pas plus qu'elle n'éclate. Pour lui donner un aspect lisse et rond, il faut passer de longues heures à la polir avec un abrasif. Les artistes de Hongshan et de Liangzhu utilisaient probablement du bambou, riche en silicate, mêlé de sable.

Tenu en haute estime par les savants et les aristocrates chinois, le jade n'était pas seulement un objet précieux : on appliquait traditionnellement certaines de ces pierres vertes sur le corps pour se préserver d'influences néfastes.

Principaux sites où ont été trouvés des jades de Hongshan et Liangzhu, IIIe et IVe millénaires av. J.-C.

MONGOLIE

CHINE

■ **Hongshan**
Temple et objets en jade

■ **Jade de Niuheliang**
Objets funéraires de style Hongshan

● *Pékin*

● **Mancheng**
Sépulture de Liu Sheng et de Dou Wan, vêtus de costumes de jade

Yaoshan
Jades liangzhu

Yingpashan
Jades liangzhu anciens

● *Lanzhou*

● *Xian*

Phénix en jade du temps des Shang, 1300 av. J.-C.

● *Shanghai*

● *Changsha*

■ **Fanshan**
Jades liangzhu dans un lieu de culte

vers 3500 av. J.-C.	vers 3372 av. J.-C.	vers 3300 av. J.-C.
Utilisation du cuivre en Thaïlande.	Date la plus ancienne des calendriers mayas.	Les Sumériens échangent des biens contre de petits objets en terre.

L'ARMÉE DE TERRE CUITE
La garde éternelle du premier empereur de Chine

En mars 1974, un ouvrier chinois, qui creusait un puits à Qin, près de l'ancienne capitale de Xian, déterra une tête moustachue en terre cuite. Il n'était pas rare de trouver des figurines en terre cuite dans les tombes des rois de Chine, mais l'ampleur de cette découverte apparut bientôt après la mise au jour d'immenses fosses souterraines, garnies de statues de soldats grandeur nature en tenue de combat. Cette armée de terre cuite de 7 000 hommes était disposée en bataillons et accompagnée de 600 chevaux, de 100 chars et d'une quantité stupéfiante d'arcs, de flèches, de lances et d'épées, restés brillants et tranchants grâce à la qualité de leur matériau – un alliage métallique inhabituel. Ces personnages, tous tournés vers l'est, étaient chargés de veiller sur Shi Huangdi, mort en 210 av. J.-C. Le site est aujourd'hui l'un des grands lieux touristiques de la Chine.

Cet enterrement a forcément nécessité une logistique impressionnante, impliquant plusieurs centaines de milliers de personnes pendant au moins dix ans. Pour creuser ces fosses sur plus de 25 000 m2, il a fallu évacuer 100 000 m3 de terre. Le sol était garni de 250 000 briques de terre cuite, tandis que le plafond a nécessité l'apport de 8 000 m3 de bois, principalement du pin et du cyprès.

Chaque tête de guerrier a été moulée individuellement, probablement sur un modèle vivant, et l'ensemble offre une palette infinie d'expressions, d'âges et de barbes (vingt-cinq types ont été recensés). Les groupes ethniques sont eux aussi représentés, identifiables aux détails des lobes de leurs oreilles. Les têtes sont posées sur des corps produits en masse, vêtus et peints selon leur grade : généraux, fantassins, hommes de cavalerie, archers à genoux. Pour finir, le nom gravé du sculpteur de chaque soldat a été scellé sous l'aisselle ou dans l'ourlet des costumes. De cette façon, quatre-vingt-cinq noms ont pu ainsi être rassemblés.

À gauche *Cet archer en terre cuite a été trouvé près du tombeau de l'empereur Shi Huangdi.*

Les statues doivent leur couleur grise spéciale et leur solidité à la température de cuisson de la terre (800 °C). Malgré leurs deux mille ans d'attente sous terre, elles ont résisté à l'humidité et sont restées dures comme de la pierre. Toutefois, beaucoup étaient endommagées, mais pour d'autres raisons. Ainsi, la première fosse, qui contient la plus grande partie de la collection, avait été noircie par le feu, tandis que les fosses n° 2 et n° 3 étaient en partie effondrées. La fosse n° 3 présente un intérêt particulier, car elle abrite les gradés. Les généraux sont reconnaissables à leur taille (en moyenne 13 cm de plus que les fantassins), à leur corps musclé et à la présence, pour chacun, d'un garde personnel.

Cette armée rend hommage à un empereur qui voyait les choses en

Grande Muraille
MER JAUNE
Lintong
Xi'an
Luoyang
Tombeau du Premier Auguste Souverain de Chine, Shi Huangdi et son « armée de terre cuite »
Changsha
Frontière de l'empire Qin

L'empire de Shi Huangdi en 207 av. J.-C., trois ans après sa mort

262 av. J.-C.	221 av. J.-C.	218 av. J.-C.	206 av. J.-C.	vers 200 av. J.-C.
Ashoka, roi indien de la dynastie des Maurya, se convertit au bouddhisme.	Fondation de la Chine féodale par Shi Huangdi, roi de la dynastie Qin.	Hannibal de Carthage envahit l'Italie.	Rome prend le contrôle de l'Espagne.	La culture Hopewell émerge, au centre-ouest de l'Amérique du Nord.

L'aménagement du tombeau a nécessité une main-d'œuvre de plusieurs centaines de milliers de personnes.

grand. À son crédit, Shi Huangdi parvint à unifier les régions chinoises – jusqu'alors en conflit – et fit édifier la Grande Muraille. Mais c'était aussi un tyran sanguinaire qui ordonna, en 213 av. J.-C., que l'on brûle tous les livres qui contredisaient sa conception de l'histoire et de la philosophie. Son tombeau se trouve près d'un grand tumulus, à un bon kilomètre de ses gardiens en terre cuite et, selon des textes anciens, il est entouré d'un grand palais souterrain protégé de toute intrusion par des chausse-trappes et autres pièges. Ce palais abriterait une carte en trois dimensions de la Chine sous les Qin, où les cours d'eau sont tracés avec du mercure. Qu'il s'agisse ou non d'une légende, la découverte de ce tombeau épargné par les ans devrait révéler de nombreux secrets sur le règne de Shi Huangdi.

Des trésors archéologiques pour le monde entier

La découverte de l'armée de terre cuite provoqua un tel enthousiasme et un tel afflux de touristes qu'il fallut construire un nouvel aéroport à Xian. Un chantier fut lancé pour aménager

une autoroute à 20 km de la ville, mais les travailleurs tombèrent, là encore, sur une armée enterrée ; cette fois, il s'agissait de statues de 50 cm de haut, toujours en terre cuite, mais qui représentaient des hommes nus et, ce qui reste inexpliqué, dépourvus de bras. Pour certains experts, les bras des statues étaient en bois et ont fini par pourrir. Pour d'autres, ils auraient été fixés avec des tiges de métal précieux et volés. Cette troupe semble associée aux tombes de l'empereur Liu Qi et de son épouse et, dans ces vingt-quatre salles distantes de 20 m, des rangées de figurines étaient alignées suivant un axe nord-sud. Les caves contenaient aussi des armes, des attelages, des pièces de monnaie et des bijoux de toute sorte – le tout étant fabriqué à la même échelle que les guerriers miniatures.

À droite *Les rangs de soldats en terre cuite tels qu'ils ont été découverts, alignés comme pour aller au front.*

vers 200 av. J.-C.	vers 200 av. J.-C.	149 av. J.-C.
Le pays de Coush, qui deviendra la Nubie, développe des relations avec l'Égypte.	Teotihuacán se développe et s'éloigne de la culture villageoise.	Rome détruit Carthage.

LA GRANDE MURAILLE
L'un des plus impressionnants exploits de l'homme

On dit parfois que la Grande Muraille de Chine est le seul édifice visible de la lune. Il fut un temps où, à partir de Qinhuangdao, à l'est, elle courait sur les terres arides du nord de la Chine et longeait plus de 2 400 km de frontière jusqu'à Kaotai, dans la province du Gansu. Il s'agit d'une réalisation sans équivalent, même en considérant que les ressources de main-d'œuvre étaient illimitées. Les malheureux ouvriers – des conscrits mêlés d'esclaves – ont enduré de cruelles privations et la plupart sont morts jeunes, emportés par la maladie ou la malnutrition. Des chants et des contes folkloriques transmettent aujourd'hui encore le récit de leur calvaire.

Avant l'accession au pouvoir de Qin Shi Huangdi, premier empereur de Chine, le pays avait été ravagé par 250 ans de conflits internes. La période des Royaumes combattants avait commencé avec l'effondrement du système féodal, qui reposait sur l'autorité d'un roi de plus en plus virtuel et impuissant, malgré son titre de « fils du ciel ». Les nobles se livrèrent peu à peu bataille pour exercer leur contrôle sur des terres de plus en plus vastes, et firent édifier des murs de défense pour matérialiser leur puissance et éloigner les pilleurs nomades venus des steppes du nord. Quand la dynastie des Qin triompha de ses grands rivaux les Zhou, le pays fut enfin réunifié sous le régime totalitaire de Shi Huangdi.

Un besoin de sécurité

Pour le « Premier Auguste Souverain », la sécurité du royaume dépendait de la frontière nord du pays. Certes, il voulait éloigner les cavaliers nomades, mais il tenait aussi à décourager la fuite vers le nord

Ci-dessus *Détail d'une porte de la forteresse de Juyongguan.*

de ses fermiers, dont beaucoup étaient tentés d'abandonner la production céréalière pour se consacrer à l'élevage et rejoindre les peuples itinérants. Shi Huangdi voulait aussi établir une frontière claire et nette du domaine où son autorité, sa culture et sa philosophie seraient appliquées. La Grande Muraille devait remplir ces trois fonctions.

Shi Huangdi lança les travaux très vite et chargea le général Meng Tian, également de la famille des Qin, de mener l'opération. Il s'agissait d'abord de renforcer et de relier les tronçons existants des murailles défensives érigées pendant la période des Royaumes combattants ; les cours d'eaux furent longés plutôt que traversés et les montagnes et les vallées utilisées comme défenses naturelles. Au nord, Meng Tian créa une nouvelle ligne de défense en

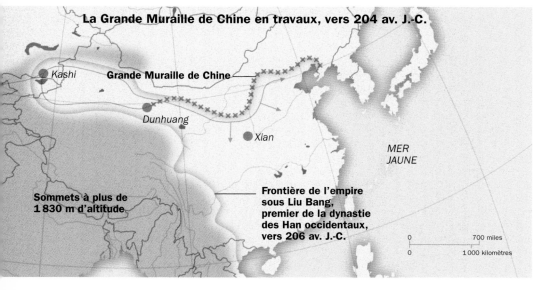

La Grande Muraille de Chine en travaux, vers 204 av. J.-C.

Kashi

Grande Muraille de Chine

Dunhuang

Xian

MER JAUNE

Sommets à plus de 1 830 m d'altitude

Frontière de l'empire sous Liu Bang, premier de la dynastie des Han occidentaux, vers 206 av. J.-C.

0   700 miles
0   1 000 kilomètres

vers 290 av. J.-C.	224 av. J.-C.	223 av. J.-C.	vers 214 av. J.-C.	202 av. J.-C.	200 av. J.-C.	168 av. J.-C.	100 av. J.-C.
Fondation de la bibliothèque d'Alexandrie.	Le colosse de Rhodes, l'une des Sept Merveilles du monde, est détruit par un séisme.	Chute de la dynastie des Zhou.	Fin des travaux de la Grande Muraille de Chine.	La dynastie des Han réunifie la Chine.	L'Étrurie tombe sous le contrôle des Romains.	Rome soumet la Macédoine.	Introduction des premiers dromadaires au Sahara.

Le général Meng Tian érigea la muraille, puis se suicida, persuadé d'avoir « tranché les veines » de la terre.

Ci-dessus *Vue des murailles de Juyongguan, à l'extrémité ouest de la muraille. Les généraux chinois comprirent qu'il était impossible de maintenir de tels avant-postes en activité.*

prolongeant la muraille jusqu'au plateau de l'Ordos, vers 214 av. J.-C. Mais, bientôt, il fut étrangement saisi de remords pour les décisions prises, avant d'être poussé au suicide par des ordres qu'il croyait tenir de l'empereur, alors que celui-ci était déjà mort. Il écrivit : « J'ai érigé des murs et creusé des tranchées sur plus de 10 000 li *. À cette échelle, il est impossible que les veines de la Terre n'aient pas été tranchées. J'ai commis un crime qui mérite la mort. »

La plus grande partie de la Muraille est en terre et en pierre, et en briques de terre cuite sur le flanc est. Elle mesure en moyenne 6 m au sol, et se réduit pour mesurer à peu près 4 m au sommet. Sa hauteur est d'environ 8 m, sans compter les créneaux ; tous les 180 m s'élève une tour de guet de 12 m. De telles fortifications ne peuvent se dispenser de garnisons – comme les Romains l'ont eux aussi constaté avec le mur d'Hadrien, pourtant nettement plus modeste. Les Chinois affectèrent des unités autonomes à la surveillance de l'extrémité ouest de la muraille : leur mission était de contenir d'éventuelles offensives extérieures en attendant des renforts. Toutefois, dès le Ier siècle apr. J.-C., les militaires chinois ont dû admettre que ces tours étaient trop loin de tout pour être utiles. La longueur totale de l'ouvrage a été estimée à 6 000 km, et a mobilisé plus de 300 000 ouvriers.

* Li : unité de mesure chinoise valant environ 30 m.

La victoire finale du roi Qin Shi Huangdi

Le premier empereur doit sa victoire sur la dynastie des Zhou, en 223 av. J.-C., à la ruse d'un vétéran, le général Wang Chien. Celui-ci adopta le principe d'un manuel de stratégie chinois : l'ennemi qui se croit en sécurité est vaincu plus facilement. Il ordonna donc à ses 600 000 hommes d'installer leur camp, puis d'aller se baigner, de chanter, festoyer et se divertir. Au bout de quelques semaines, les défenseurs Zhou en étaient venus à les regarder avec mépris, et ils relâchèrent leur discipline. Quand ses éclaireurs lui livrèrent cette nouvelle, le général leva ses troupes pour passer à l'offensive, et remporta une victoire stupéfiante.

La Grande Muraille aujourd'hui. Des milliers d'esclaves et de travailleurs ont connu une fin dramatique pendant son édification.

YIN
Capitale de la dynastie des Shang

La découverte de Yin, ancienne capitale de la dynastie des Shang, près de la ville moderne d'Anyang, est le résultat d'un véritable travail de détective. Vers la fin du XIXe siècle, plusieurs marchands du nord et de l'est du pays, peu regardants, se mirent à faire commerce d'os d'animaux – surtout des carapaces de tortue – gravés de caractères chinois. Ils affirmaient à leurs clients que ces os « divinatoires », une fois réduits en poudre, avaient des vertus médicinales. Et il s'avéra que cette imposture reposait bel et bien sur des activités anciennes de divination.

Pris de curiosité, certains historiens remontèrent la filière et s'aperçurent que les os étaient déterrés par des fermiers du nord-est d'Anyang. En traduisant les inscriptions et en croisant les sources d'information, ils comprirent qu'ils avaient déjà servi à prédire l'avenir. Après avoir énoncé deux prédictions contradictoires, le prêtre glissait dans un os préalablement percé une barre de métal chauffée au rouge. La façon dont l'os se fendait annonçait sous quels auspices l'avenir se présentait. Après avoir gravé les mots clefs de la prédiction sur les os favorables, ceux-ci étaient enterrés pour être mis en sécurité. Au XXe siècle, pas moins de 100 000 ont été retrouvés, dont 4 500 d'entre eux étaient gravés.

Cette méthode de divination était un élément essentiel de la religion des Shang, première dynastie impériale de Chine, qui vit se succéder vingt-neuf souverains dans les régions du nord et du centre du pays, entre 1480 et 1050 av. J.-C.

Ces rois descendaient directement de chefs guerriers de l'âge de pierre, qui avaient eux-mêmes régné en combinant la force, la terreur, les alliances intertribales et en s'attribuant un statut de sage sacré nommé par Shang Di (le « suprême dominateur »). Entre le roi et le peuple se trouvait la caste des hommes religieux, qui professait une religion fondée sur la vie après la mort, et reconnaissait une multitude de dieux et le pouvoir des défunts ancêtres.

Sacrifices humains

L'aspect le plus sinistre de cette religion était la pratique systématique du sacrifice humain. Quand Li Chi, doyen des archéologues chinois, mena des fouilles au palais en bois de Yin, près d'Anyang, il s'aperçut que la cité tout entière était édifiée sur un « lit » de squelettes humains, qui avaient été dispersés dans les fondations au moment du chantier, puis parsemés d'ocre rouge (roche à l'oxyde de fer). Des restes humains avaient ensuite été soigneusement disposés près des montants et des portes, comme si les morts étaient chargés de remplir une double mission de sentinelles et de piliers. Quant aux tombeaux des souverains, ils étaient eux-mêmes entourés de centaines de squelettes et riche-

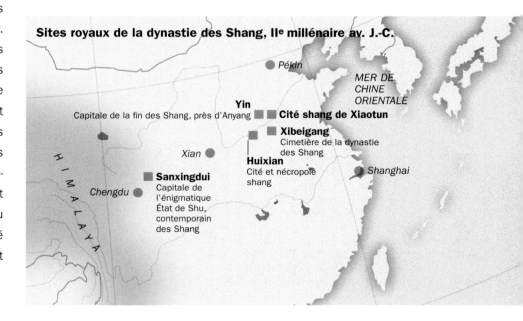

Sites royaux de la dynastie des Shang, IIe millénaire av. J.-C.

Pékin

MER DE CHINE ORIENTALE

Yin
Capitale de la fin des Shang, près d'Anyang ■ ■ **Cité shang de Xiaotun**

■ **Xibeigang**
Cimetière de la dynastie des Shang

Xian

Huixian
Cité et nécropole shang

Shanghai

■ **Sanxingdui**
Capitale de l'énigmatique État de Shu, contemporain des Shang

Chengdu

HIMALAYA

1595 av. J.-C.	vers 1500 av. J.-C.	vers 1500 av. J.-C.	vers 1458 av. J.-C.	vers 1400 av. J.-C.	vers 1400 av. J.-C.	de 1400 à 1100 av. J.-C. env.	vers 1240 av. J.-C.
Les Hittites conquièrent Babylone.	Violentes éruptions volcaniques sur l'île de Santorin, dans la mer Égée.	Les Égyptiens importent du bois du Liban.	Mort d'Hatshepsout, seule femme pharaon à la tête de l'Égypte.	Les Syriens inventent un alphabet.	Le cheval devient un moyen de transport en Asie centrale.	Apogée de la civilisation mycénienne.	Moïse prononce les dix commandements.

La tradition fait des derniers rois de la dynastie des Shang des démons sadiques et assoiffés de sang.

ment meublés de chars – importés à prix d'or des steppes de l'ouest – encore attelés à leurs chevaux, d'armes en bronze et d'objets incrustés de pierres précieuses. L'une des tombes les plus riches, découverte par l'Institut d'archéologie de Pékin en 1976, était celle de Fu Hao, épouse du célèbre souverain Wuding, de la dynastie des Shang. Elle contenait 440 bronzes, 590 jades, 560 objets en os et quelque 7 000 coquilles de cauri.

L'étude de Yin a révélé que les arts, l'artisanat et les ustensiles de cuisine de cette ville étaient presque exclusivement réservés à la noblesse locale. Les objets à la mode étaient, entre autres, le jade et la pierre sculptés, les gobelets en bronze, les vêtements en lin et en soie, la poterie en terre noire et rouge, ainsi que les pots en grès blancs. Les Shang maîtrisaient parfaitement le travail du bronze et la fusion du fer, mais ils n'appli-

quaient pas ce savoir à la fabrication d'outils agricoles. Les paysans qui n'étaient ni artisans ni soldats travaillaient aux champs pour produire du millet, de l'orge, du blé, et peut-être du riz. La viande provenait d'élevages de cochons, chiens, moutons et bœufs, mais la chasse restait une source importante d'approvisionnement.

Les récits traditionnels chinois présentent les derniers rois de la dynastie Shang comme des démons sadiques et assoiffés de sang. Ils furent renversés par les Zhou, issus d'un peuple semi-nomade du nord-ouest, qui mirent fin aux sacrifices humains, mais adoptèrent de nombreux rites des Shang – qui restent à l'origine de la civilisation chinoise.

À droite *Coupe tripode servant à présenter la nourriture lors de cérémonies religieuses.*

vers 1200 av. J.-C.	vers 1200 av. J.-C.	vers 1150 av. J.-C.	vers 1120 av. J.-C.	vers 1100 av. J.-C.	vers 842 av. J.-C.	753 av. J.-C.	vers 750 av. J.-C.
Les Grecs détruisent Troie.	Exode biblique des Hébreux, qui quittent l'Égypte.	Les premières cartes topographiques sont dressées en Égypte.	Fin de la civilisation mycénienne.	Création de l'écriture alphabétique par les Phéniciens.	Jéhovah est adopté comme dieu unique d'Israël.	Fondation de Rome.	Rédaction de l'*Iliade*, long poème qui relate le siège de Troie.

LES TOMBEAUX, LES FRESQUES ET LES MOMIES DES MING
Une infinie variété au fil des millénaires

L'armée de terre cuite de Xian n'est qu'un exemple des rites funéraires d'Extrême-Orient. Au fil des millénaires, nombre de croyances indépendantes, qu'elles soient païennes ou spirituelles, puis l'influence grandissante du bouddhisme, ont laissé un héritage archéologique hors du commun. Par exemple, les soldats gravés dans la pierre qui forment le « chemin spirituel » des tombeaux des Ming (de 1368 à 1644 apr. J.-C. env.), les petites figurines dansantes des tombeaux de la dynastie des Han (de 206 av. J.-C. à 220 apr. J.-C. env.), ou encore les ors de la nécropole du VIe siècle de Kyóngju (Corée du Sud), qui doit son surnom de nécropole du « cheval volant » à un dessin sur de l'écorce de bouleau. Mais la plus fascinante de toutes les représentations destinées à honorer les morts – et la plus édifiante d'un point de vue historique – est celle qui consiste à orner les murs des édifices religieux de grandes fresques peintes et gravées.

Les cryptes de la dynastie des Han sont parmi les plus célèbres de la Chine. On en trouve également à Helingeer, en Mongolie-Intérieure, à Wangdu et à Luoyang – toutes étant réalisées à base d'encre ou de pâte à peindre sur de la brique. Le thème est presque toujours le même : les activités des morts, leur sécurité et leur protection, leur ascension vers le « monde des immortels ». Pourtant, certains sites témoignent de plus d'originalité, comme celui de Luoyang, où l'on voit un chaman à tête d'ours entouré de ses conseillers. À Helingeer, le trait, nettement plus enlevé, aborde les passe-temps des gens aisés : chasse, cérémonies religieuses et défilés militaires.

La déesse-mère

Les tombeaux de la dynastie des Tang (VIIe siècle apr. J.-C. env.) sont eux aussi différents. La plupart sont disséminés dans les collines entourant le Wei, cours d'eau qui arrose Xian, et reflètent une conception architecturale bien plus complexe. La sépulture du prince Zhang Huai, mort avant même d'être couronné, est une grande pyramide de terre édifiée au-dessus de deux salles souterraines.

On y accède en empruntant d'immenses galeries dont les murs sont ornés d'une procession de serviteurs. Les tombes des Tang mettent en scène des motifs mythologiques, tels que les « quatre esprits des points cardinaux » : le guerrier-tortue noir au nord, le phénix rouge au sud, le dragon vert à l'est, et le tigre blanc à l'ouest. L'idée directrice était de fêter les morts au cœur de leur luxueux palais comme s'ils étaient toujours en vie.

Les statues grandeur nature, ou même géantes, reflètent un autre aspect des arts religieux chinois. À Yungang, à l'ouest de Pékin, deux immenses statues bouddhiques gardent l'entrée de grottes où des moines résidaient au Ve siècle. Leur expression et les motifs de fond sont gravés avec une merveilleuse précision. De même, le temple de Niuheliang, dans la province du Liaoning, a livré les débris dispersés de sept statues d'argile grandeur nature, dont aucune n'avait été cuite. Certains des fragments représentent des seins, ce qui suggère une statue de déesse-mère, et au moins l'un d'entre eux était orné d'yeux de jade. Il reste à expliquer comment les Hongshan, peuple primitif qui vénérait ce site au IIIe siècle av. J.-C.,

À gauche *Le tombeau du roi Koryo et de son épouse à Kaesong, en Corée du Nord.*

vers l'an 1000	vers l'an 1000	1066 apr. J.-C.
Les Vikings accostent en Amérique du Nord.	Les Polynésiens abordent en Nouvelle-Zélande.	Les Normands de Guillaume le Conquérant envahissent l'Angleterre.

ont pu embaucher et payer des sculpteurs maîtrisant un art si raffiné. La région reposait en effet sur une agriculture très rudimentaire et l'alimentation quotidienne restait incertaine.

Ci-dessus Des sentinelles de pierre montent la garde devant le tombeau de Koryo. Un « chemin spirituel » comparable se trouve près des tombeaux des Ming, à Pékin.

Les morts étaient fêtés comme s'ils étaient toujours en vie, au cœur de leur palais.

Les momies du désert de Taklamakan

En 1988, Victor Mair, sinologue de l'université de Pennsylvanie, vit une série de corps momifiés au musée de Urumqi (ou Ouroumtsi), à l'ouest de la Chine. Enterrés 4 000 ans plus tôt, ils avaient été protégés par les sables salés de trois sites du désert de Takla-Makan : Hami, Loulan et Cherchen. Curieusement, les traits des personnages évoquaient plus des Européens que des Asiatiques : longs membres, arête du nez placée assez haut, des cheveux blonds ou roux. Cette découverte n'était pas sans conséquence dans un pays où les autorités officielles soutenaient que la culture chinoise ne devait rien à un quelconque peuple extérieur. De fait, des études menées discrètement ont montré qu'il s'agissait de Tokhariens, migrants qui avaient étrenné sans le savoir la route de la soie, entre l'Europe et la Chine, au IIe millénaire av. J.-C. Ce peuple travaillait le bronze à une époque où les Chinois n'en connaissaient pas même l'existence. Plus étonnant encore, le tissage et le style de leurs vêtements étaient indubitablement de type celte : cela suppose donc que cette communauté, comme les Celtes, était issue de la famille indo-européenne.

Tombeaux et sites religieux ornés de sculptures murales en Chine et en Corée

MONGOLIE

Dingling
Tombeaux des Ming édifiés sous le règne de l'empereur Wanli

CORÉE DU NORD

● *Pékin*

Yungang
Sculptures et gravures bouddhiques monumentales

CORÉE DU SUD

Kyongju
Site du « cheval volant », qui serait le tombeau du roi de Silla

● *Lanzhou*

Luoyang
Tombes murales de la dynastie des Han, à partir de 25 apr. J.-C.

MER DE CHINE ORIENTALE

Xian ●

CHINE

Longmen
Statues bouddhiques en pierre

● *Shanghai*

Grottes et statues du Bouddha à flanc de colline à Longmen

vers 1220 apr. J.-C.	vers 1250 apr. J.-C.	vers 1350 apr. J.-C.
Émergence du premier royaume thaï.	L'Empire mongol s'étend en Asie et en Europe.	Début de la Renaissance, en Italie.

ANGKOR VAT
L'exploit architectural des rois khmers

Jusqu'en 1860, les Occidentaux ignorèrent l'existence même de la plus grande œuvre architecturale de l'Asie. Et puis, un jour, des missionnaires français qui défrichaient des terres au centre du Cambodge (alors Indochine française) se trouvèrent face à un temple oublié – un édifice d'une taille gigantesque, à demi enfoui sous les arbres, les plantes rampantes et la végétation exubérante de la jungle. Quelques années plus tard, des archéologues français se mirent au travail et dégagèrent le site pour étudier de plus près ce superbe monument, ainsi que les statues disséminées tout autour.

Angkor Vat reste le site principal d'Angkor (jadis Yasodharapura), ancienne capitale du royaume khmer. Fondée à la fin du IXe siècle, la ville devint la capitale du souverain Yasovarman Ier pendant ses onze ans de règne, jusqu'en 900 apr. J.-C. À cette époque, les chefs khmers adoptèrent la notion de souverain-dieu, venue du sud de l'Inde, et se firent tous édifier un « temple-montagne », représentation symbolique du Meru – sommet sacré qui, selon la tradition hindoue, se trouve au centre du monde. Meru est l'Olympe des dieux, et les souverains du « temple-montagne » s'approchent donc du statut de divinité. Au-delà de ces croyances religieuses, les temples étaient un bon moyen de garder le peuple sous contrôle.

Les travaux d'Angkor commencèrent vers 1113, sur l'ordre du nouveau souverain Sûryavarman II. Jusqu'à la fin de son règne, en 1150, il soutint qu'il était l'incarnation de Vishnou, l'un des trois dieux les plus adorés de l'hindouisme médiéval, maîtrisant le savoir universel et capable de tirer la paix du chaos. Pour matérialiser son pouvoir, Sûryavarman commanda un tour de force architectural, en faisant édifier un bâtiment de 850 x 1 000 m, cerné par trois murs orbes, concentriques et entourés par d'immenses bassins, symbolisant les océans.

Le temple proprement dit se trouve au centre, avec ses cinq tours géantes qui représentent les cinq sommets de Meru (quatre d'entre elles se sont effondrées). Des sculptures, qui figurent parmi les plus prodigieuses du monde, ont été réalisées sur les murs intérieurs, avec parmi elles le bas-relief le plus long du monde (qui fut même, un temps, richement peint et doré) et des représentations picturales de poèmes épiques comme le Râmâyana et le Mahâbârata.

Un tel chantier exigeait tant de ressources que cela provoqua la chute des Khmers. Après la mort de Sûryavarman, les travaux continuèrent pendant des décennies, sous la direction de son successeur Udayadityavarman, mais le pays s'en trouva affaibli au moment de l'offensive des Chams, venus de l'actuel Viêt-Nam. Après cette défaite, la foi dans les dieux hindous ne cessa de décliner et, à la fin du XIIe siècle, les Chams mirent Angkor à sac. Jayavarman VII, roi bouddhiste, reprit la ville et lança à son tour un nouveau chantier plus luxueux encore : Angkor Thom. Cette fois, le temple, cerné de murs et d'eau, devait couvrir 15 km². Il est axé sur le Bayon, temple orné d'immenses statues en pierre à l'effigie de Bouddha et de Jayavarman lui-même. Hélas ! Angkor Thom fut gravement endommagé par les souverains ultérieurs, qui voulaient que leur propre portrait figure parmi les immortels, quitte à détruire les œuvres précédentes. De plus, le temple résista mal à l'érosion : par souci d'élégance, les Khmers avaient aligné les joints de maçonnerie à la verticale, ce qui avait fragilisé l'édifice.

Ci-dessous *Bas-relief d'Angkor Vat.*

vers l'an 1000	vers l'an 1000	1066 apr. J.-C.	vers 1220 apr. J.-C.	vers 1250 apr. J.-C.
Les Vikings accostent en Amérique du Nord.	Les Polynésiens débarquent en Nouvelle-Zélande.	Les Normands de Guillaume le Conquérant envahissent l'Angleterre.	Émergence du premier royaume thaï.	L'Empire mongol s'étend en Asie et en Europe.

Un tel chantier demandait tant de ressources qu'il provoqua la chute des Khmers.

Ci-dessus *Même en ruine, le site d'Angkor Vat conserve une majesté impressionnante.*

La fin de l'âge d'or d'Angkor

Au XIIIᵉ siècle, Angkor, avec une superficie de 100 km², était l'une des plus grandes villes du monde. Mais son heure de gloire était passée. Devant les agressions du royaume des Thaïs, les Cambodgiens migrèrent vers le sud et, en 1431, ils ne purent s'opposer à la mise à sac d'Angkor. La ville attira les pèlerins pendant quelques années encore, mais, au début du XVIᵉ siècle, elle était pratiquement abandonnée aux tentacules de la jungle. Malgré tout, Angkor Vat survit grâce aux travaux de restauration entrepris depuis la fin des conflits cambodgiens de la seconde moitié du XXᵉ siècle.

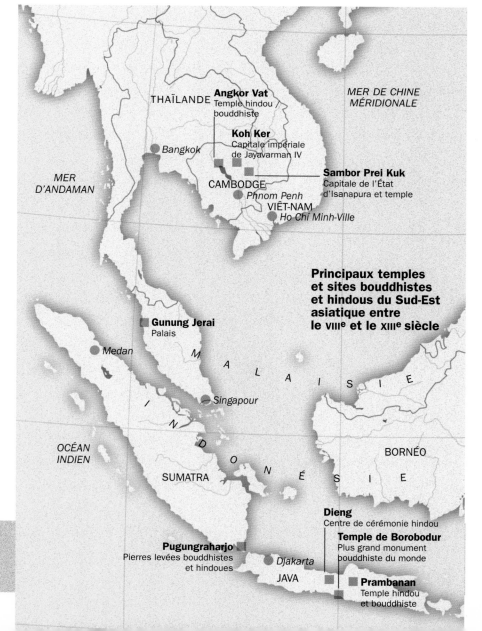

vers 1350 apr. J.-C.	vers 1409 apr. J.-C.	1492 apr. J.-C.
Début de la Renaissance, en Italie.	Fondation de l'université de Leipzig.	Christophe Colomb découvre l'Amérique.

CHAPITRE 10

L'OCÉANIE

CHINE

CORÉE
DU NORD

CORÉE
DU SUD

JAPON

TAÏWAN

**Fusion de peuples
venus de différentes
régions d'Asie,
avant le IVe millénaire
av. J.-C.**

MER DES PHILIPPINES

PHILIPPINES

**Théorie
de la colonisation
du Pacifique**

OCÉAN PACIFIQUE NORD

On croit souvent, à tort, que ce sont les Européens qui se sont lancés les premiers à la découverte des océans du monde. En vérité, des siècles avant Christophe Colomb, Drake, ou même les Vikings, un peuple d'une grande inventi-

vité, qui maîtrisait des techniques de navigation très avancées, a essaimé à travers tout le Pacifique, à la fois pour s'implanter sur de nouvelles terres et ouvrir de nouvelles routes commerciales vers des pays lointains.

Certains étaient les descendants des premiers aborigènes, qui avaient eux-mêmes accompli, 40 000 ans plus tôt, d'impressionnants voyages entre le Sud-Est asiatique et l'Australie. D'autres étaient des marins mélanésiens ou poly-

BORNÉO

INDONÉSIE

ARCHIPEL
BISMARCK

NOUVELLE-GUINÉE

**Nouvelle-
Bretagne**
Culture de Lapita

ÎLES
SALOMON

**Premiers
explorateurs
du Pacifique,
venus d'Indonésie**

**entre 3000 et 1000
av. J.-C. env.**

**Tonga et Samoa
deviennent des plaques
tournantes
vers le Pacifique Est.**

SAMOA

Fidji

ÎLES
COOK

Tonga

NOUVELLE-
CALÉDONIE

**Terre
d'Arnhem**

OCÉAN INDIEN

Bassin de Carnarvon ■

AUSTRALIE

OCÉAN PACIFIQUE SUD

■ **Purritjarra**

Cavernes de Koonalda ■

**Lac
Mungo**
■
■ **Kow Swamp**

NOUVELLE-ZÉLANDE

■ **Wellington**

Grotte de Kutikini
Village de 20 000 ans où l'on a retrouvé
des outils réalisés avec le verre
de la météorite de Darwin

**Lieu de chute
de la météorite de Darwin**

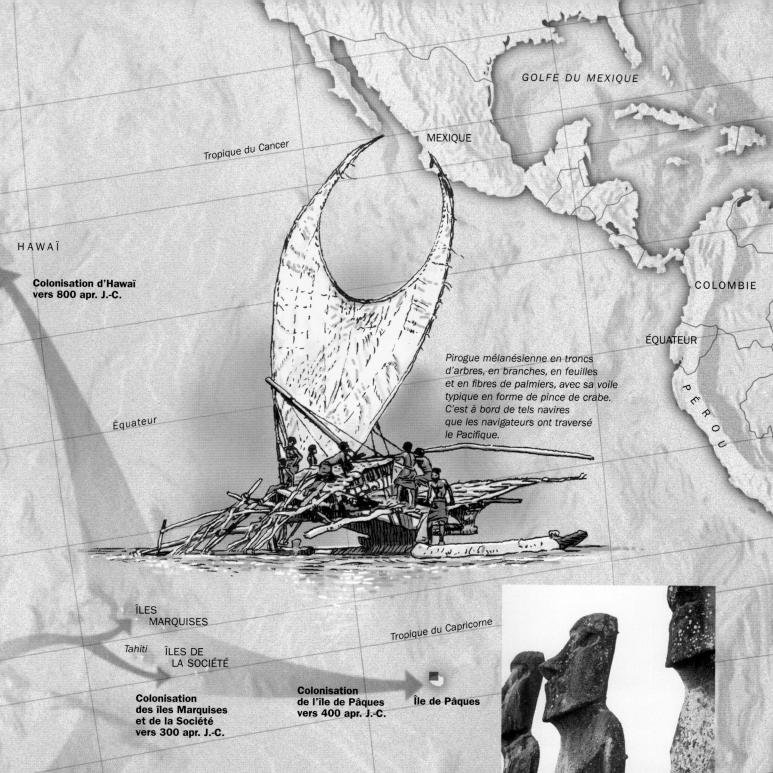

MEXIQUE

Tropique du Cancer

HAWAÏ

**Colonisation d'Hawaï
vers 800 apr. J.-C.**

COLOMBIE

ÉQUATEUR

Équateur

*Pirogue mélanésienne en troncs
d'arbres, en branches, en feuilles
et en fibres de palmiers, avec sa voile
typique en forme de pince de crabe.
C'est à bord de tels navires
que les navigateurs ont traversé
le Pacifique.*

P É R O U

ÎLES
MARQUISES

Tahiti   ÎLES DE
LA SOCIÉTÉ

Tropique du Capricorne

**Colonisation
des îles Marquises
et de la Société
vers 300 apr. J.-C.**

**Colonisation
de l'île de Pâques
vers 400 apr. J.-C.**

Île de Pâques

**Arrivée des colons maoris
vers l'an 1000**

À droite *Les célèbres et énigmatiques
sculptures de l'île de Pâques.*

nésiens. Ils fuyaient les conflits intertri-
baux ou la surpopulation, cherchaient de
nouvelles zones de pêche, ou voulaient
instaurer de nouvelles religions. Quelle
qu'en fût la raison, ils prirent la mer à
bord de solides pirogues à balancier de
30 m de long, capables d'accueillir un
équipage de 140 hommes, plus les
animaux domestiques, les vivres et
diverses affaires personnelles. En s'en

remettant à une connaissance approfondie des étoiles, du soleil et du mouvement des marées, et en se fiant au vol
des oiseaux, ils mirent le cap à l'est –
contre les courants et les vents domi-
nants – vers une destination inconnue.
Leurs exploits restent sans égal.

Ce chapitre évoque les traces que ces
hommes ont laissées : les poteries de
Lapita, les étranges statues rituelles de

l'île de Pâques, et les forteresses maories
de Nouvelle-Zélande. Mais notre histoire
commence avec l'Australie préhistorique,
où les premiers êtres humains, les aborigènes, révèlent leurs étonnantes capacités d'adaptation et leur intelligence à la
fois pragmatique et spirituelle.

LE LAC MUNGO
Un mystère surgi des sables

L'Australie offre un champ bien particulier en matière de connaissance de l'homme préhistorique. En effet, cette île n'a jamais été reliée au continent asiatique par la terre ferme, même quand le niveau de la mer était au plus bas, et ses premiers habitants l'ont forcément abordée en franchissant l'océan sur une distance d'au moins 50 km. Il est difficile d'admettre que les hommes préhistoriques aient pu construire, voici 40 000 ou 60 000 ans, des embarcations suffisamment solides pour affronter la haute mer. Pourtant, de récentes découvertes archéologiques en Australie semblent bien le confirmer.

La découverte de Bowler

Le lac Mungo fait partie des lacs Willandra (classés au Patrimoine mondial de l'Unesco), à l'ouest de la Nouvelle-Galles du Sud. C'est un lieu essentiel pour qui veut comprendre la façon dont le continent a été abordé et colonisé. En 1968, Jim Bowler, qui étudiait l'histoire climatique de la région, découvrit des os brûlés, à demi enfouis dans une grande dune côtière en forme de croissant et exposée aux intempéries. L'analyse montra qu'il s'agissait des restes d'une jeune femme morte il y a 25 000 ans. Ses os avaient été incinérés, réduits en miettes, puis enterrés. Six ans après, une seconde sépulture – qui datait, elle, de 30 000 ans – fut trouvée non loin. Il

Ci-dessus *Les dunes de sable sur la rive est du lac Mungo. Les effets des conditions météorologiques ont permis de faire des découvertes capitales.*

s'agissait cette fois d'un homme couché sur le côté et dont les os étaient enduits d'oxyde de fer rouge.

À elles seules, ces deux découvertes remirent en cause des certitudes qui semblaient bien établies. Il fallut admettre que des hommes vivaient là depuis bien plus longtemps qu'on ne le supposait. Du coup, cela soulevait des questions autrement complexes sur l'état d'esprit de ces tout premiers aborigènes : quelle était leur vie spirituelle, leur religion ? Imaginaient-ils une vie après la mort ? Quelle était la nature de leurs relations sexuelles, de leur vie en communauté ? Ils avaient atteint un niveau de développement suffisant pour traverser l'océan et procéder à des rites de crémation : que savaient-ils faire

d'autre ? Les aborigènes contemporains ont leurs propres mythes, dont certains procèdent de faits plus ou moins avérés. Ainsi, ils expliquent l'arrivée de leurs ancêtres par le mythe du Rêve : les premiers colons seraient arrivés en Australie afin de préparer la terre pour les chasseurs et les cultivateurs, et y accueillir les esprits des futurs enfants.

Il y a 35 000 ans, Mungo était un lac d'eau douce. Il fait partie des dix-huit lacs de Willandra, qui se sont asséchés il y a 14 000 ans et n'ont laissé qu'une terre hostile et aride, où des dunes de sable façonnent un paysage lunaire. Cette terre est riche en fossiles et, parmi les vestiges les plus insolites, on trouve des espèces éteintes comme le kangourou géant, le zygomaturis (type de bovidé) et le tigre de Tasmanie. Il semble aussi que les aborigènes se nourrissaient de moules d'eau douce et de poissons comme la perche dorée. Leur nourriture était essentiellement consti-

vers 100 000 av. J.-C.	vers 50 000 av. J.-C.	vers 30 000 av. J.-C.	vers 30 000 av. J.-C.	de 70 000 à 30 000 av. J.-C.	vers 24 000 av. J.-C.	de 25 000 à 20 000 av. J.-C.	vers 10 000 av. J.-C.
Le véritable *Homo sapiens* apparaît au Moyen-Orient.	Premières œuvres rupestres en Australie.	Disparition de l'homme de Neandertal, lentement remplacé par l'*Homo sapiens*.	La plupart des régions habitables du globe sont occupées.	Chute des températures sur tout le globe terrestre.	Les chasseurs-cueilleurs européens édifient des maisons à toit d'argile.	L'art rupestre s'épanouit dans l'Europe du Sud.	Les hommes atteignent la pointe sud du continent américain.

Les fouilles de Mungo et de Willandra
ont réécrit la préhistoire de l'Australie.

À gauche *Alice Kelly, aborigène d'Australie, au bord des rives du lac Mungo.*

Pourtant, sur la côte ouest de Kow Swamp, dans le Victoria, les restes découverts dans au moins quarante sépultures révèlent une ossature plus robuste. Les os de Kow Swamp sont beaucoup plus récents (de 11 000 à 7500 av. J.-C. env.) que ceux des hommes de Mungo, et certains scientifiques soutiennent qu'ils ne proviennent

tuée de wallabies et de kangourous, ainsi que d'œufs d'émeus. Beaucoup plus tard, vers 8000 av. J.-C., ils utilisèrent une sorte de mortier en grès pour écraser des graines de plantes sauvages et en faire de la farine.

La comparaison entre ce site et d'autres sites australiens plus récents a semé la confusion. La révélation la plus troublante est l'apparence des corps retrouvés. Les hommes du lac Mungo ont des traits peu marqués, presque fins, qui les différencient nettement des aborigènes modernes.

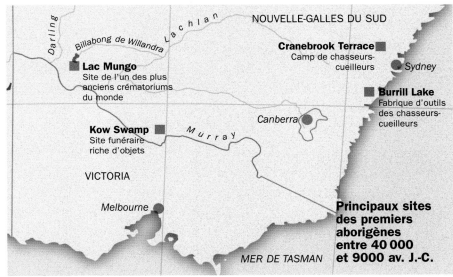

Darling · Lachlan · Billabong de Willandra

NOUVELLE-GALLES DU SUD

Cranebrook Terrace Camp de chasseurs-cueilleurs

Lac Mungo Site de l'un des plus anciens crématoriums du monde

Sydney

Burrill Lake Fabrique d'outils des chasseurs-cueilleurs

Canberra

Kow Swamp Site funéraire riche d'objets · Murray

VICTORIA

Melbourne

Principaux sites des premiers aborigènes entre 40 000 et 9000 av. J.-C.

MER DE TASMAN

pas du même fonds génétique. On peut donc estimer que deux peuples différents ont émigré vers l'Australie : les hommes de Kow Swamp seraient les descendants d'une ancienne ethnie de Java, ceux de Mungo étant plutôt de racine chinoise. Mais le débat reste ouvert, et certains anthropologues avancent même que les différences observées entre les divers ossements ont été surestimées.

À gauche *Lever de soleil sur les dunes du lac Mungo. Toute cette région regorge de fossiles.*

L'ART RUPESTRE DU BASSIN DE CARNARVON

Les artistes australiens de la préhistoire

La région qui se trouve à 400 km à l'ouest de Brisbane offre un paysage grandiose. Un immense massif de grès s'élève au-dessus des plaines, divisé en un labyrinthe de profonds défilés modelé par les rivières et des siècles d'érosion. Le parc national de Carnarvon fait aujourd'hui la fierté du Queensland, mais il a séduit les premiers colons bien avant l'apparition du tourisme et la protection des sites. Certaines régions des hautes terres étaient habitées il y a 19 000 ans et, en 3000 av. J.-C., une grande communauté aborigène liée à la tribu Bidjara y était installée. La nourriture de base était la viande, notamment de wallaby, et les graines d'un palmier, le zamier, riche en protéines et toujours apprécié des peuples tropicaux.

D'un point de vue archéologique, ce sont les superbes peintures préhistoriques au pochoir qui font l'intérêt du bassin de Carnarvon. Elles ont été réalisées suivant une technique de pulvérisation des plus simples : l'artiste garde en bouche un mélange d'eau et d'ocre (roche constituée d'oxyde de fer), et le pulvérise en gouttelettes sur un objet provisoirement plaqué contre le rocher. Apparaît alors avec précision le contour d'un objet plat – comme un boomerang –, alors que la partie la plus volumineuse reste floue. L'image le plus souvent peinte avec cette méthode est la main, mais le *lil-lil* (sorte de boomerang-massue), les *coolamons* (plats en écorce) et les tomahawks en pierre sont également fréquents. Sur un rocher, autour d'un petit trou, on peut voir deux *lil-lil* à côté de mains d'adulte. Tout près, on a trouvé un fragment d'écorce faisant office de cercueil pour les restes d'un enfant – ce qui semble indiquer qu'il s'agissait là d'une cérémonie d'incinération ou d'enterrement. D'ailleurs, presque tous les motifs rupestres des aborigènes de la préhistoire ont une fonction religieuse.

La plupart des œuvres du bassin de Carnarvon datent de 1500 av. J.-C., mais la grotte de Kenniff Cave, non loin, offre des exemples d'œuvres qui remontent à au moins 18 000 ans. Les couleurs les plus utilisées sont le rouge et le mauve (ocre chargée d'hématite et de magnésium), le jaune (limonite et oxyde de fer hydraté), et le blanc (kaolin). Celui-ci semble être apparu après les autres couleurs, et il recouvre souvent des pochoirs plus anciens et plus colorés. À l'abri de la lumière, tous ces pigments ont été parfaitement préservés.

À gauche *Yagjagbula et Yabiringl, les spectaculaires « frères éclair » de l'Ingaladdi Waterhole, dans le district de Victoria River, appartiennent à la mythologie aborigène.*

Principaux sites d'art rupestre d'Australie de 32 000 à 6 000 av. J.-C.

MER DE TIMOR — Darwin

OCÉAN INDIEN

Malangangerr
L'un des nombreux sites d'art rupestre de la terre d'Arnhem

AUSTRALIE OCCIDENTALE

Alice Springs

Purritjarra
Pochoirs rupestres dans un abri en grès

Cavernes de Koonalda
Lignes et figures géométriques sur pierre calcaire

Perth

OCÉAN INDIEN

vers 50 000 av. J.-C.	de 50 000 à 40 000 av. J.-C. env.	vers 35 000 av. J.-C.	vers 30 000 av. J.-C.	vers 25 000 av. J.-C.	vers 17 000 av. J.-C.	vers 3000 av. J.-C.	vers 3000 av. J.-C.
Début de la colonisation de l'Australie.	Premières œuvres rupestres en Australie.	Les premiers colons venus d'Australie atteignent la Tasmanie.	En Europe, disparition de l'homme de Neandertal.	Premières œuvres rupestres en Europe.	Les premiers hommes s'établissent dans ce qui est devenu le parc national de Carnarvon.	Édification du site de Newgrange, en Irlande.	La tribu des Bidjara s'installe dans le Carnarvon.

Les plus anciennes œuvres des Aborigènes avaient presque toutes une fonction religieuse.

Les œuvres les plus anciennes au monde

Grâce aux progrès des techniques de datation, on sait maintenant que les gravures rupestres des déserts du sud de l'Australie sont encore plus anciennes qu'on ne le pensait. En effet, elles ont été couvertes peu à peu d'une couche de dépôt bactérien sombre – sorte de vernis naturel. En soumettant les micro-organismes de cette croûte chimique à une datation au carbone 14, l'âge minimum des dessins qui se trouvent dessous a pu être estimé. Certaines œuvres d'art australiennes datent de 40 000 à

Ci-dessus *Dans le bassin de Carnarvon, les mains figurent parmi les motifs les plus fréquents.*

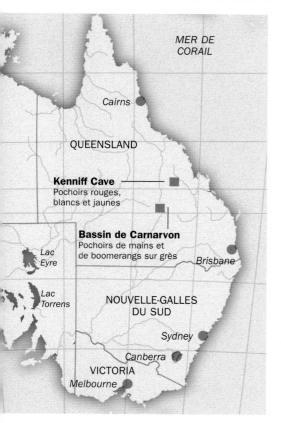

50 000 ans, ce qui en fait les plus anciennes du monde.

Paradoxalement, c'est de là que viennent aussi certaines des œuvres les plus recherchées du XXe siècle : les travaux de quelques artistes peintres aborigènes ont atteint des prix faramineux lors de ventes aux enchères internationales.

Le temps où leurs travaux étaient traités avec mépris est désormais loin. Découvrir et interpréter ces œuvres est maintenant à la mode dans le petit monde des anthropologues, ce qui a permis d'identifier des variantes régionales ou tribales bien définies. En terre d'Arnhem, les premiers artistes peignaient des poissons « au rayon X » : les arêtes et les intestins figuraient sur le dessin au même plan que les parties externes, les écailles et la queue

par exemple – ce qui donne une image quasi abstraite. Les grottes de Koonalda et du mont Gambier recèlent de galeries ornées de formes géométriques et de longues lignes courbes, tandis que celle d'Ingaladdi, dans le Victoria, abrite les spectaculaires « frères éclair », personnages de la mythologie locale. L'aîné, Yagjagbula, mesure 2,90 m. Yabiringl, juste devant lui, atteint 3,10 m. Tous deux sont dotés d'un pénis surdimensionné (symbole de fertilité commun à de nombreuses cultures préhistoriques), d'une coiffure élaborée ornée d'une plume au milieu, et ils tiennent dans la main droite une hachette en pierre.

vers 2800 av. J.-C.	vers 2000 av. J.-C.	vers 1900 av. J.-C.	vers 1840 av. J.-C.	vers 1750 av. J.-C.	vers 1500 av. J.-C.	vers 1200 av. J.-C.	vers 1100 av. J.-C.
Début de la première phase de travaux à Stonehenge.	Les Inuits s'installent dans les régions arctiques.	En Mésopotamie, l'irrigation permet d'approvisionner en eau la population.	Les Égyptiens annexent la Basse-Nubie.	Hammourabi fonde l'empire de Babylone.	Période où sont réalisées le plus grand nombre d'œuvres rupestres dans le parc de Carnarvon.	Les Grecs détruisent Troie.	Création de l'écriture alphabétique par les Phéniciens.

LES POTIERS DE LAPITA
Quand la poterie nous livre des clés

Depuis qu'elle a été identifiée en 1952, la poterie de Lapita, en Nouvelle-Calédonie, a suscité de nombreux débats parmi les archéologues. Des fragments de ces récipients décorés d'une façon si caractéristique ont été découverts à Aitape, sur la côte du Sepik et, vers l'est, à Tonga, Fidji et Samoa – ces distances sont révélatrices des aspirations commerciales d'hommes devenus nomades des mers au temps de la préhistoire. Les plus anciennes poteries de Lapita datent d'environ 4 000 ans ; elles ont été réalisées par des communautés de chasseurs-cueilleurs vivant en autarcie. Quand leurs contacts avec le monde extérieur s'élargirent, leur goût du commerce s'affirma et leur production fit alors l'objet d'échanges florissants entre les îles, ils troquaient aussi des outils en pierre, des coquillages et de la nourriture.

Une certaine complexité archéologique

Étudier la géographie de l'Océanie est en soi déjà assez déroutant. Si l'on y ajoute les groupes ethniques, l'histoire de la colonisation et 40 000 ans de chronologie, la tâche devient nébuleuse. Pour simplifier, la région comprend trois groupes ethniques, situés en Micronésie (groupe de 2 000 petites îles à l'est des Philippines et principalement au nord de l'équateur) ; en Polynésie (triangle d'îles du Pacifique Centre, Est et Sud, y compris en Nouvelle-Zélande et à l'île de Pâques) ; et en Mélanésie (la plupart des îles du Pacifique Ouest, au sud de l'équateur). La Micronésie est habitée depuis 1500 av. J.-C. ; l'analyse sanguine de ses habitants montre qu'ils ne sont liés à aucun peuple australien, asiatique ou polynésien. La Polynésie centrale est occupée depuis la même époque, mais certaines îles de la périphérie – y compris la Nouvelle-Zélande – n'ont été explorées que plus tard, en 1000 apr. J.-C. pour certaines.

Il semble que l'exode vers l'est soit parti de Mélanésie, en deux vagues

Ci-dessus *Statuette d'un* tiki *en ivoire gravé, divinité océanienne de la fécondité et de la virilité.*

distinctes. La première eut lieu vers 40 000 av. J.-C., quand les Papous à peau sombre (cousins des Aborigènes) abordèrent en Nouvelle-Guinée et sur l'archipel Bismarck. La seconde débarqua dans la même zone, mais s'étendit jusqu'aux îles Salomon, Vanuatu, Fidji, ainsi qu'en Nouvelle-Calédonie et en Polynésie. La culture de Lapita découle-

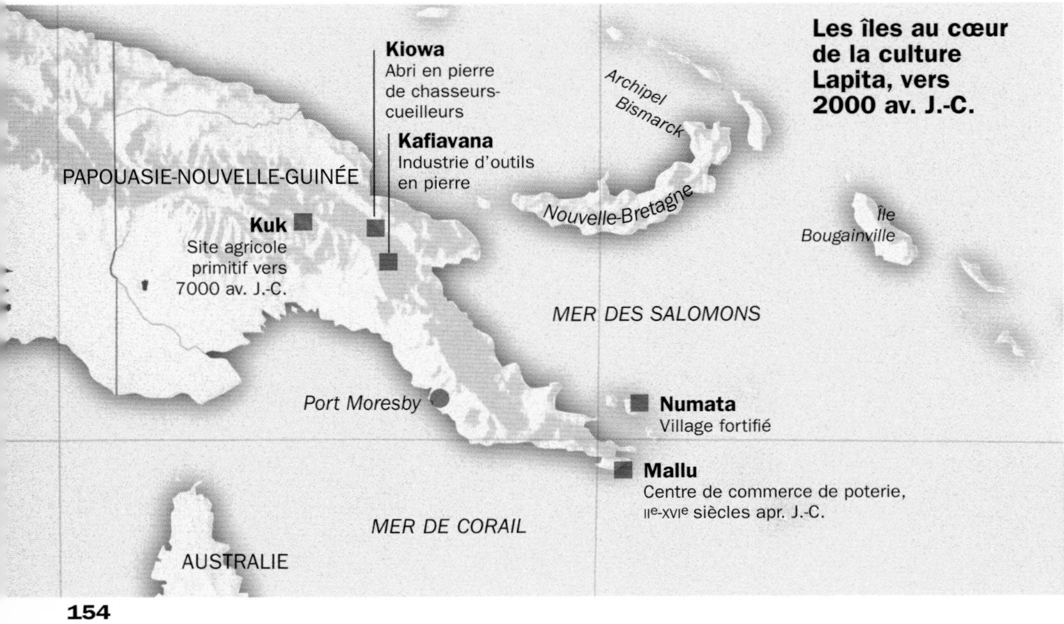

Kiowa
Abri en pierre de chasseurs-cueilleurs

Kafiavana
Industrie d'outils en pierre

PAPOUASIE-NOUVELLE-GUINÉE

Kuk
Site agricole primitif vers 7000 av. J.-C.

Port Moresby

Archipel Bismarck

Nouvelle-Bretagne

Île Bougainville

MER DES SALOMONS

Les îles au cœur de la culture Lapita, vers 2000 av. J.-C.

Numata
Village fortifié

Mallu
Centre de commerce de poterie, IIe-XVIe siècles apr. J.-C.

MER DE CORAIL

AUSTRALIE

vers 40 000 av. J.-C.	vers 2000 av. J.-C.	vers 2000 av. J.-C.
Premiers colons en Mélanésie.	Les immigrants indonésiens s'installent en Mélanésie.	Premiers travaux de métallurgie au Pérou.

À droite *Boucle d'oreille en ivoire à l'effigie d'un tiki. Le tiki, ancêtre primordial et peut-être représentation de l'homme primitif, est un thème récurrent de l'art polynésien.*

Ci-dessous *Ce personnage grotesque est un moai kavakava (homme émacié). Il a peut-être servi d'ancêtre tutélaire à son propriétaire.*

rait de ces peuples. Ces hommes auraient trouvé ici et là les descendants des premiers peuples venus d'Asie, à qui ils ont peut-être imposé leur manière de vivre, leur religion et leurs techniques.

Toutefois, certains archéologues spécialisés dans la ceinture du Pacifique commencent à douter de ces hypothèses. Pour eux, aucun élément probant ne démontre que le peuple de Lapita ait eu des ambitions d'invasion. Il n'est pas non plus évident que leurs poteries, reconnaissables à leurs lignes gravées, symbolisent un mouvement culturel dominateur. Leur art a fort bien pu se développer en interne, par exemple sur l'archipel Bismarck, avant d'être imité par des centaines de potiers des îles, séduits par ce nouveau style. La controverse est en partie due à la multiplicité d'experts cherchant à expliquer ce phénomène, mais ne disposant que d'un faible nombre de sites.

Enfin, des chercheurs mettent en doute l'importance de la polémique. Ils y suspectent un certain esprit de clocher, dont le but est de « prouver » que les hommes de Lapita et leurs descendants polynésiens partagent une culture innée. Ce débat soulève toutefois quelques questions pertinentes. Est-il par exemple possible de retracer clairement la colonisation d'une région aussi vaste que l'Océanie en s'attachant à quelques cas isolés, même si on les étudie avec toute la rigueur de la recherche universitaire ? Pour comprendre l'expansion des peuples préhistoriques, il faudra peut-être mettre au point de nouvelles théories, qui échappent pour l'instant aux anthropologues et aux historiens. Trop de suppositions fragilisent la science, du moins entretiennent une certaine confusion.

Seul témoin matériel de la culture polynésienne originelle, la céramique Lapita a suivi les migrations à travers la Mélanésie des premiers Polynésiens venus de l'Asie du Sud-Est.

Comprendre l'expansion des peuples préhistoriques nécessitera peut-être des méthodes de recherche moins conventionnelles.

vers 2000 av. J.-C.	**vers 2000 av. J.-C.**	**vers 2000 av. J.-C.**	**vers 1900 av. J.-C.**	**1840 av. J.-C.**	**vers 1800 av. J.-C.**	**vers 1750 av. J.-C.**	**vers 1500 av. J.-C.**
Apparition des voiles sur les navires de la mer Égée.	Les Inuits s'installent dans les régions arctiques.	Les Minoens produisent de la poterie peinte.	En Mésopotamie, l'irrigation permet d'approvisionner en eau la population.	Les Égyptiens annexent la Basse-Nubie.	Fondation de l'État d'Assyrie par Shamshi-Adad Ier.	Hammourabi fonde l'empire de Babylone.	La Micronésie est habitée.

LES FORTERESSES DES MAORIS
La colonisation de la Nouvelle-Zélande

Selon les légendes maories, la Nouvelle-Zélande aurait été colonisée il y a environ 1 000 ans par Kupe, grand navigateur qui mena son peuple vers le sud en partant de Hawaiki, île polynésienne non identifiée. Kupe aperçut la terre nouvelle alors qu'elle était noyée dans la brume. Il la nomma donc Aotearoa (« terre du long nuage ») – nom que les Maoris lui donnent encore aujourd'hui.

Pour ces premiers colons, les lieux étaient paradisiaques : du poisson à volonté, un territoire illimité et relativement sûr. Mais, en l'espace de quelques siècles, une nouvelle vague de colons débarqua, apportant avec eux les risques de la surpopulation et de la famine. Ces nouveaux venus tentèrent de s'approprier les meilleures terres, ce qui entraîna des conflits violents avec les communautés établies. Ce fut le début d'une guerre intertribale perpétuelle, où les vaincus finissaient souvent esclaves ou, pire,

dévorés. Manger son ennemi était un bon moyen de s'approprier son énergie, ou *mana*.

Il était désormais crucial de trouver un statut social. Les Maoris optèrent pour une société parfaitement hiérarchisée constituée de chefs, de nobles, de prêtres, de plébéiens et d'esclaves. L'état civil des individus n'était pas consigné dans des documents écrits (pourtant, les Maoris savaient écrire), mais selon une généalogie orale appelée *whakapapa*. De même, l'histoire était conservée à travers de longues mélopées et des chants, tandis que les règles sociales faisaient l'objet de rituels complexes, à l'instar du chant de guerre *haka* (de nos jours, l'équipe de rugby de Nouvelle-Zélande, les *All Blacks*, en fait une démonstration convaincante avant chaque rencontre internationale). Les chefs respectés étaient reconnaissables à leurs nombreux tatouages – dont ils étaient parfois litté-

ralement couverts de la tête aux pieds – alors que les femmes n'étaient autorisées à en porter qu'un seul, le *moko*, sur le menton. Les parures étaient surtout en fourrure et en plume, les bijoux en os ou en jade.

Quand la paix régnait, la terre était travaillée en communauté. Toutefois, chaque tribu et chaque sous-groupe disposait d'un lieu sacré, le *marae*, où les esprits ancestraux étaient abrités et honorés. C'était également le lieu où l'on se rassemblait pour débattre et pour résoudre les problèmes importants du groupe. Les quartiers d'habitation étaient édifiés dans un *pa*, sorte de forteresse en terre et en bois, dont certaines subsistent encore dans le paysage de la Nouvelle-Zélande. Sur les collines et le littoral qui entourent Wellington, la capitale actuelle du pays, certains étaient encore habités au début du XXe siècle. Toutefois, ils connurent un déclin rapide

Ci-dessous *Fortifications en ruine au sommet du pa de la péninsule d'Onawe. C'est le plus ancien exemple de camp retranché où l'on se défendait au mousquet.*

Le goût macabre des Européens
pour les têtes réduites
créa un sordide marché d'exportation.

à l'arrivée des Européens à la fin du XVIIIᵉ siècle, et après la cession de souveraineté signée en 1840 entre les Maoris et la Grande-Bretagne (traité de Waitangi).

La fin d'une culture traditionnelle

En 1850, un voyageur européen, Tacy Kemp, décrivait ainsi le *pa* d'Ohaua, au nord d'Ohau Point : « Les lieux sont en grande partie réservés aux indigènes, sous forme d'une réserve, mais celle-ci est presque déserte : il n'y a plus que cinq personnes dans le *pa*. Le *pa* et les huttes sont en ruine, et d'ici quelques mois les lieux seront sans doute désertifiés. Tout n'est que friche sur la pauvre terre de cette région vallonnée et sauvagement déboisée. » D'autres écrivains se sont fait l'écho de la disparition rapide des habitants des *pa*, dont la moitié a été décimée par dix ans d'épidémies. Un enseignant né à Ohariu, près de Wellington, a confié qu'il avait, à lui seul, enterré cent adultes en dix ans.

Ci-dessus *La redoute de Te Porere, au sud du lac Taupo, a été construite par un chef maori visionnaire, Te Kooti Rikirangi, avant son ultime combat contre les forces gouvernementales.*

Devant ce désastre annoncé, il ne faut pas s'étonner que les Maoris aient adopté les « bienfaits » de la civilisation. La prostitution, la maladie et le trafic d'armes naissant ont entraîné de tragiques conflits internes. Quand les Européens se sont entichés des têtes momifiées, un marché lucratif s'est ouvert, que certains chefs maoris exploitèrent… tant qu'il leur resta des esclaves à décapiter. Sans aller aussi loin dans la barbarie, les litiges interculturaux en Nouvelle-Zélande restent aujourd'hui très vifs, que ce soit au sujet du partage des terres ou du chômage endémique qui frappe les jeunes Maoris.

Villages maoris avant la fondation de Wellington, capitale de la Nouvelle-Zélande

MER DE TASMAN

Wellington

Zone agrandie ci-contre

ÎLE DU NORD

Ohau Point

Kaiwharawhara

Port de Wellington

▲ Mount Misery

Baie d'Oteranga

Outlook ▲ Hill

Zone urbaine de la ville actuelle de Wellington

Forteresses et villages des Maoris (« *pa* »)

DÉTROIT DE COOK

Palmer Head

Pencarrow Head

1 m

1 km

vers 1500 apr. J.-C.
La culture de l'île de Pâques s'éteint peu à peu.

vers 1800 apr. J.-C.
Début de la colonisation de la Nouvelle-Zélande par les Européens.

LES STATUES DE L'ÎLE DE PÂQUES
Les monuments de mauvais augure d'un peuple isolé

L'histoire de l'île de Pâques ressemble un peu à un roman de science-fiction sur un enfermement de masse. C'est aussi une extraordinaire histoire de courage, d'excès, d'isolement et de désespoir, unique au monde. Quand on découvre cette île, entre les géants de pierre taillée et les roches sculptées qui ont immortalisé des rites étranges et parfois hasardeux, on ne peut que s'étonner qu'une civilisation se soit ainsi coupée du reste du monde il y a environ 1 500 ans. Ce peuple, par son incapacité à instaurer une économie durable et préserver l'environnement, s'est condamné à disparaître lentement. Ceux qui prédisent un avenir apocalyptique pour la planète Terre ne sauraient trouver meilleure illustration à leur discours.

Les premiers colons sont probablement arrivés sur l'île de Pâques pendant les tout premiers siècles de notre ère, en provenance de Polynésie. Ils étaient quelques dizaines, embarqués sur d'admirables pirogues à balancier qui avaient fait leurs preuves au fil des siècles. Ils avaient emmené des poules, des chiens, des cochons et… des rats, ainsi que des

Plus de 800 statues se dressent sur la falaise, chacune dotée de traits particuliers.

fruits et légumes : patates douces, bananes, fruits d'arbres à pain, et diverses céréales. Ces sources d'approvisionnement ne survécurent pas toutes sur l'île, mais les premiers temps les ressources locales, oiseaux des forêts et poissons à volonté suffirent à compléter leurs ressources. Bientôt, les nouveaux habitants se mirent à décimer la forêt pour y installer des fermes.

La situation géographique de l'île et son héritage archéologique semblent indiquer qu'il n'y eut qu'un seul débarquement de colons. Il n'y a là que 118 km² de terre volcanique, à plus de 3 600 km de la côte sud-américaine et presque autant de Pitcairn, au nord-ouest ; il semble donc également peu probable que ces colons aient songé à rejoindre la terre ferme pour révéler l'existence de leur île. La population augmenta peu à peu, à tel point que, vers 1400 apr. J.-C., elle dépassait les 10 000 personnes – ce qui fut l'âge d'or de cette culture. Le mouvement s'accompagna d'une structure religieuse et sociale dont les statues, qui représentent l'esprit des ancêtres, font partie intégrante. On en compte plus de 800, toutes élevées suivant le même modèle : traits anguleux, bras collés aux flancs, mains croisées à l'avant et posées sur un pagne. La plupart reposent sur un socle en pierre, et au moins 230 d'entre elles ont été laborieusement amenées de la grande carrière à la côte, au moyen de traîneaux et de troncs d'arbres, avant d'être disposées face à l'océan, au-dessus des villages. La plupart mesurent entre 2 et 10 mètres, mais l'une d'elles, « El Gigante », est restée inachevée : elle mesure 20 m de haut et pèse 270 tonnes.

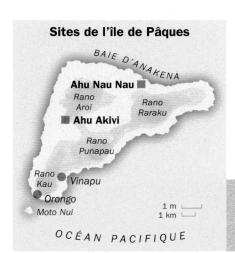

Sites de l'île de Pâques

BAIE D'ANAKENA

Ahu Nau Nau ■

Rano Aroi

Rano Raraku

■ Ahu Akivi

Rano Punapau

Rano Kau ● Vinapu

● Orongo

Moto Nui

1 m
1 km

OCÉAN PACIFIQUE

410 apr. J.-C.	vers 630 apr. J.-C.	vers l'an 1000	vers l'an 1000	1066 apr. J.-C.
Envahi, l'Empire romain s'effondre.	Mahomet fonde l'islam.	Les Vikings accostent en Amérique du Nord.	Les Polynésiens débarquent en Nouvelle-Zélande.	Les Normands de Guillaume le Conquérant envahissent l'Angleterre.

Pris à leur propre piège,
les habitants de l'île de Pâques
sombrèrent dans la plus profonde misère.

Le culte de l'homme-oiseau

Tous les ans, en septembre, les jeunes gens de l'île de Pâques se réunissaient au-dessus d'une plage rocheuse, près du village rituel d'Orongo, au sud de l'île. Chacun d'eux représentait un aîné de la tribu – les combattants se disputaient le titre de chef, ou « homme-oiseau », pour un an. L'épreuve consistait à descendre tous ensemble et le plus vite possible les 100 mètres de falaise, puis à traverser à la nage quelque 800 m de mer infestée de requins, à escalader l'îlot de Moto Nui, à piller le nid d'une frégate pour en rapporter un œuf, puis à le rapporter entier à son parrain. Le gagnant était réputé incarner le dieu-oiseau Maké Maké, et dirigeait donc pendant un an les rituels en rapport avec la nature.

La catastrophe annoncée

Vers 1500, cette communauté relativement paisible se déchira en conflits internes. Des statues furent renversées ou décapitées. On se mit à extraire de l'obsidienne en grande quantité pour fabriquer des fers de lance, et les prêtres, qui officiaient depuis un siècle dans le respect du culte des ancêtres, furent remplacés par une nouvelle caste de guerriers. Cette révolution reste mal expliquée, mais ce qui est certain c'est qu'elle sonna le glas de l'île. L'accroissement de la population augmentait les besoins alimentaires, mais on préféra privilégier des activités stériles d'un point de vue économique, comme la sculpture sur pierre, quitte à réduire le nombre des fermiers et pêcheurs – pourtant essentiels pour nourrir tout ce monde. Mais il y eut pire : les besoins en bois pour bâtir les huttes, transporter les statues et fabriquer des pirogues furent tels que la déforestation tourna à la catastrophe. Après l'abattage des derniers arbres, il devint impossible de fabriquer des embarcations ; la pêche au large fut donc abandonnée, et les îliens perdirent à tout jamais leur apport en protéines.

Quand les premiers Européens abordèrent l'île de Pâques, en 1722, ils n'y trouvèrent qu'une culture moribonde où 2 000 survivants croupissaient dans la plus profonde misère – pris à leur propre piège…

Site de Ahu Akivi. La plupart des alignements sont érigés sur des socles en pierre.

CHAPITRE 11
L'AMÉRIQUE CENTRALE ET DU SUD

Quand les conquistadors espagnols commencèrent à piller le trésor des Incas, ils eurent du mal à croire que cela puisse être si facile. Après avoir abusé les guerriers en prétendant qu'ils venaient leur restituer des objets sacrés, ils s'emparèrent de leur empereur Atahualpa et l'exécutèrent sans plus de procès. L'État inca était si centralisé qu'il n'y eut aucun réel mouvement de rébellion, et c'est ainsi que le vaste Empire inca fut rançonné par une troupe de 180 Espagnols.

Mais les Amériques sont encore pleines de surprises. Les fouilles de Monte Verde, au sud du Chili, ont forcé les archéologues à revoir radicalement leurs estimations quant à la date à laquelle cette terre avait été colonisée. En effet, ils ont découvert des fragments de charbon de bois qui remontent à 33 000 ans, ce qui contredit la thèse selon laquelle les hommes y seraient arrivés assez récemment (12 000 av. J.-C.) pendant la dernière période glaciaire, en traversant la langue de terre qui reliait l'Asie et l'Amérique. Y avait-il des marins intercontinentaux au temps de la préhistoire ? Ou le rapprochement entre l'Asie et le Nouveau Monde a-t-il eu lieu plus tôt qu'on ne le pense ? La question demeure.

Quelle que soit l'explication, l'Amérique centrale et l'Amérique du Sud sont le berceau de nombreuses cultures fascinantes. Dans ce chapitre, nous aborderons la montée en puissance des Nazca et leurs mystérieuses lignes géométriques en plein désert, le tombeau d'une richesse inimaginable du seigneur de Sipán, la fin « à la Pompéi » du village salvadorien de Joya de Cerén, et les grottes rituelles et secrètes des Mayas à Naj Tunich, au Guatemala. Une chose est sûre : par leur connaissance de la nature, leur art très abouti et leur capacité à organiser un peuple de plusieurs millions d'hommes, ces populations autochtones étaient bien loin de la caricature que les Européens en ont dressée au XVIe siècle, quand ils les ont décrits comme des sauvages.

Cette tête péruvienne mochica de la période intermédiaire ancienne (de 100 av. J.-C. à 600 apr. J.-C.) est en or incrusté de turquoise.

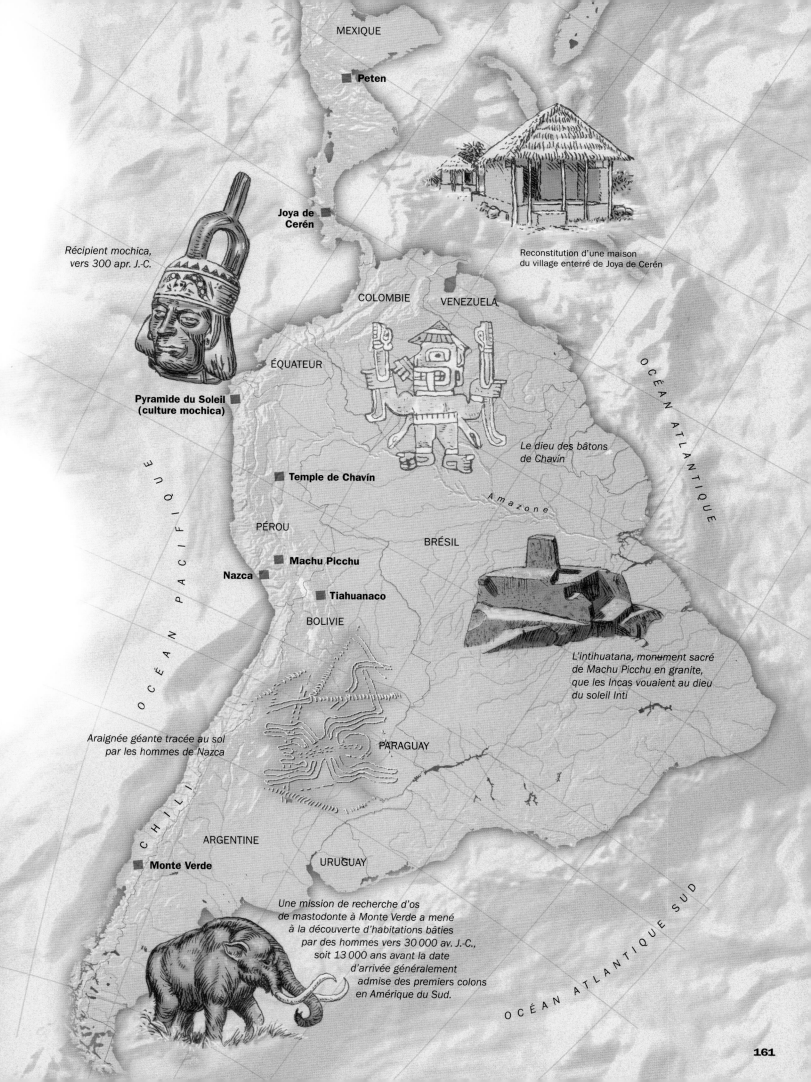

MEXIQUE

Peten

Joya de
Cerén

Reconstitution d'une maison
du village enterré de Joya de Cerén

*Récipient mochica,
vers 300 apr. J.-C.*

COLOMBIE   VENEZUELA

ÉQUATEUR

Pyramide du Soleil
(culture mochica)

*Le dieu des bâtons
de Chavín*

Temple de Chavín

Amazone

PÉROU   BRÉSIL

Machu Picchu

Nazca

Tiahuanaco

BOLIVIE

*L'intihuatana, monument sacré
de Machu Picchu en granite,
que les Incas vouaient au dieu
du soleil Inti*

*Araignée géante tracée au sol
par les hommes de Nazca*

PARAGUAY

CHILI

ARGENTINE

URUGUAY

Monte Verde

*Une mission de recherche d'os
de mastodonte à Monte Verde a mené
à la découverte d'habitations bâties
par des hommes vers 30 000 av. J.-C.,
soit 13 000 ans avant la date
d'arrivée généralement
admise des premiers colons
en Amérique du Sud.*

OCÉAN PACIFIQUE

OCÉAN ATLANTIQUE

OCÉAN ATLANTIQUE SUD

161

TIAHUANACO ET LES PRÉ-INCAS
Le centre politique de l'Amérique du Sud

Quand les conquistadors espagnols soumirent l'Empire inca en 1532, ils étaient impatients de découvrir si l'ouest de l'Amérique du Sud abritait d'autres grandes civilisations – et donc d'autres trésors. Les chefs incas leur avaient dit et répété que non – se proclamant seuls à avoir su unifier les Andes en y apportant la civilisation, alors que leurs prédécesseurs n'étaient que des barbares. Mais les Espagnols en doutaient.

Des voyageurs comme Pedro Cieza de León se mirent à étudier les grands monuments incas et remarquèrent que certaines ruines qui se trouvaient sur ces sites étaient d'un style différent. Il se pencha de plus près sur deux villes : Tiahuanaco, sur un plateau proche du lac Titicaca, et Huarí, au centre du Pérou. Il écrivit : « Je suis prêt à affirmer que, avant que les Incas ne s'y établissent, un autre peuple cultivé, venu d'un lieu inconnu, a vécu dans ce royaume et y a édifié ces monuments. »

Cette hypothèse fut confirmée plusieurs siècles plus tard. En examinant les motifs des poteries et des armes ornementales, on a pu prouver que Tiahuanaco et Huarí étaient au cœur de cultures similaires, quoique distinctes, qui existaient bien avant les Incas.

Huarí, qui atteignit son apogée entre le VIIIe et le XIe siècle, semble avoir été un empire militariste. Le grand centre urbain de pèlerinage de Tiahuanaco est probablement plus ancien – il remonterait au moins au IIIe siècle. Il se composait d'une grande place pavée où se rassemblaient les pèlerins, et d'un énorme monument maçonné qui, malgré l'acharnement des Espagnols à détruire l'idolâtrie, a conservé une certaine magnificence.

La porte du Soleil était taillée dans un seul bloc d'andésite et couronnée d'un dieu debout sur une estrade, entouré de frises d'étranges oiseaux. La pyramide Akapana, qui s'étend sur 200 m, avait été conçue pour qu'un filet d'eau la traverse – peut-être en hommage à cette source de vie. Les pierres provenaient de carrières situées à plus de 100 km.

Des techniques pour conjurer le gel

Akapana est l'un des principaux monuments de l'enceinte de Tiahuanaco, qui

À gauche *Moulage en plâtre de la porte du Soleil, l'un des plus admirables monuments de Tiahuanaco.*

vers 2000 av. J.-C.	vers 200 apr. J.-C.	410 apr. J.-C.
Premières lignes de Nazca.	Fondation de Tiahuanaco.	Envahi, l'Empire romain s'effondre.

Le déclin commença vers l'an 1000, quand les pluies, de plus en plus rares, réduirent à néant le système d'irrigation.

À gauche *La cour semi-enterrée et, au fond, le mur de Kalasasaya. La population de Tiahuanaco aurait dépassé les 25 000 personnes.*

comprend une série de plates-formes artificielles sur une surface de 20 ha. Beaucoup de ces structures datent de 200 à 600 apr. J.-C. C'est notamment le cas du Kalasasaya – dont les murs sont en mégalithes – et de la cour en contrebas, où les murs sont ornés de têtes gravées. Pendant les quatre siècles qui suivirent, cette ingénieuse méthode de maçonnerie d'ensembles construits en blocs mégalithiques domina les Andes centrales et méridionales, et influa sur la décoration des céramiques et le style des sculptures. Les plus belles statues de

Tiahuanaco sont presque toutes exposées dans le parc archéologique de La Paz, en Bolivie.

Si la ville de Tiahuanaco a pu se développer à cette échelle, c'est probablement grâce à la prospérité de l'agriculture locale, établie sur les rives du lac Titicaca, qui couvrait alors une superficie bien plus grande qu'aujourd'hui. À 4 500 m, les fermiers avaient établi un réseau d'irrigation surélevé qui leur permettait de prolonger les périodes de culture. La chaleur emmagasinée par l'eau des canaux dans la journée suffisait à éviter que la terre ne soit touchée par le gel nocturne, et les récoltes s'en trouvaient décuplées.

À son apogée, Tiahuanaco ne comptait pas moins de 25 000 à 40 000 habitants et exerçait un contrôle politique sur des régions qui se trouvent aujourd'hui en Bolivie, en Argentine, au Chili et au Pérou. Le déclin semble avoir commencé vers l'an 1000. Les pluies se firent alors si rares que les canaux asséchés ne purent alimenter le lac Titicaca, qui vit sa superficie dramatiquement réduite. À cette époque, Tiahuanaco avait su établir les bases d'une civilisation et d'une tradition andine.

Civilisations pré-incas de Tiahuanaco

BRÉSIL

PÉROU

CORDILLÈRE DES ANDES

Lac Titicaca

BOLIVIE

Tiahuanaco • La Paz

Sucre

OCÉAN PACIFIQUE

CHILI

Celle-ci subsiste de nos jours par le quechua, langue que pratiquent encore dix millions de personnes, de l'Équateur à l'Argentine, et pour la plupart sur les hauteurs des Andes, entre 900 et 3 500 m d'altitude. Il est possible que l'État de Tiahuanaco ait unifié les tribus Quechua et celles pratiquant des langues d'un autre groupe linguistique, les Aymaras.

vers 630 apr. J.-C.	de 700 à 1100 apr. J.-C. env.	vers l'an 1000 apr. J.-C.	vers l'an 1000 apr. J.-C.	vers 1500 apr. J.-C.
Mahomet fonde l'islam.	Huarí atteint son apogée.	Les Vikings accostent en Amérique du Nord.	Les Polynésiens débarquent en Nouvelle-Zélande.	Réalisation des dernières lignes de Nazca.

LES LIGNES DE NAZCA
Art à grande échelle ou calendrier astronomique ?

Le plateau de Nazca, au sud du Pérou, est l'un des lieux les plus désertiques du monde. Il y tombe environ trois centimètres de pluie tous les deux ans et la terre est protégée de l'érosion par une couche de rochers sombres, qui emmagasinent la chaleur avant de la diffuser. Ces conditions sont idéales pour la préservation d'œuvres anciennes, telles les lignes de Nazca. Cette gigantesque série de traits, formes géométriques et dessins d'animaux a été réalisée en ôtant les pierres de surface, noircies par le soleil, afin de révéler la terre jaune pâle.

La plupart des lignes droites datent de 2000 av. J.-C. à 1500 apr. J.-C., tandis que les animaux – singes, araignées et serpents – appartiennent à la culture Nazca proprement dite, qui s'est affirmée entre 100 et 500 apr. J.-C. Ces dessins jouaient peut-être un rôle lors des processions religieuses, à moins qu'ils n'aient désigné des montagnes ou des cimetières sacrés. On a même pensé qu'il pourrait s'agir de voies d'irrigation, ou d'une adresse symbolique aux dieux de la pluie.

L'historien américain Paul Kosok et son épouse, Rose, furent parmi les premiers à se pencher sur les lignes de Nazca. En 1941, alors qu'ils étudiaient les systèmes d'irrigation des Péruviens, ils dressèrent des cartes en relevant une série de lignes, apparemment chaotiques, qui traversaient le désert dans tous les sens. Un jour, ils firent halte au milieu d'un motif de toile d'araignée pour admirer le coucher du soleil. « Nous avons alors remarqué, écrivit plus tard Paul Kosok, que le soleil se couchait presque exactement à l'extrémité de l'une des longues lignes indépendantes. Il nous est venu à l'esprit que nous étions le 22 juin, le solstice d'hiver dans l'hémisphère sud : c'est le jour le plus court de l'année, celui où le soleil se trouve le plus au nord du plein-ouest. Nous avons soudain compris, avec enthousiasme, que nous tenions la clef de l'énigme. »

Comment relever et mesurer les lignes

Mais l'affaire n'était pas si simple. L'hypothèse de Paul Kosok, qui voyait dans ces lignes un relevé des mouvements stellaires datant de la préhistoire, fit controverse, et il dut reprendre son travail de conférencier à l'université de Long Island avant de pouvoir poursuivre ses recherches. Il parvint à persuader la mathématicienne allemande Maria

Ci-dessus *Cette vue aérienne des lignes de Nazca montre clairement un motif d'oiseau. C'est vus du ciel que ces dessins se révèlent.*

Reiche, alors âgée de 36 ans, de poursuivre les recherches. Elle avait fui l'arrivée des nazis en 1932 pour prendre un poste de gouvernante au Pérou ; du jour au lendemain, Nazca occupa le plus clair de son temps.

Pendant des semaines, elle campa seule dans le désert, se levant dès l'aube pour procéder à des relevés du soleil et

Zone d'influence de la culture nazca

BRÉSIL

CORDILLÈRE DES ANDES

Lima

Machu Picchu
La ville oubliée des Incas

Ico
Nazca

Lac Titicaca

La Paz

Lignes de Nazca

BOLIVIE

Tiahuanaco

CHILI

OCÉAN PACIFIQUE

Jim Woodman, cadre d'une compagnie aérienne américaine, voulut démontrer que les Nazca avaient inventé l'aéronef.

2000 av. J.-C.	vers 1800 av. J.-C.	1674 av. J.-C.	vers 1600 av. J.-C.	vers 1550 av. J.-C.	vers 1500 av. J.-C.	vers 1500 av. J.-C.	vers 1460 av. J.-C.
Premières lignes de Nazca.	Les Égyptiens utilisent des modes de calcul mathématique avancés.	Memphis, capitale égyptienne, tombe aux mains des Hyksos.	En Chine, la dynastie des Shang fonde la première civilisation urbaine de cette région.	Les pharaons commencent à se faire enterrer dans la Vallée des Rois.	Fin de la civilisation minoenne.	Les peuples de la région des Grands Lacs, en Amérique du Nord, découvrent la métallurgie.	Touthmôsis III étend l'Empire égyptien jusqu'en Mésopotamie.

des planètes. Elle passa des heures à balayer les débris dont les sillons étaient comblés, et elle usa d'ailleurs tant de balais que les habitants de la région se demandèrent s'il ne s'agissait pas d'une sorcière ! Comme elle le raconta plus tard, elle avait passé des jours entiers à brosser une ligne en volute, quand éclatant de rire, elle comprit soudain que c'était une queue de singe !…. Elle arriva enfin à la conclusion que les lignes avaient été tracées après avoir tendu du fil entre des poteaux (garder trois poteaux en ligne de mire permettait de tendre une corde bien droit, même au-delà de la ligne d'horizon). Pour les lignes courbes, il suffisait d'adapter le procédé et de réaliser des arcs de cercle se chevauchant.

Les conclusions de Maria Reiche rejoignaient les suppositions de Paul Kosok concernant l'astronomie, et elles permirent de voir sous un nouveau jour les techniques et les influences des artistes. Maria Reiche souligna également les points communs entre ces dessins et la poterie de Nazca, et démontra que les potiers commençaient par préparer des plans à échelle réduite, d'environ 2 x 2 m, avant de se lancer dans un projet à plus grande échelle. Elle découvrit aussi que les unités de mesure les plus courantes de Nazca valaient 25 cm et 1,35 m, mais qu'il y avait aussi une unité de 1,80 m. L'un des tracés les plus célèbres, le « candélabre » de la colline de Pisco Bay, à 210 km au nord du désert, atteint une longueur de 181 m.

L'absence d'information sur le peuple de Nazca ouvre la porte à toutes sortes d'interprétations. Ainsi cet archéologue amateur, pour qui ces lignes étaient destinées à des engins volants, venus de l'espace, soutenait qu'elles avaient été conçues pour être vues du ciel et, en 1975, un cadre d'une compagnie aérienne américaine, Jim Woodman, voulut démontrer que les Nazca avaient inventé l'aéronef. Fort des légendes incas, qui mettent en scène des personnages volants, il fabriqua donc un ballon à partir des seuls matériaux disponibles au Ve siècle, et accomplit un vol de 14 minutes, atteignant une altitude de 365 m. Cela suffisait, selon lui, à étayer cette théorie, même si le mystère demeure entier.

vers 1450 av. J.-C.	vers 1400 av. J.-C.	vers 1390 av. J.-C.	vers 1350 av. J.-C.	vers 117 apr. J.-C.	de 100 à 500 apr. J.-C.	1500 apr. J.-C.	1500 apr. J.-C.
Rédaction des premiers *Védas*, en Inde.	Le cheval devient un moyen de transport en Asie centrale.	Apparition de l'écriture en Chine.	Fondation d'une nouvelle religion en Égypte, reposant sur le culte du soleil.	Apogée de l'Empire romain.	Réalisation des animaux de Nazca.	Les Espagnols partent à la conquête de l'Amérique du Sud.	Réalisation des dernières lignes de Nazca.

LES JAGUARS DE CHAVÍN
La civilisation perdue des Andes péruviennes

Dans les années vingt, le « père » de l'archéologie péruvienne, Julio C. Tello, lança des fouilles dans un village montagnard du nord du Pérou, Chavín de Huantar. Indien du Pérou, diplômé de l'université de Harvard, Julio C. Tello était convaincu que les racines de son peuple ne se trouvaient pas dans les sites cérémoniels de la plaine côtière, mais sur les hauteurs, dans les Andes. Il reconstitua peu à peu l'histoire d'un culte religieux très répandu, caractérisé par des dessins de jaguars sur les murs, les objets en métal, les vêtements et la poterie.

On savait depuis des siècles que Chavín avait existé. Les missionnaires espagnols eux-mêmes avaient décrit des bâtiments immenses, constitués de mégalythes, où les pèlerins amérindiens procédaient à des sacrifices et des offrandes et recevaient leurs « oracles de Satan ». Mais c'est Julio C. Tello qui démontra le premier l'importance réelle des lieux et la vraie nature de ces anciens temples, richement ornés de personnages grimaçants, de créatures mythologiques et d'animaux de la jungle tels que jaguars, crocodiles et perroquets. Il constata que ces bas-reliefs ressemblaient étrangement à des sculptures qu'il avait étudiées dans d'autres régions des Andes et que l'image du « dieu des bâtons » avait été reprise par des cultures ultérieures, comme celles de Huarí et de Tiahuanaco.

On estime que la construction des temples de Chavín a commencé vers 900 av. J.-C. et que des modifications y ont été apportées ensuite pendant 700 ans. Le bâtiment principal est en U, centré sur une place en contrebas, où probablement les pèlerins se réunissaient. Dans une galerie étaient entreposés des restes de poteries volontairement brisées en offrande aux idoles de pierre – par exemple à Lanzón, le

Le temple de Chavín.

vers 900 av. J.-C.	vers 750 av. J.-C.	vers 600 av. J.-C.	539 av. J.-C.	510 av. J.-C.	505 av. J.-C.	vers 500 av. J.-C.	vers 500 av. J.-C.
Début de l'édification des temples de Chavín.	Rédaction de l'*Iliade* et de l'*Odyssée*.	En Europe, la culture celte de Hallstatt est à son apogée.	Cyrus le Grand fonde l'Empire perse.	Fondation de la République romaine.	La démocratie est établie à Athènes.	Fondation des premières villes européennes.	Au Pérou, la civilisation de Paracas s'épanouit.

Les pillards ne purent s'empêcher de parler de leur butin, et l'un d'eux prit contact avec la police.

Ci-dessus *Poncho inca orné de motifs entrecroisés. L'art inca a été fortement influencé par les civilisations antérieures.*

« dieu souriant » anthropomorphe à tête de félin et cheveux en serpents, à qui le monument était consacré. En étudiant ces pots brisés, Julio C. Tello put confirmer son intuition : Chavín, lieu de culte, était également le point de

Ci-dessus *Vase anthropomorphique, dit « en étrier », de style Chavín.*

rencontre d'habitants venus de villages et de hameaux alentour.

Deux cents ans plus tard, une nouvelle religion émergea, issue cette fois de la plaine désertique qui longe la côte nord du Pérou. Jusqu'à peu de temps, la culture *mochica*, ou moches, était surtout connue pour ses énormes pyramides en adobe – telle celle de Huaca del Sol (pyramide du Soleil) avec ses dimensions de 340 x 40 m, c'est la plus grande du continent américain –, ainsi que pour ses céramiques ornées sur le thème de la chasse, de la pêche et de l'érotisme. Les tombes mochicas, bien connues pour leur richesse en objets d'or et d'argent, avaient fait l'objet de nombreux pillages depuis l'arrivée des conquistadors. Il fallut attendre février 1987, et l'intrusion d'une bande de voleurs dans une petite pyramide de Sipán apparemment sans grand intérêt, pour que les archéologues saisissent toute la puissance et l'influence des chefs mochicas. En effet, les pillards ne purent s'empêcher de parler de leur butin, et l'un d'eux prit même contact avec la police. Quelques jours plus tard, le site était cerné et les recherches à grande échelle purent alors commencer.

Une sentinelle pour l'éternité

La pièce où les prédateurs étaient entrés avait été pratiquement vidée.

Mais, en observant l'extérieur de la pyramide, les archéologues remarquèrent que certaines briques semblaient avoir été retirées pour ouvrir un passage. Ils se mirent à creuser et découvrirent bientôt les restes d'un homme qui avait été enterré là, après avoir eu les pieds tranchés. Pour eux, la conclusion s'imposait : il s'agissait d'un garde éternel, mutilé pour rester à jamais à son poste – et des trésors devaient donc se trouver non loin. Ils ne furent pas déçus. Dans une autre salle, ils exhumèrent le corps du seigneur de Sipán, mort vers 40 ans, enterré dans un cercueil rempli d'œuvres d'art qui figurent parmi les plus belles de toute l'Amérique du Sud : une coiffe en or et en plumes, des vêtements ornés de métal, des bijoux d'une grande finesse en or, en argent et en pierres précieuses, ainsi que des objets en coquillage et en perles. Deux autres hommes, dont l'un était enterré avec un chien, reposaient autour du cercueil du seigneur, ainsi que trois femmes : les serviteurs et les épouses qui devaient l'assister dans la vie éternelle.

Le temple de Chavín et la culture mochica

ÉQUATEUR

COLOMBIE

PÉROU

Site funéraire de Sipán

Trujillo

ZONE D'INFLUENCE DE LA CULTURE MOCHICA

BRÉSIL

Hvarea

Temple de Chavín
(lieu de pèlerinage et de cérémonie)

OCÉAN PACIFIQUE

ANDES

Lima

vers 325 av. J.-C.	221 av. J.-C.	218 av. J.-C.	vers 200 av. J.-C.	vers 200 av. J.-C.
Alexandre le Grand conquiert un immense empire autour de la Macédoine.	Fondation de la Chine féodale par Shi Huangdi, roi de la dynastie Qin.	Hannibal de Carthage envahit l'Italie.	La culture Hopewell émerge, au centre-ouest de l'Amérique du Nord.	La culture adena s'épanouit dans la région de l'Ohio.

MACHU PICCHU
La dernière citadelle de l'empereur inca

Très haut au-dessus de la vallée de l'Urubamba, au cœur des Andes du Pérou, Machu Picchu est l'une des forteresses les plus spectaculaires du monde. Élevée sur une arête, entre deux sommets rocailleux, elle a été édifiée par l'empereur Pachacuti Yupanqui, qui venait dans ce lieu sacré pour oublier un peu les contraintes de la vie urbaine de Cuzco, à 50 km au sud-est. Le site doit son image de « cité oubliée » à l'historien et explorateur américain Hiram Bingham : en 1911, alors chargé de mission au Pérou par l'université de Yale, il en découvrit les ruines ensevelies sous la broussaille. L'année suivante, il revint sur place mieux équipé pour mener des recherches approfondies et mit au jour la cité dans toute sa splendeur : ses tombeaux, ses temples, ses cours d'eau artificiels et ses bains, ainsi que ses bâtiments d'une architecture exceptionnelle.

Machu Picchu s'étend sur une superficie de 13 km² disposée en terrasses que relient des escaliers desservant une grande cour centrale. En plus de la rési-

Ci-dessus *Vue générale du site de Machu Picchu, avec les Andes en arrière-plan.*

dence du souverain et de grands édifices apparemment destinés à des offices religieux, la plupart des bâtiments sont édifiés suivant un plan simple : ce sont des maisons en pierre, d'une seule pièce, disposées autour de petites cours pavées. Le travail de maçonnerie exprime un haut niveau de maîtrise technique, et le palais lui-même est tout à fait à la mesure d'un roi figurant en bonne place parmi les grands conquérants de l'histoire. Mais le site n'est pas Tampu Tocco, cette grotte mythique aux trois fenêtres d'où les ancêtres des Incas seraient sortis. Il ne s'agit pas non plus, contrairement à ce que soutenait Hiram Bingham, de Vilcabamba, où les Incas se réfugièrent pour tenter d'échapper aux envahisseurs espagnols. On pense

À gauche *Masque en or des Chimú, rivaux des Incas, datant du XIIᵉ au XVIᵉ siècle.*

aujourd'hui que ces deux sites se trouvent ailleurs dans l'Empire inca.

Pendant des siècles, les puissants guerriers incas se contentèrent d'un royaume modeste. Le cœur de leur domaine se trouvait dans le sud des plateaux de la Cordillère et, jusqu'au milieu du XVᵉ siècle, ils évoluèrent dans un rayon de 32 km autour de Cuzco. Leur huitième souverain, Viracocha, entama une politique d'expansion en 1437, mais son fils Pachacuti, son petit-fils Topa, puis son arrière-petit-fils Huyana Cápac annexèrent systématiquement des territoires nouveaux. À la mort de Huyana Cápac, en 1525, l'empire s'étendait du sud de la Colombie à la Bolivie, et au nord de l'Argentine et au Chili, en passant par l'Équateur et le Pérou.

vers l'an 1000	1099 apr. J.-C.	de 1113 à 1500 apr. J.-C. env.	1215 apr. J.-C.	vers 1350 apr. J.-C.
Les Polynésiens débarquent en Nouvelle-Zélande.	Les Croisés prennent Jérusalem.	Âge d'or d'Angkor Vat, au Cambodge.	Les troupes mongoles s'emparent de Pékin.	Début de la Renaissance, en Italie.

Alors que les Incas avaient rassemblé tout l'or du royaume pour prix de sa vie, les Espagnols étranglèrent Atahualpa sans pitié.

Maintenir un vaste empire

Il n'est peut-être pas si aisé de comprendre comment les chefs incas ont pu exercer leur autorité sur un territoire accidenté et montagneux qui s'étendait sur 3 500 km du nord au sud et était peuplé de 16 millions d'habitants issus de multiples ethnies et tribus. C'est à la fois par la force armée et par un jeu d'alliances avec les tribus qu'ils ont su se maintenir au pouvoir. Pour le peuple, l'Inca vivant était un dieu incarné. Un système de communication très impressionnant le tenait informé régulièrement de tout ce qui se passait dans les quatre régions administratives de son royaume. Des messagers se relayaient à travers un réseau de routes pavées pour transmettre les messages, et ils pouvaient ainsi parcourir 400 km en un jour. La société inca était si centralisée que la production alimentaire était régie par des règlements stricts qui font penser à certains régimes autoritaires : des experts délégués par le gouvernement supervisaient les récoltes, l'irrigation, le terrassement et l'amendement. L'État prélevait aussi une portion de chaque récolte pour constituer des réserves en cas de famine.

Hélas ! les Incas doivent leur chute à leur obéissance aveugle. À la mort de Huyana Cápac, en 1525, deux de ses fils, les demi-frères Huáscar et Atahualpa, déclenchèrent une terrible guerre civile qui s'acheva par la mise en détention de Huáscar. Le sort voulut alors que Francisco Pizarro, à la tête d'une troupe de 180 conquistadors armés, parvienne à convaincre les Incas

L'escalier de cette rue de Machu Picchu mène au Torréon, large tour servant d'observatoire astronomique.

qu'il venait leur rendre des objets religieux – ce qui était faux. Il prit rapidement le contrôle de l'empire tout entier et captura Atahualpa Yupanqui. Celui-ci, de peur que son demi-frère rival n'en profite pour prendre le pouvoir, le fit assassiner, et il offrit aux Espagnols des coffres remplis d'objets en or en échange de sa liberté. Pizarro accepta, mais alors que les Incas avaient tenu parole et fait venir de l'or de tout le royaume, il fit étrangler Atahualpa. Quelques dizaines d'années plus tard, il ne restait rien de ce fabuleux empire.

Machu Picchu (la cité perdue des Incas) et Cuzco

BRÉSIL

PÉROU

CORDILLÈRE DES ANDES

Urubamba

Lima

■ Machu Picchu

Cuzco

Lac Titicaca

OCÉAN PACIFIQUE

1433 apr. J.-C.	vers 1437 apr. J.-C.	1497 apr. J.-C.	1519 apr. J.-C.	vers 1520 apr. J.-C.
Les explorateurs chinois accostent en Afrique orientale.	L'Inca Viracocha lance une politique d'expansion.	Jean Cabot découvre le Labrador.	Les Espagnols soumettent les Aztèques, au Mexique.	Le Portugal est le pays le plus riche d'Europe.

LA CATASTROPHE DE JOYA DE CERÉN

Le Pompéi du Nouveau Monde

Vers 175 apr. J.-C., une violente éruption de l'Ilopango sema la dévastation dans une grande partie du Salvador et décima la population de la vallée du Zapotitán, à l'ouest. Il fallut au moins trois siècles pour que les villages agricoles s'en remettent pleinement et reprennent leurs cultures (coton, maïs, tomates, haricots, cacao, manioc et piments), tout en reconstruisant leurs maisons à toit de chaume sur une maçonnerie en adobe (c'est-à-dire en terre crue). Ces gens entretenaient des liens très proches avec les Mayas qui vivaient au nord-ouest, mais ils appartenaient probablement à une ethnie différente. Leur arrivée dans le Zapotitán est mal expliquée. La raison la plus évidente serait une surpopulation de leur terre d'origine,

et donc une pénurie de nourriture. Quoi qu'il en soit, Joya de Cerén fut l'un de leurs premiers campements, et il resta florissant pendant environ un siècle.

Sous bien des angles, la vie quotidienne des paysans de Joya de Cerén était plus heureuse que celle de leurs héritiers du XXe siècle. Ils savaient engranger les récoltes, cultiver les légumes, et, d'une manière générale, étaient plutôt bien organisés. Autour de la place centrale, des salles de réunion étaient aménagées, ainsi que des bains de vapeur d'un type assez original, reconnaissables à leur toit en dôme. Chez eux, les villageois appliquaient un principe de

séparation des activités emprunté aux Mayas : ils avaient une hutte pour cuisiner, une autre pour se réunir, une autre encore faisant office d'atelier, tandis que le stockage des provisions était réparti entre tous et non groupé sous un seul toit. Ils prenaient leurs repas dans des récipients décorés de couleurs vives, dormaient sur des bancs matelassés installés au fond de la salle commune, élevaient des animaux domestiques comme des chiens et des canards, et utilisaient des outils tranchants en obsidienne. Pour éviter tout accident, ils rangeaient soigneusement hors de portée les lames dans leur toit de chaume.

Reconstitution d'une maison telle que celles qui ont été retrouvées à Joya de Cerén. Les murs sont en terre crue, le toit en chaume.

79 apr. J.-C.	100 à 500 apr. J.-C.	vers 100 apr. J.-C.	vers 150 apr. J.-C.	165 apr. J.-C.	de 200 av. J.-C. à 550 apr. J.-C.	220 apr. J.-C.	410 apr. J.-C.
Destruction de Pompéi.	Réalisation des animaux de Nazca.	L'Empire romain et l'empire de Chine convergent vers la mer Caspienne.	La culture Nok, en Afrique occidentale, produit des sculptures en terre cuite.	Épidémie de variole dans l'Empire romain.	Culture Hopewell, au centre-ouest de l'Amérique du Nord.	En Chine, fin de la dynastie des Han.	L'Empire romain, envahi, s'effondre.

En quelques jours,
toute trace de présence humaine
avait disparu.

Comment savons-nous tout cela ? Simplement parce que vers la fin du VIᵉ siècle, un volcan, la Laguna Caldera, fit une éruption qui recouvrit le village de cendre volcanique. Comme Pompéi en 79, c'est toute une culture qui se trouva ainsi figée et conservée, en parfait état.

Fuir l'enfer du volcan

Heureusement pour les habitants, il y avait eu quelques signes annonciateurs. La première explosion eut lieu en août, en début de soirée, alors que les fermiers, revenus des champs, achevaient leur repas familial. Personne n'était encore couché, pas même les enfants, et les villageois eurent le temps d'évacuer les lieux avant la chute des retombées volcaniques. Quelques jours plus tard, il n'y avait plus la moindre trace de présence humaine. Tous les bâtiments étaient engloutis sous 5 m de cendre, et ils y seraient toujours si, en 1976, un bull-dozer qui déblayait un chantier n'avait révélé le village de Joya de Cerén. Depuis, onze bâtiments ont pu être exhumés. Grâce à une datation au carbone 14, l'université du Colorado a pu établir que l'éruption avait eu lieu vers 590. Les recherches archéologiques ont été suspendues par la guerre civile sanglante qui a agité le Salvador dans les années quatre-vingt, mais on peut espérer que l'avenir permettra de reconstituer pleinement Joya de Cerén, et donc de nous en apprendre davantage sur la vie quotidienne des Mayas.

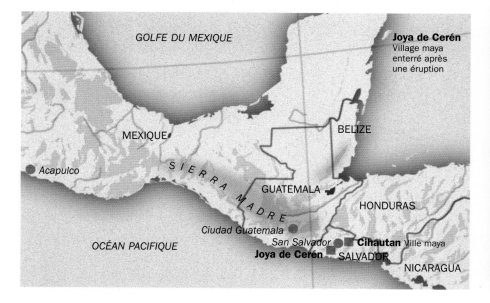

GOLFE DU MEXIQUE

Joya de Cerén
Village maya
enterré après
une éruption

MEXIQUE

BELIZE

Acapulco

S I E R R A   M A D R E

GUATEMALA

HONDURAS

Ciudad Guatemala

OCÉAN PACIFIQUE

San Salvador   **Cihautan** Ville maya
Joya de Cerén   SALVADOR

NICARAGUA

LES RITES DES GROTTES DE NAJ TUNICH
Œuvres d'art et hiéroglyphes des Mayas

L'une des grottes les plus profondes d'Amérique centrale se trouve dans la province de Petén, au Guatemala. C'est là, le long d'une chaîne montagneuse, que la grotte de Naj Tunich s'enfonce à presque 2 km de profondeur, vaste réseau de couloirs et de salles fantastiques. Pour les Mayas, c'était un lieu où s'exerçaient des pouvoirs surnaturels, un passage vers le monde des esprits, un lieu sacré d'adoration. Ils déposèrent des os et des objets funéraires en poterie dans les recoins les plus reculés, ornèrent les parois de fresques éclatantes et y gravèrent des inscriptions hiéroglyphiques où figu-

raient le nom de quelques hommes, leur origine et la date.

Ci-dessus *Crâne en mosaïque du XVᵉ siècle environ. De telles œuvres étaient de puissantes sources de pouvoir religieux.*

Ci-dessus *Tête aztèque Quexalott en mosaïque, avec des dents en coquilles de moules.*

Encens et sang

Ces inscriptions n'étaient pas forcément destinées à rendre hommage à des défunts. La tradition maya prônait les pèlerinages vers les grottes où l'on procédait à des rites secrets et où les cérémonies servaient à invoquer les esprits. Pour cela, de l'encens était brûlé et le sang des pèlerins était parfois le tribut exigé. Parmi la centaine de fresques de Naj Tunich qui ont été réalisées pendant ces séances d'introspection, certaines offrent un regard unique sur les aspects les plus intimes de la vie des Mayas. Cette grotte où

vers 900 av. J.-C.	814 av. J.-C.	vers 750 av. J.-C.	vers 700 av. J.-C.	609 av. J.-C.	vers 600 av. J.-C.	581 av. J.-C.	539 av. J.-C.
Début de l'édification des temples de Chavín.	Fondation de la ville de Carthage.	En Grèce, rédaction de l'*Iliade*.	Production abondante de poterie à Naj Tunich.	Fin de l'Empire assyrien.	En Europe, la culture celte de Hallstatt est à son apogée.	Jérusalem est rasée par Nabuchodonosor II.	Victoire des Grecs sur Carthage.

Les pèlerins qui se rendaient dans les grottes étaient conviés à des rites secrets, parfois au prix du sang.

Ci-dessus *Neuf générations de chefs sont répertoriées sur ce linteau maya de Yaxchilan, au Mexique.*

étaient aménagées des salles en pierre et des alcôves murées (probablement des tombeaux) était un lieu de culte partagé par plusieurs États, tels le Sacul, l'Ixtutz et l'Ixcun. Loin d'être une rivale, elle s'ajoutait à d'autres lieux de

culte mayas, comme Palenque, Uxmal, Mayapán, Copán, Tikal, Uaxactún et Chichén Itzá.

Certaines des peintures de Naj Tunich sont de simples portraits, dont la ligne dynamique et audacieuse rappelle des graffitis. D'autres, en revanche, continuent à intriguer les archéologues. Ainsi, l'une d'elles représente un homme en érection tenant dans ses bras une personne qui, d'un point de vue anatomique, paraît être une femme. Toutefois, à mieux y regarder, on constate que ses traits sont nettement masculins et que ses cheveux tressés forment une longue natte. Pour les Mayas, la natte était associée symboliquement à la sexualité féminine. Cette scène représente donc, soit une relation homosexuelle, soit, plus lestement, un travesti. Naj Tunich regorge d'énigmes artistiques de ce genre.

La calligraphie, à la fois belle et précise, est plus facile à comprendre. Pour l'essentiel, elle date du VIIIe siècle av. J.-C., époque où la céramique maya était à son apogée. Si l'on en croit la ressemblance entre les œuvres, il semble que les potiers se sont essayés à la peinture rupestre. L'une des inscriptions les plus claires, mesurant 1,50 m, figure au-dessus d'une alcôve naturelle. Rédigée en glyphes (mélange d'images et de signes), elle dresse une liste complète des personnes venues d'un

Vivre à l'heure maya

Il peut certes sembler fort compliqué, mais le calendrier maya est l'un des plus précis que les hommes aient mis au point jusqu'à l'adoption du calendrier grégorien au XVIe siècle. En voici le fonctionnement : l'année commence le 16 juillet, quand le soleil se trouve à son point culminant ; il y a 365 jours, dont 364 sont répartis sur 28 semaines de 13 jours. Le Nouvel An a donc lieu le 365e jour. D'autre part, un calendrier indépendant organise les mois en 18 groupes de 20 jours. En conséquence, tous les 360 jours (18 x 20), la semaine et le mois commencent en même temps. Selon la tradition maya d'adoration de la nature, les dieux maîtrisaient certaines unités de temps, et régnaient donc sur le comportement de tous pendant ces périodes.

peu partout pour participer à un rite commun. On peut en déduire que Naj Tunich faisait partie d'une structure politique complexe où le partage des valeurs religieuses pouvait prévaloir sur les rivalités géographiques. Aujourd'hui, les descendants des Mayas sont pour la plupart mélangés à d'autres peuples et largement acculturés. On ne compte guère plus de 300 000 Mayas authentiques, répartis au Guatemala et au Yucatán.

GOLFE DU MEXIQUE

MONTS MAYA

MEXIQUE

BELIZE

Grotte de Naj Tunich
Cité maya de Dos Pilas

SIERRA MADRE

GUATEMALA

HONDURAS

Guatemala

SALVADOR

517 av. J.-C.	509 av. J.-C.	490 av. J.-C.	vers 325 av. J.-C.	vers 200 av. J.-C.
Percement du canal entre le Nil et la mer Rouge.	Fondation de la République romaine.	Premier édifice en marbre chez les Grecs : le temple d'Athéna.	Alexandre le Grand conquiert un immense empire autour de la Macédoine.	La culture adena s'épanouit dans l'Ohio.

CHAPITRE 12
LE MEXIQUE ET L'AMÉRIQUE DU NORD

D'après un mythe que l'on doit probablement aux Européens, les Nord-Américains seraient fascinés par l'histoire parce que la leur est trop brève. La réalité est très différente. Selon certaines hypothèses anthropologiques, les hommes préhistoriques de la période glaciaire se sont aventurés à franchir le détroit de Béring, alors asséché, à partir de 30 000 av. J.-C. Ils sont alors partis vers le sud et ont donné naissance à des cultures qui ont par la suite prospéré, comme celles des Indiens des Grandes Plaines, des Olmèques et des Toltèques de l'âge de la pierre, des Mayas (grands artistes), et des Aztèques (très militarisés). La vérité est qu'il existe peu d'exemples des arts et de l'architecture des peuples nord-américains ; mais c'est loin d'être le seul critère pour juger de la richesse archéologique du continent. Le nomadisme des Amérindiens des plaines, qui n'évolua pratiquement pas pendant des milliers d'années, jusqu'à l'invasion des Européens aux XVIIe et XVIIIe siècles, illustre sous plusieurs angles le mode de vie des communautés de chasseurs-cueilleurs du monde entier. Les constructeurs de tumulus, qui adoraient des effigies d'animaux en terre, nous laissent tout aussi perplexes que les étranges villages abandonnés du sud-ouest américain.

Dans les dernières pages de ce chapitre, nous aborderons le mystère des navigateurs vikings, de leur périple à travers l'Atlantique, des dangers auxquels ils firent face quand ils posèrent le pied en terre d'Amérique, et de leur décision de rentrer en Europe après des conflits avec les autochtones.

Cette sombre et énigmatique statue olmèque en basalte ne reflète guère la sérénité.

SASKATCHEWAN

Roue de médecine de Moose Mountain

MANITOBA

ONTARIO

QUÉBEC

L'Anse-aux-Meadows

MONTANA

DAKOTA DU NORD

MINNESOTA

MAINE

VERMONT

NEW HAMPSHIRE

Roue de médecine de Bighorn

DAKOTA DU SUD

WISCONSIN

MICHIGAN

MASSACHUSETTS

NEW YORK

WYOMING

NEBRASKA

IOWA

INDIANA

PENNSYLVANIE

COLORADO

ILLINOIS

Hopewell

Grave Creek

OHIO

Mesa Verde

Chaco Canyon

KANSAS

MISSOURI

KENTUCKY

Objets de la culture Hopewell : oiseau en bronze aux yeux en pierre, pipe en terre ornée d'une grenouille

—— **Snaketown**

OKLAHOMA

ARKANSAS

TENNESSEE

CAROLINE DU NORD

NOUVEAU-MEXIQUE

CAROLINE DU SUD

Récipient anasazi

TEXAS

LOUISIANE

MISSISSIPPI

ALABAMA

GÉORGIE

OCÉAN ATLANTIQUE

MEXIQUE

FLORIDE

La grande pyramide de Tenochtitlán vers 1520

GOLFE DU MEXIQUE

Reconstitution du palais de Kabáh, au Yucatán

Teotihuacán

Tenochtitlán

Tres Zapotes

San Lorenzo

La Venta

Monte Albán

Palenque

OCÉAN PACIFIQUE

Bas-relief de Palenque montrant un prêtre qui fume

175

LA MONTÉE EN PUISSANCE DES OLMÈQUES
L'ancien empire du Mexique

Ci-dessus *L'une des plus grandes têtes olmèques en basalte, typique par sa forme carrée et ses lèvres épaisses. Elle représente peut-être une divinité planétaire.*

L'invention de la datation au carbone 14 par le chimiste américain William F. Libby, en 1947, a offert aux archéologues un outil précieux entre tous. Le chimiste démontra que la radioactivité d'une matière organique (humaine, animale ou végétale) réduit lentement après sa mort. On peut donc estimer avec une certaine précision l'âge d'objets qui remontent jusqu'à 50 000 ans, même si la précision de l'analyse va déclinant avec l'ancienneté. L'âge d'une lame de hache en pierre, par exemple, peut être estimé en fonction des organismes trouvés autour d'elle, à l'endroit où elle était enterrée.

L'une des premières controverses résolues par le carbone 14 concerne les objets créés par les Olmèques, au Mexique. Cette civilisation n'a été découverte qu'en 1862, quand un ouvrier d'une plantation de canne à sucre de Tres Zapotes déterra une énorme tête en basalte sculpté. Sept ans plus tard, l'archéologue mexicain José Melgar publia son analyse : il insistait sur la largeur du nez et l'épaisseur exagérée des lèvres, qui faisaient penser à l'art classique éthiopien. Toutefois, cette œuvre resta la seule à être sortie de terre jusqu'en 1925, au début des fouilles dans l'ancienne cité olmèque de La Venta (État de Tabasco) et autour du volcan San Martín Pajapan (État de Vera Cruz). On découvrit alors une seconde sculpture monolithique, ainsi qu'une tête grimaçante sculptée dans le basalte.

C'est l'historien allemand Hermann Beyer qui le premier qualifia ces œuvres d'« olmèques », en référence à un peuple indigène mentionné dans des documents du XVIᵉ siècle. Mais la découverte la plus importante n'eut lieu que dans les années trente. Matthew Stirling, directeur du Service d'ethnologie américain, trouva à Tres Zapotes une nouvelle tête colossale, mais cette fois gravée de hiéroglyphes datables, qui permirent de démontrer que la civilisation olmèque était antérieure aux Mayas. Pendant quelque temps, les spécialistes des Mayas rejetèrent cette idée, mais en 1957, la toute première analyse au carbone 14 sur des pièces trouvées à La Venta les força à admettre leur tort. D'autres recherches à San Lorenzo ont

Ci-dessus *Esprit de jaguar en jade. L'art olmèque fut peu à peu absorbé par la culture maya, à partir de 900 av. J.-C.*

GOLFE DU MEXIQUE

Tlatilco
Mexico
Gualupita · El Trapiche · Vera Cruz
Tlacozotitlán
Tres Zapotes · La Venta
Monte Albán
Juxtlahuaca · MEXIQUE · San Lorenzo · Xoc
Oaxaca · Padre Piedra
BELIZE
GUATEMALA
Altamira · San Isidro
OCÉAN PACIFIQUE

vers 2000 av. J.-C.	vers 1900 av. J.-C.	vers 1840 av. J.-C.	vers 1750 av. J.-C.	vers 1200 av. J.-C.	vers 1100 av. J.-C.	vers 1120 av. J.-C.	753 av. J.-C.
Les Inuits s'installent dans les régions arctiques.	En Mésopotamie, l'irrigation permet d'approvisionner en eau la population.	Les Égyptiens annexent la Basse-Nubie.	Hammourabi fonde l'empire de Babylone.	Les Grecs détruisent Troie.	Création de l'écriture alphabétique par les Phéniciens.	Fin de la civilisation mycénienne.	Fondation de Rome.

Les joueurs vaincus
au jeu de balle
le payaient parfois de leur vie.

permis d'affirmer que les Olmèques étaient apparus au XIIe siècle av. J.-C. D'après certaines théories plus récentes, la date serait encore plus récente – vers 1500 av. J.-C. Il semble qu'à partir de 900 av. J.-C., cette civilisation ait été peu à peu absorbée par la tradition maya, plus répandue.

L'Empire olmèque

Les Olmèques étaient établis à l'ouest de la péninsule du Yucatán, région tropicale de vallées humides et de jungle dense. Leurs premiers cantonnements étaient concentrés sur la côte du golfe, mais leur influence se répandit jusque

Ci-dessous *Détail d'un bas-relief sur pierre. Les formes arrondies et le thème des dessins trahissent clairement l'influence des Olmèques.*

dans les hauts plateaux au centre du pays et l'ouest du Mexique. Leurs gravures sont très typées – bouche grimaçante, tête carrée fendue au milieu, sourcils volumineux –, et un grand nombre ont pu être identifiées dans des sites distants de plus de 900 km. Les Olmèques furent le premier peuple d'Amérique centrale à pratiquer la gravure et la sculpture sur pierre, ainsi que l'architecture ; leurs têtes en basalte atteignent 2,70 m, mais leurs figurines de jade tiennent dans la main. Le plan axial des rues de La Venta a été copié pendant des siècles pour aménager d'autres cités ; en outre, l'écriture olmèque est indéniablement à l'origine des hiéroglyphes mayas. Et pourtant, alors que ce peuple a prospéré pendant plus de six siècles, il nous reste beaucoup à apprendre sur son mode de vie.

LE TEMPLE DES INSCRIPTIONS
Nécropole royale

Ci-dessus *Le masque funéraire de Pacal, en jade, découvert dans la crypte du temple des Inscriptions.*

La cité de Palenque, dans l'État du Chiapas, au Mexique, est le plus beau fleuron de l'architecture maya classique. Cette cité qui date du IVe au Xe siècle av. J.-C. occupe une vaste plate-forme sur laquelle des pyramides en pierre, des temples et des sanctuaires ont été édifiés. Contrairement aux pyramides d'Égypte, il ne s'agit pas toujours de chambres funéraires destinées aux souverains. Les lieux pourraient même n'avoir eu d'autre fonction qu'esthétique ; les murs se prêtaient aux bas-reliefs et aux hiéroglyphes chargés de relater les grands moments de l'histoire maya. L'une de ces pyramides recelait un secret encore plus précieux, sous la forme

d'une énigme qui ne fut résolue qu'au bout de 1 200 ans.

Pendant des années, le temple des Inscriptions a été considéré comme un édifice religieux comme les autres, même s'il était fort riche en hiéroglyphes. Il doit son nom à deux grandes tablettes en pierre disposées contre la face arrière de son portique, et à une troisième fixée au mur d'une salle intérieure. Elles rassemblent à elles trois plus de 600 hiéroglyphes, constituant ainsi la seconde inscription maya jamais découverte. En 1840, les stèles ont fait l'objet d'une étude approfondie de la part de l'historien américain John Lloyd Stephens, mais, en 1949, l'archéologue mexicain Alberto Ruz Lhuillier décida à son tour de les étudier. Il se demandait pourquoi le sol dallé du sanctuaire était constitué de grands blocs parfaitement ajustés, alors que les autres sols de Palenque étaient nettement plus rustiques. De plus, l'un des blocs de l'arrière-salle était orné d'une double ligne de trous circulaires bouchés par une pierre, comme s'il était destiné à être soulevé avec un appareillage spécifique. Ce chercheur était convaincu qu'il s'agissait là de l'entrée d'un passage souterrain.

À droite *L'escalier du temple sous lequel se dissimulait un passage secret.*

L'escalier dérobé

Il avait vu juste. En soulevant le bloc, on découvrit un escalier raide et jonché de gravats, qu'il fallut déblayer patiemment et délicatement. Alberto Ruz Lhuillier dut attendre encore trois ans avant d'atteindre les premières marches et trouver un coffret en pierre rempli de bols décorés, de bijoux de jade et de perles, de coquillages emplis de teinture rouge, et une perle fine. Cela prouvait l'existence d'un tombeau encore intact et, en pénétrant dans une autre salle, l'équipe trouva les squelettes de six jeunes gens sacrifiés : de toute évidence, le site recelait une prodigieuse découverte. Après avoir déplacé une lourde pierre triangulaire donnant sur le couloir central, Alberto Ruz Lhuillier se trouva face à une porte ouverte sur un petit escalier, qui menait à une crypte de 4 × 10 m, au cœur de la pyramide. Sous les efflorescences de salpêtre dues à l'humidité, les murs en

410 apr. J.-C.	vers 500 apr. J.-C.	552 apr. J.-C.	de 542 à 594 apr. J.-C.	vers 597 apr. J.-C.	604 apr. J.-C.	vers 625 apr. J.-C.	vers 630 apr. J.-C.
L'Empire romain, envahi, s'effondre.	Teotihuacán, au Mexique, est la plus grande ville du monde (200 000 habitants).	Le bouddhisme est introduit au Japon.	La peste emporte la moitié des Européens.	Saint augustin arrive en Grande-Bretagne pour convertir la population au christianisme.	Première constitution écrite au Japon.	Enterrement d'un chef saxon à Sutton Hoo, en East Anglia, en Angleterre.	Mahomet fonde l'islam.

Le trésor disposé autour du corps de Pacal démontrait la place qu'il avait occupée dans la société maya.

Ci-dessus *Sous le temple des Inscriptions, une « voie psychique » reliait l'esprit de Pacal à son peuple.*

stuc étaient ornés des portraits gravés de neuf gardes. Au centre, à 25 m sous la pyramide des Inscriptions, un sarcophage reposait sur six pieds en pierre : celui du roi de Palenque, Pacal le Grand.

Le trésor disposé autour de son corps était sans équivoque : Pacal avait occupé une place de tout premier ordre dans la société maya. Le jade dominait nettement, sous forme de colliers, bracelets, plastrons, bagues et anneaux d'oreille. Le roi lui-même était paré d'un masque funéraire en jade, ses mains étaient remplies de bijoux, à ses pieds des joyaux jonchaient le sol, tous en jade, y compris une somptueuse ceinture déposée sur la dalle en pierre abritant le sarcophage. Le trésor comptait aussi de la vaisselle en céramique, et deux têtes en stuc grandeur nature. Le plus remarquable était peut-être cette dalle, gravée de l'un des motifs les plus connus et les plus évocateurs de l'art maya : la descente de Pacal vers le monde des ténèbres. Le souverain mort, recroquevillé dans la position du fœtus, y figure au centre d'un « arbre de vie » couronné d'un oiseau mythologique terrifiant et d'un serpent à deux têtes. En haut et en bas, ses ancêtres émergent de leurs tombes, et la succession de la dynastie est assurée par des descendants qui semblent surgir de terre. Pour maintenir le lien entre son esprit et le peuple, une « voie psychique » en mortier reliait le sarcophage au couloir de l'entrée principale. De là, le conduit remontait les 67 marches pour rejoindre enfin le niveau du sol du sanctuaire.

Selon les hiéroglyphes, Pacal a régné entre 615 et 683 apr. J.-C., mais l'âge auquel il mourut reste incertain. Pour les anatomistes, il devait avoir une quarantaine d'années, mais les glyphes affirment et répètent qu'il avait 80 ans. Il est toutefois possible que l'âge de ce grand souverain ait été métaphoriquement exagéré (c'est une tradition que partagent d'autres religions partout dans le monde), pour lui attribuer des pouvoirs surnaturels.

Sites de la culture maya
500 av. J.-C. à 1200 apr. J.-C.

1 Dzibilchaltún
Lieu saint datant de 500 av. J.-C.

2 Chichén Itzá
Centre maya important et site du temple des Guerriers

Kabáh
Ville dont l'abandon reste inexpliqué

Edzna
Terrain de jeu de balle rituel

Río Bec
Palais pyramidal

Palenque
Temple des Inscriptions

Île de Cozumel
Lieu de pèlerinages en l'honneur de Ix Chel, déesse maya des femmes

Cancún

Mérida

Île de Cozumel

GOLFE DU MEXIQUE

Péninsule du Yucatán

Villahermosa

MEXIQUE

GUATEMALA

Guatemala

OCÉAN PACIFIQUE

vers 650 apr. J.-C.	**775 apr. J.-C.**	**794 apr. J.-C.**	**vers 795 apr. J.-C.**	**800 apr. J.-C.**	**vers 800 apr. J.-C.**	**982 apr. J.-C.**	**vers 1100 apr. J.-C.**
En Chine, la dynastie des Tang est la plus puissante de tous les temps.	Le royaume de Srijaya occupe toute la Malaisie.	Tokyo devient la nouvelle capitale du Japon.	Première grande mise à sac des îles britanniques par les Vikings.	Charlemagne devient empereur d'Occident.	En Mésopotamie, la culture abbasside atteint son apogée.	Erik le Rouge découvre le Groenland.	Le site anasazi de Mesa Verde est à son apogée.

TEOTIHUACÁN, LE TEMPLE DU SERPENT À PLUMES
Quand l'archéologie révèle l'histoire

Teotihuacán est la plus énigmatique des cités. Au VIᵉ siècle apr. J.-C., elle couvrait plus de 35 km² et sa population atteignait environ 200 000 habitants : elle était donc bien plus étendue et développée que n'importe quel centre urbain d'Europe à la même époque. L'étonnante pyramide du Soleil, qui perpétue des rites religieux cruels en immolant des victimes humaines, est la plus grande qui ait jamais été édifiée en Amérique centrale, et le temple du serpent à plumes, avec sa magnifique façade ouest, est très certainement le plus ancien monument du Mexique. Richement orné de portraits colorés de Quetzalcoatl, celui-ci était au centre d'un culte guerrier qui exerça une forte influence sur les civilisations ultérieures – les Toltèques et les Aztèques en

La pyramide du Soleil (63 m de haut) était un lieu de sacrifices humains.

particulier. Les Aztèques vénéraient tant ce lieu qu'ils le surnommèrent « la demeure des dieux », persuadés que c'était là que le monde avait été créé.

Pour autant, la cité n'a livré que peu d'information sur l'identité de ses premiers habitants. Aucun document écrit n'y a été trouvé et l'on ne sait pas très bien quelle langue y était pratiquée. Le peu que nous sachions est dû à une fouille menée sur place au début des années quatre-vingt par des archéologues de l'Institut national d'anthropologie et d'histoire du Mexique, et qui permit la découverte de plusieurs nécropoles devant l'entrée. Ils trouvèrent en tout 120 corps, enterrés par groupes de 20, ainsi que d'innombrables objets d'offrande – par exemple des ornements en coquillages, en jade et en obsidienne. Certains corps étaient parés de colliers en coquillages ciselés en forme de

Ci-dessus *Ce quetzalcoatl en pierre est l'une des nombreuses œuvres qui ornent la façade ouest du temple de Teotihuacán.*

mâchoires humaines, et d'autres portaient autour des reins un miroir rustique doré en pyrite (ce que l'on appelait par dérision « l'or du sot ») de forme circulaire, symboles militaires que les guerriers aztèques utilisaient également.

Les découvertes de l'institut forcèrent les spécialistes à revoir complètement les fonctions du temple. Celui-ci avait toujours été considéré comme un lieu purement religieux, mais la présence de tant de guer-

L'honneur suprême était réservé à ceux qui tombaient au combat ou se portaient volontaires pour être sacrifiés.

Ci-dessus *Cet alignement de crânes symboliserait la puissance du régime militaire de Teotihuacán.*

riers sacrifiés révélait qu'on se trouvait au cœur d'une dictature militaire, qui exerça un impressionnant contrôle psychologique sur la population à partir de 200 apr. J.-C. environ. Ce culte des sacrifices humains rituels était destiné à convaincre les guerriers aztèques qu'ils atteindraient l'honneur suprême uniquement s'ils tombaient au combat ou se portaient volontaires pour être sacrifiés par un prêtre. Il faut toutefois souligner que les sacrifices rituels n'avaient lieu, chez les Aztèques, qu'à l'occasion des plus importantes cérémonies religieuses. Il était en revanche un peu plus courant de voir mener de force des prisonniers au sommet d'une pyramide et de les étendre sur une pierre bombée devant le grand prêtre, qui leur arrachait le cœur avec un couteau.

Le serpent à plumes

Le point commun entre Teotihuacán et de nombreuses cultures postérieures est le serpent à plumes doué d'ubiquité, ou Quetzalcoatl. Il apparut en premier lieu dans l'art et l'architecture des Toltèques, qui avaient fondé leur propre empire militaire à Tula, après la mise à sac et l'incendie de Teotihuacán, vers 750 apr. J.-C. Il est matérialisé par un casque de style très particulier, que les guerriers mayas portaient au moment où la position de la planète Vénus leur ordonnait d'entrer en guerre. De même, les Aztèques, dont la culture domina le Mexique entre les XIIᵉ et XVᵉ siècles, assimilaient le serpent à plumes à Vénus et aux conquêtes militaires. C'est ainsi que l'astrologie, la mythologie et le symbo-

lisme ont été associés pour créer un « culte martial » axé sur Vénus et qui s'est répandu en Amérique centrale pendant un millier d'années.

En octobre 1998, George Cowgill, professeur à l'université de l'Arizona, rapporta une nouvelle découverte importante dans l'histoire archéologique de Teotihuacán en désignant la pyramide de la Lune, la seconde du site par ordre de taille, comme lieu d'une possible sépulture royale. Un corps y avait été enterré, assis sur un siège et entouré d'objets d'offrande en obsidienne et en jade (similaires à ceux qui ont été trouvés dans les tombeaux collectifs). Ce tombeau daterait d'environ 100 apr. J.-C. – alors que la civilisation de Teotihuacán était encore balbutiante – et pourrait fort bien être le premier de toute une série qui reste encore à découvrir.

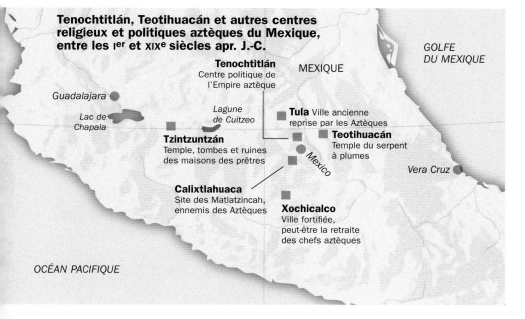

Tenochtitlán, Teotihuacán et autres centres religieux et politiques aztèques du Mexique, entre les Iᵉʳ et XIXᵉ siècles apr. J.-C.

GOLFE DU MEXIQUE

MEXIQUE

Tenochtitlán
Centre politique de l'Empire aztèque

Guadalajara

Lagune de Cuitzeo

Lac de Chapala

Tula Ville ancienne reprise par les Aztèques

Tzintzuntzán
Temple, tombes et ruines des maisons des prêtres

Teotihuacán
Temple du serpent à plumes

Mexico

Vera Cruz

Calixtlahuaca
Site des Matlatzincah, ennemis des Aztèques

Xochicalco
Ville fortifiée, peut-être la retraite des chefs aztèques

OCÉAN PACIFIQUE

LES BÂTISSEURS DE TUMULUS D'AMÉRIQUE DU NORD

Une énigme au cœur de l'Amérique du Nord

Dans les années 1780, quand les premiers pionniers blancs se mirent à explorer la vallée de l'Ohio, ils furent stupéfaits de trouver des dizaines de tumulus en forme d'animaux, dont le plus impressionnant était celui du Grand Serpent, un reptile qui mesure plus de 400 m et abrite dans sa gueule ouverte un tombeau en forme d'œuf. Les pionniers découvrirent ainsi d'autres motifs en tumulus sur les rives du Mississippi et à l'intérieur des terres, à l'est du pays. À l'est de Saint-Louis, ils virent une étrange colline artificielle, en pyramide tronquée, d'une hauteur de 33 m. Elle reçut le nom de Monks Mound quand les trappistes s'y installèrent à la fin du XIXe siècle, mais elle fait partie d'un centre religieux plus vaste et plus complexe, qui couvrait 800 ha et que les Amérindiens de la région nommaient Cahokia.

L'interprétation que les pionniers firent de ces tumulus n'a rien de très étonnant : pour eux, il était inconcevable que les ancêtres des Amérindiens des bois aient pu les édifier, et ils lancèrent donc la thèse d'une race supérieure ancienne, qu'une horde de barbares aurait annihilé. Certains avancèrent même que les animaux en terre avaient été édifiés par des survivants du déluge biblique, et d'autres – nous les citons en vrac – par des réfugiés de l'Atlantide, des Gallois, une « tribu perdue » d'Israël, des prêtres hindous en route pour le Mexique, des voyageurs de la Grèce antique, de Rome, d'Égypte, de Toscane et du Danemark et – ce qui ne manque pas de poésie – une race de géants ! Il y avait là de quoi inspirer les rêveurs, les escrocs, les archéologues à la petite semaine, les coureurs de trésor romantiques et les historiens amateurs, chacun ajoutant son grain de sel. Au beau milieu de cet assortiment disparate apparut un certain William Pidgeon, fouineur d'objets artisanaux et de bijoux amérindiens.

Une civilisation oubliée

William Pidgeon adhérait passionnément à la thèse de la civilisation perdue et, en 1840, il se mit à répertorier des sites jusqu'alors inconnus, à l'ouest des Grands Lacs. En quelques mois, il localisa toute une ménagerie de créatures en terre, dont beaucoup étaient enfouies dans des

Les animaux en terre d'Amérique du Nord auraient été réalisés, selon certains, par des survivants du Déluge.

Ci-dessous *Sculpture nord-américaine en stéatite, non datée, qui montrerait un guerrier en train de décapiter sa victime.*

vers 1000 av. J.-C.	vers 200 av. J.-C.	vers 200 apr. J.-C.	vers 550 apr. J.-C.	vers 600 apr. J.-C.	de 1500 à 1600	vers 1610	1776
Apparition de la culture adena dans le nord du Middle West.	La culture Hopewell commence à produire des œuvres en terre.	Fin de la culture adena.	Fin de la culture Hopewell.	Apparition de la culture mississippienne.	La culture mississippienne est anéantie par les conquistadors espagnols.	Début de la colonisation de l'Amérique du Nord par les Anglais.	La guerre d'Indépendance américaine débouche sur un mouvement d'expansion vers l'ouest.

Les régions des bâtisseurs de tumulus

Newark Mounds
Culture Hopewell
2000 av. J.-C. à 400 apr. J.-C.

Grave Creek
Centre de la culture
adena, IIIe et
IIe siècles av. J.-C.

Serpent Mound
Culture Hopewell,
entre 2000 av.
J.-C. et 400 apr. J.-C.

Cahokia
Centre de cérémonie
des bâtisseurs de
tumulus
mississippiens,
du VIIIe au XVe siècle
apr. J.-C.

Indian Knoll
Campement
du IVe millénaire av. J.-C.
avec tumulus en coquillages

Detroit — Lac Érié — PENNSYLVANIE — Lac Michigan — MICHIGAN — Chicago — INDIANA — OHIO — Pittsburgh — Illinois — ILLINOIS — Wabash — Colombus — Indianapolis — Mississippi — Saint Louis — Ohio — KENTUCKY — VIRGINIE OCCIDENTALE — Appalaches — MISSOURI

forêts : lézards, faucons, tortues, panthères et, sur une crête de l'Iowa, une procession d'ours. Il raconta plus tard que, selon un homme-médecine, De-coo-dah, ces effigies avaient été édifiées quand les hommes d'une tribu, vaincus par une ethnie ennemie, s'étaient trouvés contraints de renoncer à leurs idoles animales et d'adopter les constellations et les astres pour nouveaux dieux. De-coo-dah expliqua ainsi : « Quand les adorateurs des reptiles se sont trouvés anéantis par les hasards de la guerre, et forcés à reconnaître que le soleil, la lune et les corps célestes étaient des objets dignes d'adoration, ils ont enterré en secret leurs propres dieux dans ces symboles de terre en forme de corps célestes. »

William Pidgeon n'était pas convaincu, mais ses propres théories mystiques furent bientôt oubliées. Dans les années 1880, l'ethnologue Cyrus Thomas, envoyé par le gouvernement, se pencha sur plus de 2 000 sites amérindiens anciens et 4 000 objets, appliquant des méthodes de recherche archéologique rigoureuses. Il en vint à une conclusion ferme et définitive : les tumulus et les œuvres en terre étaient bel et bien dus à des Amérindiens. La question n'était plus de savoir qui les avait faits, mais pourquoi.

À la suite des travaux de Cyrus Thomas, les archéologues classèrent les tumulus en trois catégories. Les

hommes de la culture Adena – du nom d'un village de l'Ohio – connurent leur âge d'or dans le nord du Middle West entre 1000 av. J.-C. et 200 apr. J.-C. Ils édifièrent des tertres cérémoniels et des animaux en terre, dont le Grand-Serpent. Ensuite vinrent les Hopewell, fins artistes et commerçants, qui édifièrent entre 200 av. J.-C. et 500 apr. J.-C. quelques-uns des plus importants tumulus, dont ceux qui fascinèrent William Pidgeon. Enfin, à partir de 600 apr. J.-C., la culture du Mississippi s'affirma par d'immenses et complexes centres religieux, tel celui de Cahokia. Cette tradition dura environ 1 000 ans,

puis fut balayée par les conquistadors espagnols, au XVIe siècle. Eux seuls auraient pu nous renseigner sur les véritables motivations des bâtisseurs de tumulus. Le gigantesque tumulus du Grand-Serpent témoigne du haut niveau de civilisation atteint par les Natchez, groupe le plus évolué des Indiens du Sud-Est.

Ci-dessous *Aperçu du Grand-Serpent. Une tombe se trouve en partie cachée dans la gueule de l'animal.*

vers 1780
Les colons américains découvrent des œuvres en terre.

1840
William Pidgeon entreprend de dresser une liste de sites et œuvres en terre.

LES ANASAZIS
Les agriculteurs du désert de Mesa Verde

Les déserts du Sud-Ouest américain sont des régions ingrates. Aujourd'hui encore, alors que l'agriculture est dominée par une technologie sans limites, ces terres restent en grande partie sauvages, le paysage rocailleux n'étant ponctué que de cours d'eau ou de plateaux abrupts – les mesas. Les Amérindiens qui y vivaient il y a 2 500 ans n'auraient donc pas dû pouvoir survivre au milieu de ces terres arides. Pourtant, des tribus très ingénieuses, comme les Anasazis, parvinrent non seulement à conjurer la famine, mais à prospérer dans la région des « Quatre Coins », où coïncident le Nouveau-Mexique, le Colorado, l'Utah et l'Arizona. Et, curieusement, c'est bel et bien à la nature même du sol qu'ils doivent d'avoir pu préserver si longtemps leur culture.

En Amérique centrale, on cultivait depuis des milliers d'années des plantes comme le maïs, les haricots et les courges et, à partir de 500 av. J.-C., ces cultures gagnèrent peu à peu le nord. Le coton et le tabac furent eux aussi adoptés et, en quelques siècles, les fermiers passèrent d'un système adapté à des pluies modestes à un réseau d'irrigation et de lacs de retenue très sophistiqué. Les Anasazis et les peuples voisins – Hohokams (sud de l'Arizona) et Mogollons (est de l'Arizona et ouest du Nouveau-Mexique) partageaient volontiers leur savoir, même si chaque tribu restait attachée à ses traditions architecturales et artistiques.

La patience récompensée

Quand leurs récoltes devinrent plus régulières, ces peuples purent se consacrer à l'aménagement de villes en pierre et de routes. Chaco Canyon, au Nouveau-Mexique, fut tout d'abord habité par des cultivateurs confinés dans des cabanons à demi enterrés. Mais, vers l'an 1000 apr. J.-C., le cantonnement était devenu une véritable agglomération rurale de treize villages indépendants, dont l'un, Pueblo Bonito, s'enorgueillissait de compter quelque 700 pièces habitables autonomes et 34 *kivas* – pièces cérémonielles à demi enterrées. La culture religieuse de ce peuple reste mal connue, mais le soleil et les étoiles y jouaient semble-t-il un rôle non négligeable. Ainsi, la supernova qui éjecta la nébuleuse du Crabe, en juillet 1054, est résumée avec précision dans l'un des bâtiments.

Autre village spectaculaire, celui de Cliff Palace, dans le parc national de Mesa Verde, au Colorado. Des constructions à demi enterrées en pierre et en bois y jouxtent un village anasazi adossé à un surplomb de falaise. Grâce à des marches taillées dans le flanc de la falaise, les fermiers accédaient aux champs plus facilement et, entre le XIe et le XIIe siècles, leurs récoltes permirent de soutenir une communauté urbaine dynamique et économiquement stable. Ce peuple doit sa fin à une inondation catastrophique qui dévasta les fermes du nord de la région au XIIIe siècle. Les

À gauche *Le site spectaculaire de Cliff Palace, à Mesa Verde. Cette cité était le cœur d'un domaine basé au Colorado entre les XIe et XIIIe siècles apr. J.-C.*

vers 500 av. J.-C.	vers 500 apr. J.-C.	vers 1000 apr. J.-C.
Les peuples d'Amérique centrale cultivent la terre en Arizona au Nouveau-Mexique.	Les progrès d'irrigation rendent l'agriculture possible en zones désertiques.	Treize villages Anasazis sont aménagés à Chaco Canyon.

Les Européens qui redécouvrirent Mesa Verde pensèrent que la ville venait d'être abandonnée.

Ci-dessus *Sur cette vue de Cliff Palace, les kivas sont bien visibles ; ces bâtiments servaient à la fois de lieu de culte et de réunion.*

habitants des lieux partirent si vite que, quand les Européens du XVIᵉ siècle découvrirent le village, ils pensèrent qu'il n'avait été abandonné que depuis peu. Les bâtiments en bois étaient intacts, les pots en céramique encore à moitié pleins de maïs, et les chaussures en yucca n'avaient pas bougé. Les Pueblos construisirent leurs villages en adobe (boue séchée), et témoignent encore aujourd'hui de leur remarquable talent d'architecte.

Le géant de Blythe

Le développement des engins volants ouvrit bien des perspectives aux archéologues. Les bâtiments, les dessins au sol et les réseaux d'irrigation modifient la surface du sol, parfois au point de laisser des traces définitives qui sont invisibles vues de près, mais évidentes lorsque observées du dessus. En 1923, Jerry Phillips, colonel de l'armée de l'air des États-Unis, évoluait en biplan sans habitacle à 1 500 m d'altitude dans la région du désert de Mojave, non loin de Blythe, en Californie. Il se pencha soudain après avoir vu au sol les silhouettes d'un immense personnage et d'un animal à longue queue. Depuis lors, plus de 275 dessins symboliques et hiéroglyphes ont été identifiés dans la basse vallée du Colorado. Il pourrait s'agir d'œuvres des Mojave, datant de 3000 av. J.-C. environ.

Le géant de pierre de Blythe et autres dessins sur terre du Sud-Ouest

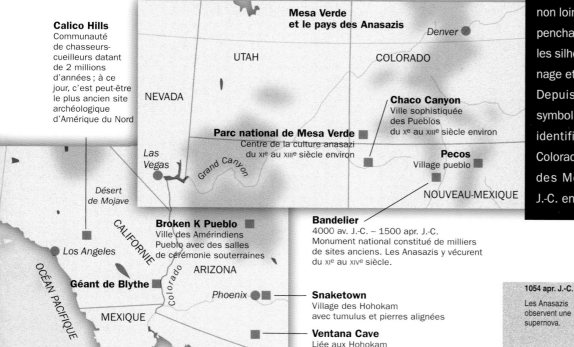

Calico Hills
Communauté de chasseurs-cueilleurs datant de 2 millions d'années ; à ce jour, c'est peut-être le plus ancien site archéologique d'Amérique du Nord

Mesa Verde et le pays des Anasazis

Denver

UTAH

COLORADO

NEVADA

Chaco Canyon
Ville sophistiquée des Pueblos du Xᵉ au XIIIᵉ siècle environ

Parc national de Mesa Verde
Centre de la culture anasazi du XIᵉ au XIIIᵉ siècle environ

Las Vegas

Grand Canyon

Pecos
Village pueblo

Désert de Mojave

NOUVEAU-MEXIQUE

CALIFORNIE

Los Angeles

Broken K Pueblo
Ville des Amérindiens Pueblo avec des salles de cérémonie souterraines

Bandelier
4000 av. J.-C. – 1500 apr. J.-C.
Monument national constitué de milliers de sites anciens. Les Anasazis y vécurent du XIᵉ au XIVᵉ siècle.

ARIZONA

OCÉAN PACIFIQUE

Géant de Blythe

Phoenix

MEXIQUE

Snaketown
Village des Hohokam avec tumulus et pierres alignées

Ventana Cave
Liée aux Hohokam

1054 apr. J.-C.	vers 1100 apr. J.-C.	années 1200 apr. J.-C.
Les Anasazis observent une supernova.	Grande époque des constructions à flanc de falaise dans le Mesa Verde.	Les inondations menacent directement les habitats à flanc de falaise.

LES AMÉRINDIENS
Les chasseurs des Grandes Plaines

Jusqu'à l'arrivée des Européens, au XVIIe siècle, les Amérindiens des plaines centrales d'Amérique du Nord vivaient à peu près de la même façon depuis des milliers d'années. Cette immense région s'étend de la frontière canadienne, au nord, à la limite nord du Texas, et se prolonge d'est en ouest entre les montagnes Rocheuses et les Grands Lacs. Des peuples de chasseurs-cueilleurs y disposaient d'une réserve de viande infinie, grâce aux mammouths, aux bisons et aux antilopes. Sur une superficie de quelque 2,6 millions de km², ces tribus menaient une vie tribale et nomade, rythmée par des migrations saisonnières, sans risquer d'épuiser les ressources en gibier. Certes, le mammouth s'est bel et bien

Ci-dessous *On peut voir des roues de médecine en pierre, comme celle-ci, un peu partout dans les Grandes Plaines d'Amérique du Nord.*

éteint dans cette région comme en Asie vers 10 000 av. J.-C., mais c'est incontestablement le fait d'une combinaison de facteurs – parmi lesquels des variations climatiques – et non à cause de chasseurs forcenés.

Ces groupes étaient si disséminés que l'on estime à seulement 10 millions de personnes la population ayant précédé l'arrivée des Européens dans toute l'Amérique du Nord – soit un huitième de la population de toute l'Amérique centrale et du Sud. Sur un tel territoire, les Amérindiens des plaines devinrent des chasseurs incomparables ; leur vie religieuse et sociale était très influencée par des techniques de chasse en groupe. Des traces de battues de mammouths et de dépeçage ont été retrouvées dans des sites tels que Blackwater Draw, au Nouveau-Mexique. Sur le site de Head-Smashed-In (« tête-écrasée »), près d'Alberta, au Canada, les chasseurs du IVe millénaire av. J.-C. rabattaient des

dizaines de bisons au bord d'une falaise et les précipitaient dans le vide. Cette technique était employée sous une forme un peu différente à Casper, dans le Wyoming, où les bêtes étaient traquées vers une grève de sable circulaire et achevées d'un coup de lance. Ailleurs, les troupeaux étaient poussés vers des canyons ou des corrals en bois réservés à cet unique usage.

La chasse sous la protection du Grand Esprit

Le plus souvent, les grandes chasses avaient lieu à l'automne, afin de constituer une réserve de viande permettant de résister aux hivers rigoureux. Cela supposait une organisation scrupuleuse – il n'était pas rare que plusieurs centaines d'hommes et de femmes y prennent part –, car les risques étaient bien réels. Le danger principal résidait

Roue de médecine de Bighorn Mountain et autres sites apparentés en Amérique du Nord

ALBERTA   SASKATCHEWAN

● Calgary

South Saskatchewan

Regina ●

Majorville ■
Roue de médecine
vers 2500 av. J.-C.

Moose Mountain ■
Roue de médecine
du VIe siècle av. J.-C.

Head-Smashed-In
vers 3500 av. J.-C.,
falaise vers laquelle les
chasseurs acculaient
les bisons pour les
précipiter dans le vide.

Missouri

MONTANA

É T A T S - U N I S   D ' A

Bighorn Mountains
Cercle de pierres amérindien,
ou « roue de médecine »

IDAHO   WYOMING

Les traqueurs
craignaient par-dessus tout
que les bisons se dispersent soudainement.

À gauche *La Bighorn Wheel, dans le parc des Bighorn Mountains du Wyoming, a servi à la fois d'observatoire et de lieu de guérison.*

étaient organisées plusieurs jours à l'avance, on consultait des présages et l'on s'en remettait au Grand Esprit pour savoir à quel moment passer à l'action. Les pointes de lance en pierre revêtaient également une grande valeur symbolique, et beaucoup étaient taillées et aiguisées avec un soin extrême. Vers 500 av. J.-C., l'usage des arcs et des flèches rendait les chasses nettement plus fructueuses, sans pour autant que les bisons soient menacés de disparition. C'est plutôt la venue des pionniers européens, à partir de 1830, qui finira presque par exterminer l'espèce.

Les Indiens des Plaines laissaient des traces de leur passage sous la forme de « roues de médecine » en pierre. Il en reste aujourd'hui une cinquantaine, dont les plus connues se trouvent au Canada (Majorville, État d'Alberta et Moose Mountain), et aux États-Unis. Il s'agit d'une structure assez simple : des pierres centrales sont reliées à un cercle concentrique par des lignes de pierres disposées en rayons ; dans certains cas, il y a aussi un petit tumulus. Bighorn était un observatoire astronomique, semble-t-il, mais jouait surtout un rôle spirituel dans la guérison des malades.

dans la dispersion soudaine du troupeau, qui réduisait à néant des semaines de préparation et le patient rassemblement des petits groupes de bisons retrouvés çà et là. Si, par exemple, les membres d'une tribu choisissaient d'acculer les bêtes vers une falaise, ils devaient rabattre le troupeau vers des voies convergeant dans la bonne direction. Il suffisait que quelques chasseurs flanchent, ou que les bêtes trouvent une voie par laquelle s'échapper et le troupeau retrouvait sa liberté.

Les chefs étaient donc très nerveux pendant les jours qui précédaient la grande chasse, toute traque en solitaire étant interdite, de peur que les bisons avertis du danger ne s'enfuient. Des cérémonies religieuses très complexes

MANITOBA

Lac Winnipeg

ONTARIO

Lac Manitoba

Bannock Point
500 av. J.-C. – 800 apr. J.-C. Gravures sur pierre, le plus souvent d'animaux

DAKOTA DU NORD

Lac Supérieur

MINNESOTA

R I Q U E

DAKOTA DU SUD

Minneapolis

IOWA

de 50 000 à 10 000 av. J.-C. env.	vers 10 000 av. J.-C.	vers 9000 av. J.-C.	vers 4000 av. J.-C.	vers 1500 av. J.-C.
Les hommes, venus d'Asie, arrivent en Amérique.	Extinction du mammouth.	La fin de la période glaciaire permet d'édifier des villes, par exemple Jéricho.	Premières preuves d'un mode de chasse au bison complexe mis au point par les Amérindiens.	La culture olmèque apparaît, dans la région de l'actuel Mexique.

LES COLONS VIKINGS
Les premiers Européens au Nouveau Monde

L'histoire du débarquement des Vikings en Amérique du Nord commence en 982, quand un explorateur norvégien, Erik le Rouge, découvre le Groenland et y fonde un village, près de la ville actuelle de Julianehåb. À cette époque, l'Islande était frappée d'une terrible famine, et quand Erik y revint, quatre ans plus tard, il trouva assez de colons pour affréter vingt-cinq navires. Le climat qui régnait au Groenland était plus doux qu'aujourd'hui, et cette terre vierge offrait bien des possibilités aux fermiers et aux chasseurs. Bientôt, ils purent faire commerce de fourrure, de cuir, de cordes, d'huiles animales, de laine et d'ivoire de morse, et importer – principalement de Norvège – des céréales, du fer, du bois et des vêtements.

En route vers l'aventure

Toutefois, ces villages ne pouvaient accueillir qu'une faible population, et le fils d'Erik, Leif Eriksson, décida de pousser l'exploration vers l'ouest. Des marins ayant été conduits malgré eux dans cette direction lui avaient confié avoir vu une terre – ce qui ne signifiait pas qu'il s'agissait d'une terre habitable. Vers 1002, l'expédition de Leif Eriksson aborda la côte opposée en trois lieux qu'il nomma Helluland, Markland et Vinland. Helluland serait la pointe sud de la terre de Baffin, Markland le Labrador, au sud de Nain, mais l'emplacement géographique de Vinland fait toujours l'objet de débats houleux parmi les universitaires. L'une des terres citées le plus souvent est l'Anse-aux-Meadows, sur la côte de Terre-Neuve.

Sur ce dernier site, des recherches menées par Helge et Anne Ingstad ont permis de retrouver les restes de huit maisons à toiture végétale, des cheminées en pierre, un morceau de fer forgé fondu, et environ 120 autres objets. Cette quantité assez faible d'objets semble indiquer que le village n'est pas resté occupé très longtemps. Les colons n'ont pas tenté d'agrandir ni de rénover leurs maisons, qui étaient équipées de façon très sommaire : les lits étaient des bancs et la cheminée se limitait à un trou au plafond. La plus grande de toutes, qui abritait probablement plusieurs familles, comptait cinq pièces et un atelier contigu.

La terre de Vinland, dont parlent les sagas des Vikings, était placée sous les pleins pouvoirs d'un Islandais, Thorfinn Karlsefni, mari de la belle-fille d'Erik le Rouge, Gudrid. Il avait été si impressionné par les récits de Leif

Ci-dessus *Monument viking du cantonnement de Brattahlid, à Eiriksfjord, à l'est du Groenland. Les colonies scandinaves établies au Groenland servirent de bases de départ vers l'ouest.*

Les Vikings, premiers colons européens en Amérique du Nord

ISLANDE

GROENLAND

Parcours supposé au départ de la Scandinavie

MER DU LABRADOR

Navire viking

OCÉAN ATLANTIQUE

CANADA

L'Anse-aux-Meadows
Cantonnement viking

TERRE-NEUVE

NOUVEAU-BRUNSWICK

ÉTATS-UNIS   *Halifax*
NOUVELLE-ÉCOSSE
MAINE

de 400 à 800 apr. J.-C. env.	vers 795 apr. J.-C.	de 840 à 850 apr. J.-C. env.	vers 860 apr. J.-C.	vers 900 apr. J.-C.
En Europe, le haut Moyen Âge s'achève par des invasions de Barbares.	Première grande mise à sac des îles Britanniques par les Vikings.	Les Vikings pillent de nombreuses régions côtières en Europe.	Les Vikings découvrent l'Islande et la colonisent.	Les Vikings entretiennent des relations commerciales avec des pays de la mer Noire.

Un accord très diplomatique permit de négocier du lait, au lieu des armes.

Les ruines de l'implantation de Qagsslarssuk, sur la côte du Groenland.

Eriksson – qui parlait de vignes sauvages, de saumon abondant, de climat tempéré, de vastes pâturages et de bois à profusion – qu'il avait décidé d'aller y établir une colonie permanente. Plusieurs de ses hommes partirent avec lui, accompagnés de leur femme, et en emportant une réserve de céréales et des vaches pleines, ainsi qu'une bonne quantité d'armes. Sur place, ils ne tardèrent pas à entrer en conflit avec les indigènes, qu'ils appelaient les *skrælingar* (« hurleurs » ou « laiderons »).

Selon la saga du Grœnlending, la première tentative d'échange entre les Norvégiens et les indigènes fut une sombre histoire, qui aurait pu mal tourner sans le secours et les talents de diplomate de Thorfinn Karlsefni. Comme la saga en fait état : « Aucune des deux parties ne comprenait la langue de l'autre. Alors, les Skrælingar décrochè-rent les ballots qu'ils portaient en bandoulière, dénouèrent les fils qui les liaient et demandèrent à les échanger contre des armes. Mais Karlsefni refusa qu'on leur vende des armes. Et il eut cette idée : il ordonna aux femmes de leur porter du lait et, quand ils virent ce lait, ce fut la seule chose qu'ils voulurent acheter, rien d'autre. » Hélas ! pour les colons, cette paix ne dura pas. Les hostilités reprirent et les colons de Vinland, incapables de dominer les indigènes par la force de persuasion ou des armes, tout comme d'entretenir des relations régulières avec leurs frères du Groenland, abandonnèrent les lieux après trois hivers. En 1020, les expéditions colonialistes vers l'ouest avaient pratiquement cessé, pour se limiter aux relations commerciales.

On ne sait toujours pas où cette colonie de Vinland pouvait se trouver. Les hypothèses la situent à peu près n'im-porte où entre Terre-Neuve et la Floride, mais la découverte d'un village viking unique et authentique sur la côte est de l'Amérique remet en question toutes les théories actuelles. La seule chose que l'on peut affirmer à ce jour est que Karlsefni et ses successeurs n'ont proba-blement pas dépassé le sud du Maine.

Ci-dessus *Reconstitution de maisons scandinaves à l'Anse-aux-Meadows, sur la côte de Terre-Neuve.*

982 apr. J.-C.	**vers 1002 apr. J.-C.**	**vers 1014 apr. J.-C.**	**vers 1020 apr. J.-C.**	**vers 1100 apr. J.-C.**	**1492 apr. J.-C.**	**de 1520 à 1800 apr. J.-C. env.**	**de 1600 à 1800 apr. J.-C. env.**
Erik le Rouge découvre le Groenland.	Leif Eriksson pose pied dans trois sites d'Amérique du Nord.	Les royaumes irlandais affaiblissent le pouvoir des Vikings en Irlande.	Les expéditions de colons vers l'Amérique du Nord sont remplacées par des relations commerciales.	Le développement des États-nations d'Europe met fin à l'ère des Vikings.	Christophe Colomb est considéré comme le découvreur du Nouveau Monde.	Les Espagnols et les Portugais colonisent l'Amérique du Nord et du Sud.	Les Britanniques, les Français, les Néerlandais et autres se font colonisateurs.

CONCLUSION

L'éminent archéologue français Charles Picard a écrit, non sans humour, que le but de l'archéologie était par définition absurde. « Son seul et unique objectif est de ramener à la vie des choses mortes. La nature, hostile à tous les gaspillages, réabsorbe sans effort les plus petits restes de tout ce qui a vécu autrefois et les réutilise pour de nouveau produire de la vie. En tentant de préserver les fossiles et les corps, l'archéologie travaille contre la nature. »

C'est une vérité facile à démontrer, mais elle peut s'appliquer aussi à la Nasa, qui défie la pesanteur, et aux médecins, qui luttent contre les maladies « naturelles » à l'aide de médicaments. Il n'est en rien absurde d'aller contre les lois naturelles ; on pourrait même soutenir que, en dotant l'homme d'une insatiable curiosité, c'est la nature elle-même qui le met au défi ! Cela dit, l'archéologie est bel et bien truffée d'absurdités.

La vitesse à laquelle les innovations de la recherche sont adoptées en est un exemple. Ce livre mentionne à plusieurs reprises des avancées technologiques qui ont repoussé les limites de nos connaissances archéologiques, comme autant de radeaux dérivant sur l'océan du doute. Et malheureusement, il arrive que ces embarcations s'échouent...

La technique de régression linéaire (LRT) illustre bien ce phénomène. Pendant des décennies, les archéologues ont calculé l'âge du décès en s'en remettant à un tableau descriptif des os : à partir de toute une série d'os de personnes mortes à un âge connu, un relevé descriptif des caractéristiques osseuses typiques (l'usure des articulations, par exemple) avait été dressé. À partir de ce système d'estimation, l'âge des os étudiés pouvait être déterminé. Ce système a malheureusement vite trouvé ses limites. Ainsi, quand il fallut dater les os du septième roi maya Hanab Pacal, les anthropologues affirmèrent qu'il était mort à l'âge d'une quarantaine d'an-

nées. Pourtant, la description trouvée sur sa tombe affirmait qu'il avait 80 ans.

Mais, en mars 1999, une étude commune des universités de Leeds et de Bradford démontra que cette méthode d'estimation était faussée à la base : « Elle tend à sous-estimer l'âge des membres les plus vieux de la population étudiée », parfois d'une trentaine d'années. Il semblerait donc que, en s'en remettant trop vite à une formule éprouvée et infaillible, on court le risque de réduire à néant les découvertes les plus sérieuses.

Faire table rase du passé

Les archéologues professionnels ne sont que trop conscients des dangers de leur discipline. Certains soutiennent même que la notion de « fait » n'existe pas, car il est impossible d'énoncer une découverte juste et avérée en se penchant sur des édifices anciens et des objets sortis de leur contexte social et historique. L'histoire écrite elle-même – aucun document ne remonte à plus de 5 000 ans – est loin d'être une science exacte.

Une autre absurdité découle de la façon dont on conçoit l'archéologie. L'espèce humaine ne cherche à préserver ses racines que depuis quelques centaines d'années. Les architectes grecs et romains n'hésitaient pas à nettoyer les sites de toutes les ruines qui pouvaient s'y trouver, afin de faire place nette pour leurs propres chantiers. Le christianisme, la Réforme, les révolutions russe et française, la Révolution culturelle en Chine, ne sont que quelques exemples de mouvements politiques ou religieux qui ont balayé les trésors du passé. La sauvegarde ou le commerce illégale d'objets remonte au moins au premier siècle de notre ère, même si la motivation première est parfois plus financière que culturelle.

En 1996, en ayant bien ces idées à l'esprit, l'auteur de ces lignes eut un entretien avec le plus grand restaurateur

« En tentant de préserver les fossiles et les corps, l'archéologue travaille contre la nature. » Mais notre insatiable curiosité nous pousse à vouloir savoir à tout prix ce qui est arrivé à ce Viking...

d'œuvres égyptiennes, qui attendait d'être jugé pour avoir fait commerce d'objets pillés dans des tombes égyptiennes (il fut condamné à six ans de détention). Cet homme dénonça avec rage la persécution « scandaleuse » dont étaient victimes les amateurs d'art, et affirma que « bien des objets exposés dans les musées n'ont que peu d'intérêt ». Cette prise de position peut sembler scandaleuse, mais les grands musées occidentaux n'ont pas de leçons de morale à donner. Car, somme toute, bien des objets qu'ils exposent ne proviennent-ils pas de ce qu'il faut bien appeler des pillages ?

À côté des querelles qui agitent le petit monde de l'archéologie, n'oublions pas que cette discipline est, par essence, extrêmement enrichissante, stimulante et fascinante, et qu'elle a, en quelques centaines d'années, bouleversé notre conception de l'être humain. En feuilletant les pages du présent ouvrage, comment ne pas être frappé par l'incroyable ingéniosité des peuples qui ont forgé notre passé ? Ce livre n'est pas un manuel universitaire, il ne cherche qu'à présenter un résumé concis et précis des sites archéologiques les plus spectaculaires, tout en les situant sur le globe. Si le lecteur, à travers lui, ressent tout le merveilleux de l'aventure humaine, alors aurons-nous atteint notre but.